Ma vie pour la tienne

Jodi
PICOULT

Ma vie
pour la tienne

ROMAN

Traduit de l'anglais
par Irène Barki

Titre original
MY SISTER'S KEEPER

Aux Curran,
les meilleurs membres de notre famille,
même si nous ne sommes pas véritablement apparentés.
Merci d'être une part aussi importante de notre vie.

Prologue

« Personne ne déclare une guerre – ou plutôt, personne de sensé ne devrait le faire – sans avoir une vision très claire du but de cette guerre et de la façon dont on entend la mener. »

CARL VON CLAUSEWITZ, *De la guerre*

Mon premier souvenir : j'ai trois ans et j'essaie de tuer ma sœur. Parfois, il est si présent que je me rappelle la rugosité de la taie d'oreiller dans ma main, la pointe de son nez contre ma paume. Elle n'avait pas une chance contre moi, bien entendu, mais malgré tout ça n'a pas marché. Mon père m'a surprise – il venait nous border et nous souhaiter une bonne nuit – et l'a sauvée. Il m'a ramenée à mon lit. « On va faire comme s'il ne s'était jamais rien passé », a-t-il dit.

En grandissant, j'ai eu l'impression que je n'existais que par rapport à elle. Je la regardais dormir dans la chambre, en face de moi, une longue bande d'obscurité séparant nos deux lits, et je passais en revue les différentes possibilités : du poison, saupoudré sur ses céréales ; une violente lame de fond, à la plage ; frappée par la foudre.

Mais, au bout du compte, je n'ai pas tué ma sœur. Elle l'a fait elle-même, sans l'aide de personne.

Du moins, c'est ce que je me dis.

Lundi

Frère, je suis feu
Soulevant le fond de l'océan.
Jamais je ne te rencontrerai, frère –
En tout cas pas avant des années ;
Des milliers d'années, peut-être.
Puis je te réchaufferai,
Te serrerai contre moi, t'encerclerai,
T'utiliserai et te transformerai –
Des milliers d'années, peut-être, mon frère.

CARL SANDBURG, *Parentèle*

Anna

Quand j'étais petite, le grand mystère n'était pas comment on faisait les bébés, mais pourquoi. Je comprenais en quoi consistait la technique – mon grand frère Jesse s'était chargé de m'informer, à une époque où je suis sûre qu'il n'avait assimilé les choses qu'à moitié. Alors que les enfants de mon âge se précipitaient sur le dictionnaire de la classe pour chercher les mots *pénis* et *vagin* chaque fois que la maîtresse avait le dos tourné, d'autres questions m'occupaient l'esprit. Par exemple : pourquoi certaines mères n'avaient qu'un seul enfant, tandis que d'autres semblaient ne jamais s'arrêter de procréer. Ou pourquoi la nouvelle à l'école, Sedona, racontait à tout le monde que ses parents lui avaient donné ce nom en souvenir de l'endroit où ils passaient leurs vacances quand ils l'avaient conçue (« c'est une chance que ça ne se soit pas produit à Jersey City », disait mon père).

Maintenant que j'ai treize ans, ces différences sont encore plus compliquées : la fille de quatrième qui a dû abandonner l'école parce qu'elle *a eu un problème* ; la voisine qui *s'est débrouillée pour tomber enceinte* dans l'espoir que ça empêcherait son mari de demander le divorce. C'est moi qui vous le dis, si des extraterrestres atterrissaient sur notre planète et étudiaient sérieusement la question de savoir pourquoi les bébés naissent, ils arriveraient à la conclusion que la plupart des gens font des enfants par accident, ou parce qu'ils ont trop bu un soir, ou parce que la contraception ne marche pas à cent pour cent, ou pour un millier d'autres raisons qui ne sont pas vraiment flatteuses.

Moi, en revanche, je suis née pour une raison très précise. Je ne suis pas le résultat d'une bouteille de mauvais vin ou de la pleine lune ou de la chaleur du moment. Je suis née parce qu'un scientifique a réussi à combiner les ovules de ma mère avec les spermatozoïdes de mon père pour produire une matière génétique de très grande valeur. En fait, quand Jesse m'a raconté comment on faisait les bébés, et que moi, incrédule comme toujours, j'ai décidé de demander la vérité à mes parents, j'en ai eu pour bien plus que mon argent. Ils m'ont assise et ils m'ont servi le baratin habituel, bien sûr, mais ils m'ont aussi expliqué qu'ils avaient choisi spécifiquement le petit embryon de ma personne parce que je pouvais sauver ma sœur Kate. « Nous t'aimions encore plus, s'est empressée d'ajouter ma mère, parce que nous savions exactement ce que nous allions avoir. »

Du coup, je me suis demandé ce qui se serait passé si Kate avait été en bonne santé. Si ça se trouve, j'en serais encore à flotter quelque part au ciel, ou Dieu sait où, en attendant d'être rattachée à un corps pour pouvoir passer quelque temps sur terre. En tout cas, je ne ferais sûrement pas partie de cette famille. Vous voyez, à la différence des autres, je ne suis pas arrivée ici par accident. Et si vos parents vous ont eu pour une raison précise, alors cette raison a intérêt à exister. Parce que si elle disparaît, vous disparaissez aussi.

Les brocantes sont peut-être pleines de cochonneries mais, si vous voulez mon avis – je sais, vous ne m'avez rien demandé –, elles racontent aussi une foule d'histoires. Qu'est-ce qui a poussé une femme à brader son diamant, un solitaire, encore jamais mis ? Qui avait besoin d'argent au point de vendre un ours en peluche avec un œil en moins ? En m'avançant vers le comptoir, je me demande si quelqu'un se posera les mêmes questions en regardant le médaillon dont je suis sur le point de me séparer.

L'homme qui tient la caisse a le nez en forme de navet et des yeux enfoncés si profondément qu'il est difficile de croire qu'il puisse y voir assez pour faire son travail.

— Besoin de quelque chose ? demande-t-il.

C'est tout juste si je ne repars pas en sens inverse, en prétendant être entrée par erreur. La seule chose qui me fasse avancer, c'est de savoir que je ne suis pas la première personne à se trouver devant ce comptoir en tenant à la main le seul objet au monde auquel elle pensait n'avoir jamais à renoncer.

— J'ai quelque chose à vendre.

— Et je suis censé deviner ce que c'est ?

— Euh...

J'avale ma salive. Je sors le médaillon de la poche de mon jean. Le cœur heurte la vitre du comptoir, sa chaîne tombe en pluie tout autour.

— C'est de l'or quatorze carats. Presque jamais porté.

C'est un mensonge ; jusqu'à ce matin, ça faisait sept ans que je ne l'avais pas retiré. Mon père me l'a offert quand j'avais six ans, après le don de moelle osseuse, en me disant que quelqu'un qui faisait un cadeau d'une telle importance à sa sœur en méritait un également. En le voyant là, sur le comptoir, je frissonne et mon cou me semble nu.

Le patron approche une loupe de son œil, le faisant paraître d'une taille presque normale.

— Je vous en donne vingt.

— *Dollars ?*

— Non, pesos. Qu'est-ce que vous croyiez ?

— Il en vaut cinq fois plus !

J'ai dit ça au hasard. Le patron hausse les épaules.

— Ce n'est pas moi qui ai besoin d'argent.

Je ramasse le médaillon, résignée à conclure le marché, et il se passe alors quelque chose de très étrange – ma main se referme comme un étau. Ecarter les doigts exige un tel effort que mon visage devient tout rouge. J'ai l'impression qu'il faut une heure pour que ce médaillon passe dans la paume que le brocanteur me tend. Ses yeux restent fixés sur moi, moins durs maintenant.

— Dites-lui que vous l'avez perdu, suggère-t-il.

Un conseil qui ne lui coûte rien.

Si M. Webster avait décidé d'ajouter une nouvelle définition du mot *monstre* à son célèbre dictionnaire, il n'aurait pas pu en trouver de meilleure que : *Anna Fitzgerald*. Pas simplement à cause de mon apparence physique : une maigreur de réfugiée avec une poitrine inexistante, des cheveux couleur boue, sur les joues des taches de rousseur qui font penser à ce jeu où il faut relier les points entre eux, des taches, sachez-le, qui ne s'estompent ni au jus de citron, ni à l'écran solaire, ni même, c'est triste à dire, au papier de verre. Non, Dieu était manifestement de mauvaise humeur le jour de ma naissance, parce qu'Il a ajouté à cette composition sublime un cadre : celui de la famille dans laquelle je suis née.

Mes parents ont essayé de rendre les choses normales, mais le terme est relatif. La vérité, c'est que je n'ai jamais été vraiment enfant. Pour tout dire, Kate et Jesse non plus. Mon frère a peut-être eu sa place au soleil quelque temps, pendant ses quatre ans de vie avant que la maladie de Kate ait été diagnostiquée, mais depuis nous étions tous trop occupés à regarder par-dessus notre épaule pour grandir normalement. Vous savez que la plupart des petits enfants croient qu'ils sont à l'image des personnages de dessins animés – que s'ils se font écraser par une enclume, il leur suffit de s'arracher à la chaussée et de se remettre en route ? Eh bien, moi, je n'ai jamais rien cru de pareil. Comment le pourrais-je, quand chez nous la Mort a quasiment sa place à table ?

Kate a une leucémie aiguë promyélocytaire. En fait, ce n'est pas tout à fait vrai – en ce moment, elle ne l'a pas, mais la maladie hiberne sous sa peau comme un ours, prête à se manifester de nouveau quand elle l'aura décidé. *Rémission moléculaire*, *granulocyte* et *portacath* – ces mots font partie de mon vocabulaire, même si je ne risque pas de les rencontrer dans un test de niveau scolaire. Je suis donneur allogène. Quand Kate a besoin de leucocytes ou de cellules souches ou de moelle osseuse pour donner à son corps l'illusion qu'il est en bonne santé, c'est moi qui les fournis. Presque toutes les fois où Kate est à l'hôpital, je finis par m'y retrouver aussi.

Tout ça ne signifie rien, sauf que vous ne devez pas croire ce qu'on vous dit sur mon compte, surtout si ça vient de moi.

Au moment où je monte l'escalier, ma mère sort de sa chambre habillée d'une nouvelle robe du soir.

— Ah, dit-elle, voilà précisément la fille que je voulais voir.

Je grimpe à toute vitesse et je la regarde virevolter. Ma mère pourrait être très belle si elle se trouvait parachutée dans la vie de quelqu'un d'autre. Elle a de longs cheveux châtain foncé et les clavicules délicates d'une princesse, mais les coins de sa bouche retombent comme si elle avalait une mauvaise nouvelle. Elle n'a pas beaucoup de loisirs, dans la mesure où son emploi du temps peut changer brutalement si ma sœur a un hématome ou un saignement de nez, mais le peu dont elle dispose, elle le passe sur bluefly.com, à commander des robes de soirée parfaitement ridicules, pour des endroits où elle n'ira jamais.

— Qu'est-ce que tu en penses ? demande-t-elle.

La robe est de toutes les nuances d'un coucher de soleil, dans un tissu qui froufroute quand elle bouge. Elle est sans bretelles, le genre de robe dans laquelle une star paraderait en avançant sur un tapis rouge, carrément contraire au code vestimentaire d'une maison de banlieue à Upper Darby, dans l'Etat de Rhode Island. Ma mère noue ses cheveux et les maintient en place. Sur le lit, trois autres robes : une noire et sexy, une à sequins, une qui paraît désespérément petite.

— Tu as l'air...

Fatiguée. Le mot commence à se former sur mes lèvres.

Ma mère s'immobilise, et je me demande s'il ne m'a pas échappé. Elle lève une main, me faisant signe de me taire, l'oreille tendue en direction de la porte.

— Tu as entendu ?

— Entendu quoi ?

— Kate.

— Je n'ai rien entendu.

Mais elle ne me croit pas. Quand il s'agit de Kate, elle ne croit personne. Elle se précipite dans le couloir et ouvre la porte de notre chambre pour trouver ma sœur, hystérique, sur son lit, et en un instant le monde s'écroule de nouveau. Mon père, astronome amateur, a essayé de m'expliquer les trous noirs, et comment, parce qu'ils sont si lourds, ils aspirent tout, même la lumière, vers leur centre. À des moments comme celui-ci, je ressens le même genre de vide ; peu importe ce à quoi tu t'accroches, tu finis quand même par être englouti.

— Kate !

Ma mère s'agenouille, sa jupe ridicule bouillonnant autour d'elle.

— Kate, ma chérie, où as-tu mal ?

Kate serre un oreiller contre son ventre, et les larmes ruissellent sur ses joues. Ses cheveux clairs collent à son visage en traînées humides, son souffle est court. Je reste plantée sur le seuil de ma chambre, dans l'attente d'instructions. *Appelle papa. Appelle le 911. Appelle le Dr Chance.* Ma mère va jusqu'à tenter de lui arracher une explication en lui saisissant l'épaule, mais Kate s'essuie le visage et essaie de parler.

— C'est Preston, sanglote-t-elle. Il quitte Serena pour toujours.

C'est alors que je remarque la télé. À l'écran, un beau blond lance un regard désespéré à une femme qui pleure presque autant que ma sœur, puis claque la porte.

— Mais tu as mal où ? insiste ma mère.

Il y a forcément quelque chose de plus grave.

— Oh, mon Dieu ! dit Kate en reniflant. Est-ce que tu as la moindre idée de ce que Serena et Preston ont traversé ? Hein ?

Le poing serré à l'intérieur de moi se relâche, maintenant que je sais que tout va bien. Chez nous, ce qui est normal ressemble à une couverture trop courte pour un lit – parfois elle vous couvre juste comme il faut, d'autres fois elle vous laisse gelé et grelottant. Le pire, c'est que vous ne savez jamais à l'avance lequel des deux ce sera. Je m'assois au bout du lit de Kate. Elle a seize ans, mais je suis plus grande qu'elle et de temps en temps les gens pensent que c'est moi l'aînée. Successivement, au cours de l'été, elle a été dingue de Callahan, de Wyatt et de Liam, les vedettes masculines de ce soap. Maintenant, c'est au tour de Preston, on dirait.

J'avance :

— Il y a eu cette menace d'enlèvement.

J'ai effectivement suivi l'histoire ; Kate me faisait enregistrer les épisodes pendant ses séances de dialyse.

— Et quand elle a failli épouser son jumeau par erreur, ajoute Kate.

— Et n'oublie pas la fois où il est mort dans l'accident de bateau. Enfin, pendant deux mois, dit ma mère en se joignant à la conversation.

Je me souviens qu'elle regarde aussi ce feuilleton, quand elle reste avec Kate à l'hôpital.

Pour la première fois, Kate semble remarquer la tenue vestimentaire de ma mère.

— C'est quoi, ce que tu portes ?

— Oh, un truc que je vais rendre.

Elle se lève, se plante devant moi pour que je baisse la fermeture éclair. Je me demande si ce que ma mère aime tant, c'est se glisser un moment dans la peau de quelqu'un d'autre, ou si c'est simplement avoir la possibilité de renvoyer quelque chose qui ne lui convient pas.

— Tu es sûre que tu n'as mal nulle part ?

Après le départ de ma mère, Kate s'efface un peu. Je n'ai pas d'autre moyen de décrire la vitesse à laquelle la pâleur gagne son visage, la façon dont elle disparaît dans les oreillers. À mesure que la maladie progresse, Kate s'efface un peu plus, et j'ai peur de me réveiller un jour et de ne plus la voir du tout.

— Dégage, ordonne-t-elle. Tu me caches l'écran.

Alors je vais m'asseoir sur mon lit.

— C'est juste les bandes-annonces.

— Eh bien, si je meurs cette nuit, je veux savoir ce que je vais manquer.

Je fais gonfler les oreillers sous ma tête. Comme d'habitude, Kate a fait l'échange pour rafler tous les moelleux, ceux qui ne donnent pas l'impression de poser sa nuque sur un tas de cailloux. Il paraît que c'est son droit, parce qu'elle a trois ans de plus que moi ou parce qu'elle est malade ou parce que la lune est en Verseau – il y a toujours une raison. Je plisse les yeux en direction de la télé ; je voudrais bien pouvoir zapper d'une chaîne à l'autre, mais je sais que je n'ai pas le choix.

— Preston a l'air d'être en plastique.

— Alors pourquoi je t'ai entendue murmurer son nom dans ton oreiller la nuit dernière ? réplique Kate.

— Tais-toi.

— Tais-toi toi-même.

Puis Kate me sourit.

— De toute façon, il est probablement pédé. Un vrai gâchis, quand on pense que les sœurs Fitzgerald sont...

Avec une grimace, elle s'interrompt au milieu de sa phrase, et je me roule vers elle.

— Kate ?

Elle se frotte le bas du dos.

— Ce n'est rien.

Ce sont ses reins.

— Tu veux que j'aille chercher maman ?

— Pas encore.

Elle tend la main au-dessus de l'espace séparant nos lits, qui sont juste à la bonne distance l'un de l'autre pour que nous puissions nous atteindre. Je fais de même. Quand nous étions petites, nous formions ce pont pour voir combien de poupées Barbie nous pouvions faire tenir en équilibre dessus.

Depuis quelque temps, je fais des cauchemars dans lesquels on m'a coupée en tellement de morceaux qu'il n'est plus possible de me recomposer.

Mon père dit qu'un feu meurt tout seul, à condition de ne pas ouvrir une fenêtre et de le raviver. En y réfléchissant bien, je suppose que c'est exactement ce que je fais, mais mon père me dit aussi que quand les flammes vous talonnent, il n'y a pas d'autre solution que de casser un mur ou deux pour s'échapper. Alors quand Kate s'endort sous l'effet des médicaments, je sors le porte-documents en cuir que je cache entre mon matelas et mon sommier, et je vais m'isoler un moment dans la salle de bains. Je sais que Kate fouille dans mes affaires – pour piéger quiconque aurait l'idée de mettre le nez dedans sans ma permission, j'ai coincé un fil rouge entre les dents de la fermeture éclair, et bien que le fil soit cassé, rien ne manque à l'intérieur. J'ouvre le robinet de la baignoire pour faire croire que j'ai une bonne raison d'être là, puis je m'assois par terre et je compte.

Si vous ajoutez les vingt dollars de la brocante, j'ai cent trente-six dollars et quatre-vingt-sept cents. Ça ne va pas suffire, mais il doit bien exister un moyen de s'arranger. Quand Jesse a acheté sa vieille

Jeep, il lui manquait deux mille neuf cents dollars, mais la banque lui a fait un genre de prêt. Bien sûr, mes parents ont dû signer des papiers eux aussi, et je doute qu'ils acceptent de le faire pour moi, vu les circonstances. Je compte l'argent une seconde fois, au cas où les billets se seraient miraculeusement reproduits, mais l'arithmétique est la même et la somme n'a pas changé. Et puis je m'installe pour lire les coupures de presse.

Campbell Alexander. Je trouve ce nom stupide. On dirait une marque de boisson alcoolisée hors de prix, ou le nom d'une société de courtage. Mais bon, on doit lui reconnaître des titres de gloire.

Pour accéder à la chambre de mon frère, il faut sortir de la maison, mais c'est précisément ce qui lui plaît. Quand il a eu seize ans, il s'est installé dans le grenier au-dessus du garage – un arrangement parfait, puisque Jesse ne voulait pas que mes parents aient l'œil sur lui et que mes parents ne tenaient pas vraiment à voir. L'escalier qui y mène est encombré par quatre pneus neige, un petit mur de cartons et un bureau en chêne renversé sur le côté. Parfois je me dis que c'est Jesse lui-même qui a dressé tous ces obstacles, juste pour se rendre plus difficile à atteindre.

Je franchis le désordre et monte les marches, que les basses s'échappant de la stéréo de Jesse font vibrer. Il met presque cinq minutes avant de m'entendre frapper.

— Quoi ? aboie-t-il en entrebâillant la porte.

— Je peux entrer ?

Il réfléchit un instant, puis s'écarte pour me laisser passer. La chambre est un océan de linge sale, de magazines et d'emballages contenant des restes de cuisine chinoise ; il y flotte une odeur de transpiration. Le seul coin qui soit rangé est l'étagère où Jesse expose sa précieuse collection – la mascotte chromée d'une Jaguar, un emblème de Mercedes, le cheval d'une Mustang – des insignes de capot qu'il prétend avoir ramassés dans la rue, mais je ne suis pas bête au point de le croire.

Ne vous méprenez pas, ce n'est pas que mes parents se désintéressent de Jesse et des ennuis dans lesquels il est allé se fourrer. C'est simplement qu'ils n'ont pas le temps de s'en préoccuper, parce que ce problème est quelque part plus bas sur la liste des priorités.

Jesse m'ignore et retourne à ce qu'il faisait à l'autre bout de ce foutoir. Mon attention est attirée par une marmite – celle, justement, qui a disparu de la cuisine il y a plusieurs mois – trônant sur la télé. Un tuyau en cuivre fiché dans le couvercle traverse une carafe en plastique remplie de glaçons, pour se vider dans un bocal à confiture. Jesse est limite délinquant, mais il est génial. À l'instant où je m'apprête à toucher son installation, Jesse se retourne.

— Hé !

C'est tout juste s'il ne vole pas par-dessus le canapé pour repousser ma main.

— Tu vas foutre en l'air le tuyau de condensation.

— Est-ce que c'est ce que je crois ?

Un sourire mauvais lui enflamme le visage.

— Tout dépend de ce que tu crois.

Il libère le bocal de verre et le liquide coule sur le tapis.

— Tiens, goûte.

Pour un alambic fait de bric et de broc, il produit du whisky drôlement puissant. Le feu de l'enfer se répand dans mon ventre et mes jambes, et je m'écroule sur le canapé. Je perds la voix pendant presque une minute.

— Dégoûtant.

Jesse rit et avale une gorgée lui aussi, mais chez lui ça descend plus facilement.

— Alors, qu'est-ce que tu me veux ?

— Comment tu sais que je veux quelque chose ?

— Personne ne monte ici juste pour dire bonjour, répond-il en s'asseyant sur le bras du canapé. Et s'il s'agissait de Kate, tu me l'aurais déjà dit.

— Justement, c'est à propos de Kate. Enfin, d'une certaine façon.

J'ai les yeux fixés sur mes genoux, je sens encore la brûlure de l'alcool.

— Tu te souviens de la fois où tu es rentré complètement bourré et que je t'ai traîné jusqu'ici ? Tu as une dette envers moi.

— Quel genre de dette ?

Je fourre les coupures de journaux dans la main de mon frère ; elles lui expliqueront les choses certainement mieux que moi. Il les survole, puis me regarde droit dans les yeux. Les siens sont d'un gris argent très pâle, tellement surprenant que, quand ils vous fixent, vous en oubliez complètement ce que vous aviez l'intention de dire.

— Ne t'amuse pas à défier le système, Anna, dit-il amèrement. Nous avons tous des rôles bien définis. Kate joue la Martyre. Moi je suis la Cause perdue. Et toi tu es le Soldat de la Paix.

Il croit qu'il me connaît, mais c'est réciproque – et la provocation, Jesse adore ça. Je soutiens son regard.

— Ah ouais ?

Jesse est d'accord pour m'attendre sur le parking. Si je me souviens bien, c'est l'une des rares fois qu'il fait quelque chose que je lui demande. Je contourne le bâtiment jusqu'à l'entrée, qui est gardée par deux gargouilles.

Le cabinet de Me Campbell Alexander, avocat à la cour, est situé au dernier étage. Les murs sont recouverts de boiseries dont la teinte évoque la robe d'une jument baie, et le tapis d'Orient recouvrant le sol est si épais que mes semelles s'y enfoncent d'un pouce. La secrétaire porte des chaussures noires tellement brillantes que mon visage se reflète dedans. Je jette un coup d'œil à mon jean coupé à la hauteur des genoux et aux baskets que j'ai tatouées au feutre la semaine dernière parce que je m'ennuyais.

La secrétaire a une peau parfaite et des sourcils parfaits et des lèvres pulpeuses qu'elle utilise en ce moment pour gueuler contre la personne qui est au bout du fil.

— Vous ne pouvez pas me demander de dire ça à un juge. Ce n'est pas parce que vous n'avez pas envie d'entendre Kleman faire toute une histoire que je dois... Non, en fait, cette augmentation-là, c'était pour le boulot exceptionnel que je fais et la merde que je dois supporter tous les jours, et juste-ment, tant qu'on y est...

Elle tient le téléphone loin de son oreille ; j'entends vaguement la tonalité indiquant que l'autre a raccroché. « Salaud », murmure-t-elle, et soudain elle semble prendre conscience que je suis plantée là, à un mètre d'elle.

— En quoi puis-je vous aider ?

Elle me dévisage de la tête aux pieds, m'évaluant selon le barème général des premières impressions et estimant que je me situe tout au bas de l'échelle. Je lève le menton et fais semblant d'être plus relax que je ne le suis.

— J'ai un rendez-vous avec M. Alexander. À seize heures.

— Votre voix, dit-elle. Au téléphone, elle ne paraissait pas si...

Jeune ?

Elle sourit d'un air gêné.

— Nous n'assurons jamais la défense de mineurs. Si vous le souhaitez, je peux vous indiquer le nom d'autres avocats qui...

J'inspire profondément et l'interromps.

— Vous vous trompez. Dans les procès Smith contre Whately, Edmunds contre l'hôpital maternel et pédiatrique, et Jerome contre le diocèse de Providence, les plaignants étaient tous âgés de moins de dix-huit ans. Dans les trois affaires, le verdict a été favorable aux clients de M. Alexander. Et ça, c'était juste dans les douze derniers mois.

La secrétaire me regarde en clignant des yeux. Un sourire se dessine lentement sur son visage, comme si elle venait de décider que je pourrais lui plaire, après tout.

— À la réflexion, pourquoi n'iriez-vous pas l'attendre dans son bureau ? dit-elle en se levant pour m'indiquer le chemin.

Même si je devais y passer chaque minute qui me reste à vivre, je ne crois pas que je parviendrais jamais à consommer le nombre de mots qui se bousculent sur les murs du bureau de Me Campbell Alexander. Si je calcule qu'il y a environ quatre cents mots par page, et que ces bouquins de droit font quatre cents pages, et qu'il y en a vingt par étagère et que chaque élément de la bibliothèque a six étagères, j'arrive à dix-neuf millions de mots, et encore je n'en suis qu'à la moitié de la pièce.

Je reste seule dans le bureau assez longtemps pour remarquer que sa table de travail est si bien rangée qu'on pourrait jouer au foot sur le sous-main ; qu'on n'y voit pas une seule photo de femme ou d'enfant ou même de lui ; et qu'en dépit du fait que la pièce est remarquablement propre, il y a une grosse tasse par terre.

Je m'emploie à trouver des explications : c'est une piscine pour une armée de fourmis. C'est un genre d'humidificateur. C'est un mirage.

Je me suis presque persuadée que la dernière hypothèse est la bonne, et je me penche pour toucher la tasse et vérifier qu'elle existe vraiment, quand la porte s'ouvre brutalement. Je manque tomber de ma chaise et je me retrouve presque nez à nez avec un berger allemand qui me transperce du regard avant de se précipiter sur la tasse et de boire l'eau qu'elle contient.

Campbell Alexander entre aussi. Il a les cheveux noirs et il est au moins aussi grand que mon père – un mètre quatre-vingts – avec une mâchoire carrée et des yeux qui paraissent recouverts de glace. Il se débarrasse de la veste de son costume et la suspend soigneusement derrière la porte, puis il tire un dossier d'une armoire et se dirige vers son bureau. Son regard ne croise jamais le mien, mais ça ne l'empêche pas de commencer à me parler.

— Je ne compte pas acheter des gâteaux au profit des scouts, déclare Campbell Alexander. Encore que votre ténacité pourrait vous valoir des bons points.

Il sourit de sa propre plaisanterie.

— Je ne vends rien.

Il me jette un regard curieux, et appuie sur un bouton de son téléphone.

— Kerri, dit-il quand la secrétaire répond. Qu'est-ce que c'est que ça, dans mon bureau ?

— Je suis venue ici pour vous engager.

L'avocat lâche le bouton de l'interphone.

— Je ne crois pas.

— Vous ne savez même pas de quoi il s'agit.

J'avance d'un pas, le chien aussi. Pour la première fois, je remarque qu'il porte un de ces manteaux avec une croix rouge dessus, comme un saint-bernard qui livrerait du rhum tout en haut d'une montagne enneigée. Je tends instinctivement la main pour le caresser.

— Ne faites pas ça, dit Alexander. Judge est un chien guide.

Je ramène ma main sur le côté.

— Mais vous n'êtes pas aveugle.

— Merci de me le faire remarquer.

— Alors c'est quoi votre problème ?

À l'instant où je dis ces mots, je voudrais ne les avoir jamais prononcés. N'ai-je pas vu Kate esquiver cette question posée par des centaines de gens mal élevés ?

— J'ai des poumons en acier, répond sèchement Campbell Alexander, et le chien m'empêche de m'approcher d'aimants. Maintenant, si vous voulez bien me faire l'insigne honneur de sortir, ma secrétaire vous trouvera le nom de quelqu'un qui...

Mais je ne pars pas encore.

— Vous avez vraiment attaqué Dieu en justice ?

J'exhibe toutes les coupures de presse, les étale soigneusement sur la surface impeccable du bureau.

Un tic nerveux agite un muscle de sa joue. Il prend l'article sur le dessus de la pile.

— J'ai intenté un procès au diocèse de Providence, au nom d'un enfant de l'un de ses orphelinats. Le garçon avait besoin d'un traitement exigeant l'utilisation de tissu fœtal, mais les prêtres ont estimé que c'était une infraction à Vatican II. Cependant, ça fait meilleur effet à la une des journaux de dire qu'un garçon de neuf ans intente un procès à Dieu pour avoir eu mauvaise pioche au grand jeu de la vie.

Je me contente de le fixer des yeux.

— Dylan Jerome, admet l'avocat, voulait faire un procès à Dieu pour ne pas s'être assez soucié de lui.

C'est comme si un arc-en-ciel venait de couper en deux le plateau du grand bureau d'acajou.

— Monsieur Alexander, ma sœur a une leucémie.

— Je suis navré de l'apprendre. Mais même si j'étais disposé à traduire Dieu devant les tribunaux, ce qui n'est pas le cas, vous ne pouvez pas vous constituer partie civile à la place de quelqu'un d'autre.

Il y a beaucoup trop de choses à expliquer – mon propre sang qui coule dans les veines de ma sœur ; les infirmières m'empêchant de bouger pour prélever sur mon corps des globules blancs que Kate pourrait m'emprunter ; le docteur annonçant qu'il n'en avait pas eu assez la première fois ; les ecchymoses et les douleurs osseuses après mon don de moelle ; les injections destinées à intensifier mes cellules souches afin que j'en produise davantage pour ma sœur ; le fait que je ne suis pas malade mais que c'est tout comme ; le fait que j'ai été conçue uniquement pour servir de source de ravitaillement pour Kate ; le fait que même maintenant, alors qu'il s'agit d'une décision cruciale me concernant, personne ne se soit préoccupé de consulter la seule qui devrait avoir le droit d'exprimer son opinion.

Il y a beaucoup trop de choses à expliquer, alors je fais de mon mieux.

— Ce n'est pas Dieu. Juste mes parents. Je veux les poursuivre pour atteinte à ma liberté de disposer de mon propre corps.

Campbell

Quand vous ne possédez qu'un marteau, tout le reste ressemble à un clou.

C'est quelque chose que mon père, le premier Campbell Alexander, avait l'habitude de dire et c'est, à mon avis, la pierre angulaire du système judiciaire civil aux Etats-Unis. Pour exprimer les choses simplement, quelqu'un qui se trouve acculé dans un coin se battra par tous les moyens pour revenir au centre. Pour certains, cela peut se réduire à donner des coups. Pour d'autres, le seul recours est d'intenter un procès. Ce dont je ne peux que me réjouir.

Sur le pourtour de mon bureau, Kerri a disposé les messages comme j'aime – les plus urgents inscrits sur des Post-it verts, les moins pressants sur des jaunes, alignés en colonnes régulières comme pour une réussite. Un numéro de téléphone attire mon regard, et je passe le Post-it vert du côté des jaunes. *Votre mère a appelé quatre fois !!!* a écrit Kerri. Après réflexion, je déchire le papier en deux et je l'expédie dans la corbeille.

La fille qui est assise en face de moi attend une réponse, que je tarde volontairement à lui donner. Elle dit vouloir porter plainte contre ses parents, comme la moitié des adolescents de la planète. Mais elle, elle veut les attaquer en justice pour avoir le droit de disposer librement de son corps. Voilà le genre d'affaires que j'évite comme la peste – une de celles qui demandent beaucoup trop d'efforts et de maternage envers le client. Je me lève en soupirant.

— Pouvez-vous me redonner votre nom ?

— Je ne vous l'avais pas donné.

Elle se redresse un peu dans son fauteuil.

— Je m'appelle Anna Fitzgerald.

J'ouvre la porte et je hèle ma secrétaire.

— Kerri ! Pouvez-vous communiquer à Mlle Fitzgerald le numéro de téléphone du planning familial ?

— *Quoi ?*

Quand je me retourne, la gamine est debout.

— Planning *familial ?*

— Écoutez, Anna, je vais vous donner un petit conseil. Faire un procès à ses parents parce qu'ils vous refusent la pilule ou ne veulent pas que vous avortiez équivaut à utiliser un maillet pour tuer un moustique. Économisez votre argent de poche et allez au planning familial ; ils seront mieux à même de résoudre votre problème.

Pour la première fois depuis que je suis entré dans mon bureau, je la regarde, je la regarde vraiment. La gamine exsude la colère par tous les pores de la peau.

— Ma sœur est en train de mourir et ma mère veut que je lui fasse don d'un rein, dit-elle. Alors je ne pense pas qu'une poignée de préservatifs gratuits puisse régler ce problème-là.

Parfois, vous avez l'impression que votre vie entière s'étend devant vous comme une route qui bifurque, et, tout en empruntant le chemin le plus accidenté, vous gardez l'œil fixé sur l'autre voie en vous demandant si vous avez fait le bon choix. Vous voyez ce que je veux dire ? Kerri s'approche en tenant un bout de papier sur lequel elle a écrit le numéro que j'avais demandé, mais je referme la porte sans le prendre, puis je reviens vers mon bureau.

— Personne ne peut vous obliger à donner un organe contre votre volonté.

— Ah, vraiment ?

Elle se penche en avant et compte sur ses doigts.

— La première fois que j'ai donné quelque chose à ma sœur, c'était du sang de mon cordon ombilical, et je venais à peine de naître. Elle était atteinte de leucémie aiguë promyélocytaire – ou LAP – et mes cellules lui ont apporté une rémission. Quand elle a rechuté, j'avais cinq ans, et on m'a prélevé des lymphocytes, trois fois de suite parce que les médecins ne réussissaient jamais à en prendre assez du premier coup. Quand ça a cessé d'être efficace, ils ont pris ma moelle pour lui en faire une greffe. Lorsque Kate avait des infections, je devais lui donner des granulocytes. Quand elle a rechuté une fois de plus, il m'a fallu lui donner des cellules souches périphériques.

Le vocabulaire médical de cette fille ferait rougir de honte quelques-uns des experts qu'il m'arrive de commissionner. Je sors un bloc-notes du tiroir.

— À l'évidence, vous avez accepté d'être donneur pour votre sœur jusqu'à présent.

Elle hésite, puis secoue la tête.

— Personne ne m'a jamais demandé mon avis.

— Avez-vous dit à vos parents que vous ne vouliez pas faire don d'un rein ?

Embarrassée, elle s'agite sur son siège.

— Ils ne m'écoutent pas.

— Ils vous écouteront peut-être, si vous faites référence à votre démarche d'aujourd'hui.

Elle baisse la tête, de sorte que ses cheveux lui cachent le visage.

— Ils ne font pas vraiment attention à moi, sauf quand ils ont besoin de mon sang ou d'autre chose. Je n'existerais même pas si Kate n'était pas malade.

Un enfant de rechange, un héritier de secours. La coutume remonte à mes ancêtres en Angleterre. Cela peut paraître choquant – d'avoir un autre enfant au cas où le premier mourrait –, mais à une époque c'était éminemment pratique. Il est possible que cette jeune fille supporte mal l'idée d'avoir été mise au monde pour servir de bouche-trou, mais, en vérité, des quantités d'enfants sont conçus chaque jour pour des raisons moins honorables : pour recoller un mariage qui part en morceaux ; pour perpétuer le nom de famille ; pour reproduire l'image de l'un des parents.

— Ils m'ont eue pour que je puisse sauver Kate, explique-t-elle. Ils sont allés voir des médecins spécialistes et tout ça, et ils ont choisi l'embryon le plus parfaitement ressemblant sur le plan génétique.

Quand j'étais en fac de droit, il y avait bien des cours d'éthique, mais ils étaient considérés soit comme un cours fondamental, soit comme un oxymore, et je les manquais le plus souvent. Néanmoins, il suffit de regarder la télévision un tant soit peu pour savoir que la recherche sur les cellules souches soulève de vives controverses. Bébés pour pièces détachées, nourrissons sur mesure, science de demain pour sauver les enfants d'aujourd'hui.

Je tapote sur mon bureau avec le bout de mon stylo et Judge – mon chien – vient se placer plus près de moi.

— Que se passera-t-il si vous ne donnez pas un rein à votre sœur ?

— Elle mourra.

— Et ça ne vous pose pas problème ?

La bouche d'Anna se réduit à un mince trait.

— Je suis là.

— Oui, vous êtes là. J'essaie simplement de comprendre ce qui vous a décidée à vous rebeller, après tout ce temps.

Elle regarde vers la bibliothèque.

— Parce que, dit-elle simplement, ça ne s'arrête jamais.

Soudain, quelque chose semble lui revenir en mémoire. Elle sort de sa poche un petit tas de billets froissés et de la monnaie qu'elle met sur mon bureau.

— Et ne vous inquiétez pas, vous serez payé. Tenez, voilà cent trente-six dollars et quatre-vingt-sept cents.

— Je demande deux cents de l'heure.

— *Dollars ?*

— Les wampums sont trop grands pour les fentes des distributeurs automatiques.

— Je ne sais pas, moi, je pourrais promener votre chien.

— Les chiens guides ne peuvent être promenés que par leur maître.

Je hausse les épaules.

— On trouvera bien quelque chose.

— Vous ne pouvez pas travailler pour moi gratuitement, insiste-t-elle.

— D'accord. Dans ce cas, vous pourriez astiquer mes poignées de porte.

Ce n'est pas que je sois un homme particulièrement charitable mais plutôt que, d'un point de vue légal, cette cause est gagnée d'avance : elle ne veut pas donner un rein et aucun tribunal ne peut l'y contraindre ; je n'ai aucune recherche à faire, nous n'irons pas jusqu'au procès, et l'affaire sera classée.

Sans compter qu'elle me fera une publicité monstre et que mon quota d'activités philanthropiques sera rempli pour le reste de la décennie.

— Je vais déposer une requête auprès du tribunal des affaires familiales afin d'obtenir votre émancipation pour toutes décisions d'ordre médical.

— Et ensuite, qu'est-ce qui va se passer ?

— Il y aura une audience, et le juge nommera un tuteur ad hoc, c'est-à-dire...

— ... une personne formée pour travailler avec les enfants au tribunal des affaires familiales, qui va chercher à définir au mieux les intérêts de l'enfant.

Anna lève la tête.

— Ou, en d'autres termes, encore un adulte qui va décider de mon sort à ma place.

— Eh bien, c'est ainsi que fonctionne la loi, et vous ne pouvez pas y échapper. Mais, en théorie, le tuteur ad hoc aura vos intérêts à cœur, pas ceux de votre sœur ou de votre famille.

Elle m'observe tandis que je griffonne quelques notes.

— Ça ne vous dérange pas que votre nom soit à l'envers ?

— Quoi ?

J'arrête d'écrire et je la regarde.

— Campbell Alexander. Votre prénom est un nom de famille, et vice versa.

Elle fait une pause.

— Ou une marque de soupe.

— Et en quoi est-ce que cela concerne votre affaire ?

— En rien, admet Anna. Sauf que c'est une assez mauvaise décision que vos parents ont prise à votre égard.

Je lui tends une carte.

— Si vous avez des questions, appelez-moi.

Elle la prend et passe ses doigts sur mon nom imprimé en relief. Mon nom à l'envers. Pour l'amour du ciel. Puis elle se penche sur le bureau, attrape mon bloc et arrache le coin de la page. Empruntant mon stylo, elle écrit quelque chose et me le donne. Je jette un coup d'œil au billet que j'ai dans la main :

Anna 555-3211 ♥

— Au cas où *vous* auriez des questions, dit-elle.

Quand je retourne à la réception, Anna est partie et Kerri est assise à son bureau, un catalogue étalé devant elle.

— Vous saviez que les sacs de toile L. L. Bean étaient utilisés autrefois pour transporter de la glace ?

— Ouais.

Et de la vodka, et tous les ingrédients du bloody mary. Coltinés de la maison à la plage chaque samedi matin. Ce qui me rappelle que ma mère a téléphoné.

Kerri a une tante qui gagne sa vie en faisant de la voyance, et de temps en temps cette prédisposition génétique se manifeste chez elle aussi. Ou alors elle travaille pour moi depuis assez longtemps pour connaître la plupart de mes secrets. Quoi qu'il en soit, elle sait à quoi je pense.

— Elle dit que votre père sort avec une fille de dix-sept ans, et qu'il ne connaît pas le sens du mot discrétion et qu'elle compte se faire admettre à la clinique de la Pinède si vous ne la rappelez pas avant...

Kerri jette un coup d'œil à sa montre.

— Aïe !

— Combien de fois cette semaine a-t-elle menacé de se faire interner ?

— Seulement trois, répond Kerri.

— On est encore largement au-dessous de la moyenne.

Je me penche et je ferme le catalogue.

— Allez, il est temps de gagner votre vie, miss Donatelli.

— Que se passe-t-il ?

— Cette fille, Anna Fitzgerald...

— Planning familial ?

— Pas tout à fait. Nous allons la représenter. J'ai besoin de vous dicter une demande d'émancipation médicale, à déposer au tribunal des affaires familiales d'ici à demain.

— *Vous plaisantez !* dit Kerri. Vous allez vraiment la représenter ?

Je mets la main sur mon cœur.

— Je suis blessé que vous ayez une si piètre opinion de moi.

— À vrai dire, je pensais plutôt à vos finances. Ses parents sont au courant ?

— Ils le seront d'ici à demain.

— Vous êtes complètement idiot ?

— Comment dites-vous ?

Kerri secoue la tête.

— Où est-ce qu'elle va vivre ?

La remarque me laisse sans voix. Pour tout dire, je n'y avais pas réfléchi. Mais une fille qui intente un procès à ses parents ne se sentira pas très à l'aise sous le même toit qu'eux, une fois que la plainte leur sera notifiée.

Soudain, Judge est à mes côtés, pressant son museau contre ma cuisse. Contrarié, je secoue la tête.

— Donnez-moi un quart d'heure, Kerri. Je vous appellerai quand je serai prêt.

— Campbell, insiste-t-elle, impitoyable, vous ne pouvez pas vous attendre à ce qu'une gamine sache se débrouiller toute seule.

Je rentre dans mon bureau. Judge me suit et s'arrête juste en deçà du seuil.

— Ce n'est pas mon problème.

Puis je ferme la porte à clé et j'attends.

Sara

1990

Le bleu est de la taille et de la forme d'un trèfle à quatre feuilles, et il est situé exactement au milieu du dos de Kate, pile entre ses omoplates. C'est Jesse qui le remarque, quand ils sont tous deux dans la baignoire.

— Maman, demande-t-il, est-ce que ça veut dire qu'elle a de la chance ?

Pensant que c'est de la saleté, j'essaie d'abord de le frotter, sans succès. Kate, l'objet de toute cette attention, me regarde avec ses yeux bleus de porcelaine.

Je lui demande si ça fait mal, et elle secoue la tête.

Quelque part dans le couloir derrière moi, Brian me raconte sa journée. Une vague odeur de fumée l'accompagne.

— Donc le type s'est acheté une boîte de cigares de luxe, dit-il, et l'a fait assurer contre l'incendie à hauteur de quinze mille dollars. Et voilà que la compagnie d'assurances reçoit une déclaration de sinistre, au motif que les cigares ont disparu dans une série de petits incendies.

— Il les a fumés ?

Je finis de rincer les cheveux de Jesse. Brian s'appuie contre le chambranle.

— Ouais. Mais le juge a décrété que l'assureur avait garanti les cigares contre l'incendie, sans définir ce qu'il fallait considérer comme un feu acceptable.

— Hé, Kate, et là ça fait mal ? demande Jesse en pressant fort son pouce contre le bleu sur l'épine dorsale de sa sœur.

Kate hurle, fait un bond dans l'eau et m'éclabousse de la tête aux pieds. Je la sors du bain, glissante comme un poisson, et je la tends à Brian. Têtes penchées l'une contre l'autre, cheveux pareils à de l'étoupe, ils forment une paire identique. Mon fils me ressemble davantage – maigre, brun, cérébral. Brian affirme que c'est ainsi que nous savons que notre famille est complète : nous avons chacun notre clone.

— Jesse, sors de cette baignoire immédiatement.

Il se lève, dégoulinant, et s'arrange pour trébucher en enjambant le large rebord de la baignoire. Il se cogne violemment le genou, et éclate en sanglots.

J'enveloppe Jesse dans une serviette-éponge, je le réconforte tout en essayant de poursuivre ma conversation avec mon mari. C'est là le langage codé du mariage : une sorte de morse, ponctué par les bains et les dîners et les histoires avant le coucher.

— Alors, qui est-ce qui t'a cité à comparaître ? L'accusé ?

— La partie civile. La compagnie d'assurances a payé, puis l'a fait arrêter pour vingt-quatre incendies volontaires. Elle m'a pris comme expert.

Brian est pompier de carrière. Il est capable de traverser des ruines calcinées et de trouver l'endroit précis du départ de feu : un mégot, un câble dénudé. Chaque brasier démarre avec une braise. Il suffit de savoir ce que l'on cherche.

— Le juge a débouté le plaignant, non ?

— Il l'a condamné à vingt-quatre peines consécutives d'un an de prison, dit Brian.

Il pose Kate par terre et commence à lui enfiler son haut de pyjama.

Dans ma vie antérieure, j'exerçais la profession d'avocate. À une époque, je pensais vraiment que je ne voulais rien d'autre. Mais c'était avant qu'un enfant de cinq ans me tende une poignée de violettes fanées. Avant que je comprenne que le sourire d'un enfant est comme un tatouage : une œuvre d'art indélébile.

Ça rend dingue ma sœur Suzanne. Génie de la finance, elle a pulvérisé le plafond vitré de la Bank of Boston, et elle estime que l'évolution du cerveau est un gâchis en ce qui me concerne. Personnellement, je pense que l'important est de savoir ce qui *vous* convient le mieux, et moi je suis bien meilleure comme mère que je ne l'aurais jamais été comme avocate. Parfois je me demande si je suis seule dans mon cas ou si d'autres aussi trouvent leur voie en n'allant nulle part.

Je lève la tête après avoir fini de sécher Jesse, et je vois Brian qui m'observe.

— Est-ce que ça te manque, Sara ? demande-t-il doucement.

J'emmaillote notre fils dans la serviette et je l'embrasse sur le sommet du crâne.

— Autant qu'un traitement de canaux dentaires.

Le temps que je me réveille le lendemain matin, Brian est déjà parti travailler. Il est de service deux jours, puis deux nuits, puis de repos quatre jours, avant que le cycle ne reprenne. Un coup d'œil à la pendule m'apprend que j'ai dormi jusqu'à neuf heures passées. Ce qui m'étonne le plus, c'est que mes enfants ne m'aient pas réveillée. Dans mon peignoir de bain, je descends en courant et je trouve Jesse qui s'amuse avec un jeu de construction.

— Je m'ai fait mon petit déjeuner, m'annonce-t-il. Et j'ai préparé le tien.

En effet, des céréales sont répandues sur la table de la cuisine et une chaise à l'équilibre extrêmement précaire a été placée sous le placard où je range les corn flakes. Une traînée de lait court du réfrigérateur jusqu'au bol.

— Où est Kate ?

— Elle dort, dit Jesse. J'ai essayé de la réveiller.

Mes enfants sont un réveille-matin naturel ; à l'idée que Kate ait dormi si tard, je me souviens que je l'ai entendue renifler ces temps-ci, et je me demande si c'est pour cela qu'elle était si fatiguée hier soir. Je remonte en criant son nom. Dans sa chambre, elle roule vers moi, émergeant de la pénombre pour regarder mon visage.

— Allez, debout ma jolie.

Je relève son store, laissant le soleil inonder les couvertures. Je l'assieds et je lui frotte le dos.

— Commençons par t'habiller, dis-je avant de lui retirer le haut de son pyjama.

Sur la longueur de son épine dorsale, un chapelet d'hématomes forme une ligne de petites perles bleues.

— C'est de l'anémie, non ? Les enfants de son âge n'attrapent pas la mononucléose, n'est-ce pas ?

Le Dr Wayne écarte son stéthoscope de la poitrine étroite de Kate et baisse sa chemisette rose.

— C'est peut-être un virus. Je voudrais lui faire une petite prise de sang pour procéder à quelques analyses.

La nouvelle a pour effet d'exciter Jesse, qui jouait patiemment avec un GI Joe auquel il manque la tête.

— Tu sais comment on fait une prise de sang, Kate ? Avec des aiguilles. Des grosses aiguilles, très longues, comme pour une piqûre...

— Jesse !

— Piqûre ? crie Kate. Aïe, bobo ?

Ma fille, qui me fait confiance lorsqu'il s'agit de traverser la rue, de couper sa viande en petits morceaux et de la protéger de toutes sortes de choses affreuses comme les gros chiens et le noir et les bandes-annonces de films d'horreur à la télé, me regarde avec anxiété. Je la rassure :

— Non, pas bobo.

Quand l'infirmière arrive avec son plateau, sa seringue, ses tubes et son garrot en caoutchouc, Kate se met à hurler. J'inspire profondément et je lui maintiens les bras le long du corps.

— Kate, Kate, regarde-moi.

Ses pleurs se transforment en petits hoquets.

— Ça ne va pas faire mal.

— Menteuse, murmure Jesse entre ses dents.

Kate se détend imperceptiblement. L'infirmière l'allonge sur la table d'examen et me demande de lui maintenir les épaules. Je vois l'aiguille percer la peau blanche de son bras ; j'entends un hurlement soudain, mais je n'observe aucun épanchement de sang.

— Désolée, chaton, dit l'infirmière, je vais devoir recommencer.

Elle retire l'aiguille et, de nouveau, pique Kate qui hurle encore plus fort.

Elle se débat pendant que les deux premiers tubes se remplissent. Au troisième, elle est devenue complètement amorphe. Je ne sais pas ce qui est pire.

Nous attendons les résultats des analyses de sang. Jesse est étendu à plat ventre sur le tapis de la salle d'attente, récoltant Dieu sait quels microbes semés par tous les enfants malades qui passent par ce cabinet. Ce que je veux, c'est que le pédiatre sorte, qu'il me dise de ramener Kate à la maison et de lui faire boire beaucoup de jus d'orange, et qu'il brandisse comme une baguette magique une ordonnance pour des vitamines.

Au bout d'une heure, le Dr Wayne nous fait revenir dans son bureau.

— Les analyses de Kate sont un peu préoccupantes, dit-il. Pour être précis, ce sont ses globules blancs. Leur nombre est très au-dessous de la norme.

— Qu'est-ce que ça signifie ?

À cet instant, je me maudis d'avoir fait des études de droit plutôt que de médecine. J'essaie de me rappeler à quoi servent les globules blancs.

— Il se peut qu'elle ait une déficience immunitaire. Ou peut-être simplement que le labo a fait une erreur.

Il touche les cheveux de Kate.

— Je crois, juste par mesure de sécurité, que je vais vous adresser à une hématologue à l'hôpital, pour refaire les analyses.

Je pense : vous ne parlez pas sérieusement. Mais, au lieu de le dire, je regarde ma main prendre le papier que lui tend le Dr Wayne. Pas une ordonnance, comme je l'espérais, mais un nom. *Ileana*

Farquad, hôpital de Providence, hématologie-oncologie.

— Oncologie.

Je secoue la tête.

— Mais c'est le cancer.

J'attends que le Dr Wayne m'assure qu'il s'agit là simplement d'une partie du titre du médecin ; que le service d'hématologie et celui de cancérologie sont situés au même endroit, rien de plus.

Il ne le fait pas.

Le standardiste à la caserne me dit que Brian a été appelé pour une urgence médicale. Il est parti avec le véhicule des premiers secours, il y a vingt minutes. J'hésite, je regarde Kate qui est affalée sur une chaise en plastique dans la salle d'attente de l'hôpital. Une urgence médicale.

Je pense qu'il y a des moments dans notre existence où nous accomplissons sans nous en rendre compte des actes décisifs. Par exemple de parcourir la une du journal au feu rouge et de manquer de ce fait le chauffard au volant de la camionnette qui double la file de voitures et provoque un accident. D'entrer dans un café sur un coup de tête et de rencontrer l'homme que vous épouserez un jour, occupé à chercher de la monnaie pour payer. Ou encore de demander à votre mari de vous rejoindre alors que vous venez de passer des heures à tenter de vous convaincre que la situation n'a rien de grave.

— Faites un appel radio. Dites-lui que nous sommes à l'hôpital.

C'est un réconfort que d'avoir Brian auprès de moi, car nous constituons maintenant une paire de sentinelles, une double ligne de défense. Voilà trois heures que nous sommes à l'hôpital de Providence, et avec chaque minute qui s'écoule il me devient de plus en plus difficile de croire que le Dr Wayne s'est trompé. Jesse s'est endormi sur une chaise en plastique. Kate a subi une autre prise de sang traumatisante, et une radio pulmonaire parce que j'ai mentionné le fait qu'elle avait un rhume.

— Cinq mois, dit Brian à l'interne qui prend des notes, assis en face de lui.

Puis il me regarde.

— C'est bien à cinq mois qu'elle s'est retournée ?

— Oui, je crois.

À ce stade, le médecin nous a posé des questions sur tout, depuis ce que nous portions la nuit où nous avons conçu Kate jusqu'à l'âge où elle a commencé à savoir se servir d'une cuiller.

— Son premier mot ? demande-t-il.

Brian sourit.

— « Papa ».

— Je voulais dire quand.

— Oh !

Il fronce les sourcils.

— Je dirais qu'elle avait presque un an.

J'interviens :

— Excusez-moi, pouvez-vous me dire en quoi tout ceci est important ?

— C'est simplement son passé médical, madame Fitzgerald. Nous avons besoin de tout savoir sur Kate afin de comprendre ce qui ne va pas.

— Monsieur et madame Fitzgerald ?

Une jeune femme en blouse blanche s'avance vers nous.

— Je suis phlébologue. Le Dr Farquad me demande de faire un test de coagulation sur Kate.

En entendant son nom, Kate se redresse sur mes genoux. Un seul regard à la blouse blanche, et elle s'empresse de cacher ses bras sous sa chemise.

— Vous ne pouvez pas juste lui piquer le doigt ?

— Non, pour nous c'est le plus facile.

Soudain, je me souviens comment, quand j'étais enceinte d'elle, il arrivait à Kate d'avoir le hoquet. Pendant des heures, mon ventre était agité de soubresauts. Chacun de ses mouvements, même le plus infime, m'obligeait à faire quelque chose que je ne pouvais pas contrôler.

— Pensez-vous, dis-je calmement, que ce soit vraiment ce que j'ai envie d'entendre ? Quand vous descendez à la cafétéria et que vous demandez un café, seriez-vous contente si on vous servait un Coca sous prétexte qu'il y en a à portée de main ? Au moment où vous vous apprêtez à payer avec votre carte de crédit, aimeriez-vous vous entendre dire que c'est trop compliqué et que vous devez payer en liquide ?

— Sara.

La voix de Brian est un souffle lointain.

— Croyez-vous qu'il soit facile pour moi d'attendre ici avec mon enfant sans avoir la moindre idée de ce qui se passe ni pourquoi vous faites toutes ces analyses ? Pensez-vous que ce soit facile pour elle ? Depuis quand est-ce qu'aller au plus facile est une option ?

— Sara...

C'est seulement quand la main de Brian se pose sur mon épaule que je remarque combien je tremble.

Encore un instant, et la femme s'éloigne, ses sabots claquant furieusement sur le sol. Aussitôt qu'elle est hors de ma vue, je m'effondre.

— Sara, dit Brian. Qu'est-ce qui ne va pas ?

— Ce qui ne va pas ? Je n'en sais rien, Brian. Parce que personne ne se donne la peine de nous dire ce qui ne va pas chez...

Il m'enveloppe de ses bras, Kate prise entre nous. Il me dit que ça va aller, et pour la première fois de ma vie je ne le crois pas.

Soudain, le Dr Farquad, que nous n'avons pas vue depuis des heures, entre dans la pièce.

— J'ai appris qu'il y avait un petit problème avec le test de coagulation.

Elle tire une chaise jusqu'à nous.

— L'hémogramme de Kate présente des anomalies. Les globules blancs sont très bas : 1,3. Son taux d'hémoglobine est de 7,5 %, et celui d'hématocrite de 18,4. Elle a 81 000 plaquettes, et ses neutrophiles sont à 0,6 %. De tels chiffres indiquent parfois une maladie auto-immune. Mais Kate présente aussi 12 % de promyélocytes et 5 % de blastes, et cela évoque un syndrome leucémique.

Je répète :

— Leucémique ?

Le mot a une consistance glaireuse, filante, comme du blanc d'œuf cru.

Le Dr Farquad hoche la tête.

— La leucémie est un cancer du sang.

Brian garde les yeux braqués sur elle, le regard fixe.

— Qu'est-ce que ça veut dire ?

— Imaginez la moelle osseuse comme un centre de production de cellules destinées à soigner les enfants. Les organismes sains fabriquent des cellules sanguines qui restent dans la moelle osseuse jusqu'à maturation avant d'aller combattre une maladie ou un caillot, ou de transporter de l'oxygène, ou de remplir n'importe quelle autre de leurs fonctions. Chez une personne atteinte de leucémie, les portes de ce centre de soins s'ouvrent trop tôt. Des cellules immatures se propagent, incapables d'accomplir leur travail. Il n'est pas toujours anormal de trouver des promyélocytes dans une formule sanguine, mais quand nous avons observé ceux de Kate au microscope, nous avons constaté des anomalies.

Elle nous regarde tour à tour.

— Il me faudra lui faire une ponction médullaire pour confirmer ce diagnostic, mais il semblerait que Kate soit atteinte de leucémie aiguë promyélocytaire.

Ma langue est paralysée par le poids de la question que Brian, un instant plus tard, parvient à faire sortir de sa propre gorge :

— Est-ce qu'elle... est-ce qu'elle va mourir ?

Je voudrais secouer le Dr Farquad et lui dire que si elle ravale les mots qu'elle vient de prononcer, je suis prête à prélever moi-même le sang dans le bras de ma fille pour le test de coagulation.

— La LAP est un sous-groupe très rare de la leucémie myéloïde. Elle est diagnostiquée chez mille deux cents personnes seulement chaque année. Le taux de survie est de vingt à trente pour cent, si le traitement est entrepris immédiatement.

Je tente d'oblitérer les chiffres dans ma tête pour me concentrer sur le reste de sa phrase.

— Il existe un traitement, dis-je, le souffle court.

— Oui. Avec un traitement très agressif, le pronostic est de neuf mois à trois ans de survie dans les cas de leucémie myéloïde ou de leucémie myéloblastique.

La semaine dernière, à la porte de sa chambre, je regardais Kate serrant dans son sommeil le doudou en tissu dont elle se sépare rarement, un morceau de satin tout effiloché. « Tu vas voir, avais-je murmuré à Brian, elle ne va jamais y renoncer. Je vais devoir le coudre dans la doublure de sa robe de mariée. »

— Il va nous falloir cette ponction médullaire. Nous lui ferons une très légère anesthésie générale. Et nous profiterons de ce qu'elle sera endormie pour faire le test de coagulation.

Le médecin se penche vers nous, compatissante.

— Il faut que vous sachiez que les enfants défient les probabilités. Tous les jours.

— OK, dit Brian.

Il frappe dans ses mains, comme s'il se mettait en condition pour une partie de foot.

— OK.

Kate sort la tête de sous ma chemise. Ses joues sont rouges, elle a l'air fatiguée.

Il doit y avoir erreur. C'est un malheureux tube rempli du sang d'une autre personne que le médecin a analysé. Regardez mon enfant, voyez l'éclat de ses boucles folles et son sourire pareil à un vol de papillon. Un tel visage ne peut pas être celui de quelqu'un qui meurt à petit feu.

Je ne la connais que depuis deux ans. Mais si vous preniez chaque souvenir, chaque instant, si vous les étiriez et les mettiez bout à bout, ça ferait une éternité.

Ils roulent un drap et le placent sous le ventre de Kate. Ils la fixent à la table d'examen avec du ruban adhésif, deux longues bandes. Le bas de son dos est dénudé pour la longue aiguille qu'elle ne va pas sentir s'enfoncer dans son os iliaque afin d'en extraire la moelle, parce qu'elle est endormie. Mais quand ils tournent doucement son visage de l'autre côté, le papier sous sa joue est mouillé. Ma fille m'apprend qu'il n'est pas nécessaire d'être réveillé pour pleurer.

Sur le chemin du retour, je suis soudain frappée par l'idée que le monde est gonflable – qu'il suffirait d'une simple piqûre d'épingle pour que tout s'effondre, les arbres et les pelouses et les maisons. J'ai l'impression que si je tournais le volant à gauche et que je défonçais la clôture du jardin d'enfants « Les p'tits coquins », nous rebondirions comme si nous avions percuté un trampoline.

Nous dépassons un camion. *Pompes funèbres Batchelder*, peut-on lire sur son flanc. *Conduisez prudemment*. N'y a-t-il pas là conflit d'intérêts ?

Kate est assise dans son siège-auto, occupée à manger des biscuits en forme d'animaux.

— Joue, ordonne-t-elle.

Dans le rétroviseur, son visage est lumineux. « Les objets sont plus proches qu'ils ne paraissent. » Je la regarde brandir le premier biscuit.

— Qu'est-ce qu'il dit, le tigre ?

— Rrrroar.

Elle le décapite d'un coup de dents, puis agite un autre biscuit.

— Et l'éléphant, qu'est-ce qu'il dit ?

Kate rigole et fait un bruit de trompette avec son nez.

Je me demande si ça arrivera dans son sommeil. Ou si elle va pleurer. S'il y aura une infirmière qui lui donnera quelque chose contre la douleur. J'imagine mon enfant en train de mourir, alors qu'elle rit et qu'elle est heureuse, là, à cinquante centimètres de moi.

— Girafe dit ? demande Kate. Girafe ?

Sa voix est tellement pleine d'avenir.

— Les girafes ne disent rien.

— Pourquoi ?

— Parce que c'est comme ça qu'elles naissent, lui dis-je.

Puis ma gorge se serre et ne laisse plus passer les mots.

Le téléphone sonne à l'instant où je rentre de chez la voisine, avec qui je me suis arrangée pour qu'elle garde Jesse pendant que nous nous occupons de Kate. Nous n'avons pas de protocole pour ce genre de situation. Nos seules baby-sitters vont encore au lycée ; les quatre grands-parents sont décédés ; nous n'avons jamais eu recours à des structures préscolaires – mon boulot est de m'occuper des enfants.

Le temps que j'arrive dans la cuisine, Brian est déjà en grande conversation. Le fil du téléphone, cordon ombilical, est enroulé autour de ses genoux.

— Ouais, dit-il, c'est incroyable. Je n'ai pas réussi à assister à un seul match cette année... Ça ne vaut pas le coup, maintenant qu'ils l'ont transféré.

Ses yeux rencontrent les miens au moment où je pose la bouilloire sur le feu pour le thé.

— Oh, Sara est en pleine forme. Ouais, les enfants aussi. D'accord. Mes amitiés à Lucy. Merci d'avoir appelé, Don.

Il raccroche.

— Don Thurman, explique-t-il. Du centre de formation des pompiers, tu te souviens ? Un mec sympa.

En me regardant, son sourire aimable s'estompe. La bouilloire siffle, mais aucun de nous deux ne fait un geste pour éteindre la cuisinière. Je regarde Brian, croise les bras.

— J'en étais incapable, Sara, dit-il doucement. Tout simplement incapable.

Au lit, cette nuit, Brian est un obélisque, une autre forme déchirant l'obscurité. Bien que nous n'ayons pas parlé depuis des heures, je sais qu'il est aussi réveillé que moi.

Cela nous arrive parce que j'ai crié contre Jesse la semaine dernière, hier, il y a quelques instants. Cela nous arrive parce que j'ai refusé d'acheter à Kate les M&M's qu'elle réclamait chez l'épicier. Cela nous arrive parce que, l'espace d'une fraction de seconde, je me suis demandé comment aurait été ma vie si je n'avais jamais eu d'enfants. Cela nous arrive parce que je ne me rendais pas compte de la chance que j'avais.

— Tu crois que c'est notre faute ? demande Brian.

— Notre faute ?

Je me tourne vers lui.

— Comment ça ?

— Par exemple nos gènes. Tu sais bien.

Je ne réponds pas.

— Ils sont nuls, à l'hôpital de Providence, dit-il rageusement. Tu te souviens quand le chef s'est cassé le bras gauche et qu'ils lui ont plâtré le droit ?

Je recommence à fixer le plafond. J'annonce, d'une voix plus forte que je ne l'aurais voulu :

— Juste pour que tu saches, il n'est pas question que je laisse Kate mourir.

Un bruit horrible se fait entendre à côté de moi – un animal blessé, le hoquet d'un homme qui se noie. Brian appuie son visage contre mon épaule, sanglote sur ma peau. Il m'enveloppe de ses bras et s'accroche à moi comme s'il perdait l'équilibre.

— Il n'en est pas question.

Mais, même à mes propres oreilles, ma véhémence ne paraît pas convaincante.

Brian

Pour chaque tranche de sept dixièmes de degré qu'un feu gagne en chaleur, l'étendue de l'incendie double. Voilà ce qui me vient à l'esprit tandis que je regarde les flammèches s'échapper de la cheminée de l'incinérateur en des milliers de nouvelles étoiles. À côté de moi, le doyen de la faculté de médecine de Brown University se tord les mains. Sous ma lourde veste d'intervention, je suis en nage.

Nous sommes venus avec un camion, une échelle et un véhicule de secours aux asphyxiés et aux blessés. Nous avons sécurisé les quatre côtés du bâtiment. Nous nous sommes assuré que personne ne s'y trouvait. Enfin, sauf le corps qui est coincé dans l'incinérateur et qui a provoqué ce sinistre.

— C'était un homme de forte corpulence, dit le doyen. C'est ce que nous faisons toujours avec les sujets à la fin des cours d'anatomie.

— Hé, capitaine ! crie Paulie.

Aujourd'hui, c'est lui qui est responsable de la pompe.

— Red s'est branché sur la division. Je mets en eau la ligne ?

Je ne suis pas certain encore de monter la lance. Cet incinérateur a été conçu pour brûler des déchets à huit cent soixante-dix degrés. Il y a un feu au-dessus et en dessous du corps.

— Alors ? demande le doyen. Vous n'allez rien faire ?

C'est la plus grosse erreur que commettent les novices : de croire que combattre un incendie signifie se précipiter avec un tuyau d'arrosage. Parfois, l'eau empire les choses. Dans ce cas précis, elle ne ferait que propager des déchets potentiellement toxiques. Je pense qu'il faut que l'incinérateur reste fermé et que nous empêchions le feu de sortir de la cheminée. Un feu ne peut pas brûler éternellement. Il finit par se consumer lui-même.

— Si, lui dis-je. Je vais attendre de voir comment ça évolue.

Quand je travaille de nuit, je dîne deux fois. Le premier repas est servi tôt, la famille s'organise en sorte que nous puissions nous attabler tous ensemble. Ce soir, Sara fait un rôti de bœuf. Il trône sur la table comme un bébé endormi quand elle nous appelle pour venir dîner.

Kate est la première à prendre place.

— Salut, ma puce, lui dis-je en lui caressant la main.

Elle m'adresse un sourire auquel ses yeux ne participent pas.

— À quoi est-ce que tu as occupé ta journée ?

Elle éparpille les haricots dans son assiette.

— À sauver des pays du tiers monde, à assurer la fission de quelques atomes et à terminer le Grand Roman américain. Le tout entre mes dialyses, bien sûr.

— Bien sûr.

Sara se tourne vers moi, brandissant un couteau.

— Quoi que j'aie pu faire, dis-je en faisant mine de l'esquiver, je demande pardon.

Elle m'ignore.

— Coupe la viande, veux-tu ?

Je lui prends les ustensiles des mains et j'attaque le rôti au moment où Jesse entre dans la cuisine en traînant les pieds. Nous l'autorisons à vivre au-dessus du garage, mais il est obligé de prendre ses repas avec nous. Ses yeux sont rouge sang ; ses vêtements exhalent des relents de fumée douceâtre.

— Regarde-moi ça, soupire Sara qui, quand je me retourne, a les yeux braqués sur le rôti. Il n'est pas assez cuit.

Elle saisit le plat à mains nues, comme si sa peau était recouverte d'amiante. Elle enfourne de nouveau la viande.

Jesse a le regard fixe à travers ses paupières à demi fermées. Il s'empare du plat de purée et commence à se servir. Il remplit son assiette, encore et encore et encore.

— Tu pues, dit Kate en agitant la main devant son visage.

Jesse l'ignore, prend une bouchée de pommes de terre. Je me demande ce que ça dénote chez moi, cette satisfaction que j'ai à constater qu'il a pris de la marijuana, et non une drogue plus dure – ecstasy, héroïne ou Dieu sait quoi d'autre – moins facile à détecter.

— Tout le monde n'aime pas se parfumer à l'Eau de Joint, marmonne Kate.

— Tout le monde n'a pas la possibilité d'absorber ses drogues directement par cathéter, répond Jesse.

Sara lève les mains.

— S'il vous plaît. Est-ce qu'on pourrait juste... ne pas ?

— Où est Anna ? demande Kate.

— Elle n'était pas dans ta chambre ?

— Pas depuis ce matin.

Sara passe la tête par la porte de la cuisine.

— Anna ! A table !

— Regardez ce que j'ai acheté aujourd'hui, dit Kate en tirant sur son tee-shirt.

Il a des couleurs psychédéliques et un crabe imprimé sur le devant avec le mot CANCER.

— Pigé ?

— Tu es Lion.

Sara paraît au bord des larmes.

— Alors, où en est-il, ce rôti ? dis-je pour faire diversion.

Au même instant, Anna entre dans la cuisine. Elle s'affale sur sa chaise et rentre la tête dans les épaules.

— Où étais-tu passée ? demande Kate.

— Nulle part, répond Anna.

Elle baisse les yeux sur son assiette, mais ne manifeste pas la moindre intention de se servir.

Ça ne ressemble pas à Anna. J'ai l'habitude d'entrer en conflit avec Jesse, de remonter le moral de Kate, mais Anna est une constante dans notre famille. Anna arrive toujours avec le sourire. Anna nous parle de l'oiseau qu'elle a trouvé, une aile cassée et du rouge aux joues, ou de la mère qu'elle a vue au supermarché accompagnée non pas d'une mais de deux paires de jumeaux. Anna nous stimule, et de la voir assise là, sans réaction, je prends conscience que le silence a un son.

— Quelque chose qui ne va pas, aujourd'hui ?

Elle regarde Kate, pensant que la question s'adresse à sa sœur, et sursaute en se rendant compte que c'est à elle que je parle.

— Non.

— Tu te sens bien ?

De nouveau, Anna est prise de court ; c'est une question que nous réservons d'habitude à Kate.

— Ça va.

— Parce que, tu sais, tu n'es pas en train de manger.

Anna regarde son assiette, constate qu'elle est vide, et la remplit de nourriture. Elle enfourne quelques haricots verts, deux bouchées.

Je me souviens brusquement des enfants quand ils étaient petits, serrés sur la banquette arrière de la voiture comme des cigares dans une boîte, et que je chantais pour eux. *Anna Anna bo banna, banana fo fanna, ma mi mo manna... Anna.* (« Chuck ! criait Jesse. Fais Chuck le canard ! »)

— Hé, dit Kate en montrant du doigt le cou d'Anna, tu ne portes pas ton médaillon.

C'est celui que je lui ai offert, il y a des années. La main d'Anna remonte jusqu'à sa clavicule. Je demande :

— Tu l'as perdu ?

Elle hausse les épaules.

— Peut-être que je n'étais pas d'humeur à le mettre.

À ma connaissance, elle ne l'avait jamais enlevé jusqu'ici. Sara sort le rôti du four et le pose sur la table. En prenant le couteau pour le trancher, elle regarde Kate.

— En parlant de choses que l'on n'est pas d'humeur à porter, dit-elle, va mettre un autre tee-shirt.

— Pourquoi ?

— Parce que je te le demande.

— Ce n'est pas une raison.

Sara plante le couteau dans la viande.

— Parce que je le trouve déplacé à table.

— Ce n'est pas plus déplacé que les tee-shirts trash-métal de Jesse. Tu portais lequel, hier ? Celui d'Alabama Thunder Pussy ?

Jesse lève les yeux au ciel. C'est une expression que j'ai déjà vue : le cheval agonisant dans un western spaghetti, juste avant qu'on ne l'abatte par compassion.

Sara coupe laborieusement la viande. Trop saignante avant, elle ressemble maintenant à une bûche carbonisée.

— Oh là là, fait-elle. Elle est immangeable.

— Ça va très bien.

Je me sers un des morceaux qu'elle a réussi à disséquer et je prends une petite bouchée. Je pourrais aussi bien mastiquer du charbon.

— Délicieux. Je vais juste courir jusqu'à la caserne emprunter un chalumeau pour que nous puissions servir les autres.

Sara cligne des yeux, puis elle se déride. Kate rigole. Même Jesse esquisse un sourire.

C'est alors que je m'aperçois qu'Anna s'est déjà levée de table et, surtout, que personne ne l'a remarqué.

De retour à la caserne, nous nous retrouvons tous les quatre en haut, dans la cuisine. Red fait cuire un genre de sauce ; Paulie lit le *ProJo*, et Caesar écrit une lettre à sa dulcinée de la semaine. Red secoue la tête en le regardant.

— Tu devrais l'enregistrer sur disquette pour pouvoir l'imprimer en série.

Le nom de Caesar est juste un surnom. C'est Paulie qui le lui a donné, il y a des années, parce qu'il avait dit de Red qu'il était « rubicond ».

— Celle-là, c'est différent, affirme Caesar.

— Ouais. Elle a tenu deux jours entiers.

Red vide les pâtes dans la passoire qu'il a posée dans l'évier, et des nuages de vapeur s'élèvent autour de sa figure.

— Capitaine, voulez-vous donner quelques conseils à ce garçon, s'il vous plaît ?

— Pourquoi moi ?

Paulie jette un regard par-dessus son journal.

— Par défaut, dit-il.

Et c'est vrai. La femme de Paulie l'a quitté voilà deux ans pour un violoncelliste de passage à Providence avec un orchestre symphonique en tournée ; Red est un célibataire tellement endurci qu'il ne saurait pas reconnaître une femme s'il y en avait une qui venait le mordre. En revanche, Sara et moi sommes mariés depuis vingt ans.

Red dépose une assiette devant moi au moment où je commence à parler.

— La femme n'est pas très différente d'un feu de joie.

Paulie lâche son journal et se met à me huer.

— Et c'est parti : le taoïsme selon le capitaine Fitzgerald.

Je l'ignore.

— Un feu est quelque chose de beau, non ? Quelque chose dont on ne parvient pas à détacher les yeux, quand il brûle. Si tu sais le circonscrire, il t'éclaire et te réchauffe. C'est seulement quand tu ne parviens plus à le maîtriser que tu dois le combattre.

— Ce que le chef essaie de te dire, intervient Paulie, c'est que tu dois garder ta chérie à l'abri des courants d'air. Hé, Red, t'as du parmesan ?

Nous nous mettons à table, ce qui signifie en général que la cloche ne va pas tarder à sonner. La lutte contre l'incendie est un monde régi par la loi de Murphy ; c'est toujours au moment le plus critique qu'une complication surgit.

— Fitz, tu te rappelles la dernière fois qu'un mort est resté coincé ? demande Paulie. Quand nous étions encore pompiers volontaires ?

Ciel, oui. Un type d'au moins deux cent vingt kilos, qui était mort d'une défaillance cardiaque dans son lit. Les pompes funèbres, ne parvenant pas à descendre le corps, avaient fait appel aux pompiers.

— Des poulies et des cordes, je me souviens.

— Et il devait être incinéré, mais il était trop gros...

Paulie ricane.

— Je jure, sur ma mère qui est au paradis, au lieu de ça ils ont dû l'emmener chez le véto.

Caesar le regarde d'un air ahuri.

— Mais pourquoi ?

— Comment crois-tu qu'on se débarrasse d'un cheval mort, Einstein ?

Comprenant à demi-mot, Caesar ouvre de grands yeux.

— Sans blague, dit-il.

Et, après réflexion, il repousse son assiette de pâtes à la bolognaise préparées par Red.

— À qui croyez-vous qu'ils vont demander de nettoyer le conduit de cheminée de la fac de médecine ? dit Red.

— Aux pauvres cons des services sanitaires, répond Paulie.

— Je te parie dix dollars qu'ils vont nous appeler pour nous dire que c'est notre boulot.

— Il n'y aura pas d'appel, dis-je, parce qu'il ne restera plus rien à nettoyer. Le feu est vraiment trop fort, là-dedans.

— Au moins on sait que cet incendie-là n'était pas criminel, marmonne Paulie.

Au cours du dernier mois, nous avons connu une vague d'incendies volontaires. Ils se détectent toujours – on trouvera des éclaboussures de liquide inflammable, ou plusieurs départs de feu, ou une fumée noire, ou une concentration inhabituelle de flammes à un même endroit. Le pyromane est malin – dans plusieurs cas, le combustible a été placé sous un escalier, pour nous barrer l'accès aux flammes. Les incendies criminels sont dangereux parce qu'ils défient la science que nous mettons en œuvre pour les combattre. Les bâtiments incendiés volontairement sont ceux qui risquent le plus de s'écrouler autour de nous pendant que nous nous trouvons à l'intérieur, luttant contre le feu.

Caesar ricane.

— Peut-être que c'en était un, justement. Peut-être que le mec était un pyromane suicidaire. Il s'est fourré dans la cheminée et s'est allumé.

— Peut-être qu'il voulait désespérément perdre du poids, ajoute Paulie.

Et les autres s'esclaffent.

— Ça suffit.

— Oh, capitaine, il faut reconnaître que c'est assez drôle...

— Pas pour les parents du gars. Pas pour sa famille.

S'ensuit un silence gêné, tandis que les autres hommes cherchent leurs mots. Enfin, Paulie prend la parole :

— Il y a de nouveau quelque chose qui ne va pas avec Kate, Fitz ?

Paulie et moi, nous nous connaissons depuis toujours ; il est le seul qui s'autorise à m'appeler Fitz et, quand nous ne sommes pas en mission, à me tutoyer, même devant les collègues.

Il y a toujours quelque chose qui ne va pas avec ma fille aînée ; le problème, c'est que ça ne s'arrête jamais. Je me lève de table et mets mon assiette dans l'évier.

— Je monte sur le toit.

Nous avons tous nos hobbies – Caesar a ses copines, Paulie sa cornemuse, Red sa cuisine, et moi, j'ai mon télescope. Je l'ai installé il y a des années sur le toit de la caserne, d'où je peux avoir la meilleure vue sur le ciel nocturne.

Si je n'étais pas devenu pompier, je serais astronome. Ça exige beaucoup trop de maths pour mon cerveau, je le sais, mais j'ai toujours été attiré par la cartographie des astres. Par une nuit vraiment très noire, vous pouvez voir entre mille et mille cinq cents étoiles, et il en existe des millions qui attendent d'être découvertes. Il est si facile de croire que le monde tourne autour de soi, mais il suffit d'observer le ciel pour prendre conscience qu'il n'en est pas du tout ainsi.

Anna s'appelle en réalité Andromeda. Je le jure, c'est ce qui figure sur son acte de naissance. La constellation à laquelle elle doit son nom raconte l'histoire d'Andromède, qui fut arrimée à un rocher et offerte en sacrifice à un monstre marin – pour punir sa mère, Cassiopée, de s'être vantée de sa propre beauté auprès de Poséidon. Persée, qui passait par là, tomba amoureux d'Andromède et la sauva. Dans le ciel, elle est représentée comme une princesse aux bras écartés et aux mains enchaînées.

Selon moi, l'histoire connut une fin heureuse. Qui ne le souhaiterait pas à un enfant ?

Quand Kate est née, je me plaisais à imaginer comme elle serait belle le jour de son mariage. Puis, quand on a diagnostiqué sa LAP, je la voyais montant sur le podium pour recevoir son diplôme de fin d'études secondaires. La première fois qu'elle a rechuté, tout cela s'est écroulé. Je me l'imaginais alors fêtant son cinquième anniversaire. Maintenant, je ne fais plus de prévisions, et de cette façon, elle les défie toutes.

Kate va mourir. Il m'a fallu très longtemps avant d'être capable de le formuler. Nous allons tous mourir, au bout du compte, mais ce n'est pas ainsi que les choses doivent se passer. Ce serait à moi de partir le premier, à *moi* que Kate devrait dire adieu.

Après toutes ces années à défier le sort, il paraît presque déloyal que ce ne soit pas la leucémie qui l'emporte. Mais, d'un autre côté, le Dr Chance nous a prévenus, il y a longtemps, que les choses se passent en général ainsi : le corps du malade finit par s'user à force de lutter. Il lâche par morceaux. Dans le cas de Kate, ce seront les reins.

Je dirige mon télescope vers la boucle de Barnard et M42, qui brillent dans l'épée d'Orion. Les étoiles sont des incendies qui brûlent pendant des milliers d'années. Certaines se consument lentement, comme les naines rouges. D'autres – les géantes bleues – s'embrasent si vite que leur éclat franchit des distances considérables et qu'elles sont faciles à repérer. Quand elles commencent à manquer de carburant, elles brûlent de l'hélium, atteignent des températures encore plus élevées et explosent en formant une supernova. Les supernovae scintillent plus que la plus brillante des galaxies. Elles meurent, mais personne ne les voit s'éteindre.

Tout à l'heure, après le dîner, j'ai aidé Sara à ranger la cuisine.

— Tu crois qu'Anna a un problème ? ai-je demandé en remettant le ketchup dans le réfrigérateur.

— Parce qu'elle a enlevé son collier ?

— Non, ai-je dit en haussant les épaules, en général.

— Comparé aux reins de Kate et au comportement asocial de Jesse, je dirais qu'Anna va plutôt bien.

— Elle voulait sortir de table avant même d'avoir commencé à dîner.

Devant l'évier, Sara s'est retournée.

— Qu'est-ce qui se passe, à ton avis ?

— Euh... Un garçon ?

Sara m'a regardé.

— Elle n'a pas de petit copain.

Dieu merci.

— Peut-être qu'une de ses amies lui a dit quelque chose qui l'a bouleversée.

Pourquoi est-ce à moi que Sara a posé la question ? Qu'est-ce que j'en sais, moi, des sautes d'humeur des filles de treize ans ?

Sara s'est essuyé les mains sur un torchon et a mis en marche le lave-vaisselle.

— Peut-être qu'elle se comporte tout simplement comme une adolescente.

J'ai essayé de me rappeler Kate à treize ans, mais je n'ai réussi à me souvenir que de sa rechute et de sa greffe de cellules souches. La vie normale de Kate s'effaçait toujours derrière ses périodes de maladie.

— Je dois emmener Kate à la dialyse demain, a dit Sara. A quelle heure rentreras-tu ?

— Avant huit heures. Mais je serai d'astreinte.

— Brian ? Comment as-tu trouvé Kate ?

En meilleure forme qu'Anna, ai-je pensé, mais ce n'était pas cela qu'elle demandait. Elle voulait que j'évalue le teint jaune de Kate par rapport à la veille, elle voulait que j'interprète la façon dont elle appuyait ses coudes sur la table, trop épuisée pour se tenir droite.

— Kate avait l'air en forme, ai-je menti.

Des mensonges, c'est ce que nous nous faisons l'un à l'autre.

— N'oublie pas d'aller les embrasser avant de partir, a dit Sara.

Puis elle s'est détournée pour réunir les comprimés que Kate prend au coucher.

C'est tranquille, ce soir. Les semaines ont un rythme qui leur est propre. La frénésie du service de nuit le vendredi ou le samedi contraste avec le calme plat du dimanche ou du lundi. Je le sais déjà : cette nuit, je vais pouvoir me coucher et dormir vraiment.

— Papa ?

La trappe se soulève et Anna se hisse sur le toit.

— Red m'a dit que tu étais là.

Aussitôt, je m'immobilise. Il est dix heures du soir.

— Il y a un problème ?

— Non. J'avais juste... envie de te voir.

Quand les gosses étaient petits, Sara passait souvent avec eux. Ils jouaient dans le garage autour des énormes engins assoupis. Ils s'endormaient là-haut, sur ma couchette. Parfois, au plus chaud de l'été, Sara apportait une vieille couverture, que nous étendions sur le toit ; nous nous couchions dessus, les enfants entre nous, et nous regardions la nuit tomber.

— Maman sait que tu es là ?

— Elle m'a déposée.

Anna s'approche à petits pas précautionneux. Elle n'a jamais été à l'aise avec les hauteurs, et le rebord de béton ne fait guère plus de sept centimètres. En clignant des yeux, elle se penche sur le télescope.

— Qu'est-ce que tu peux voir ? demande-t-elle.

— Véga.

Je la regarde avec attention, ce que je n'ai pas fait depuis un certain temps. Elle a perdu son allure de baguette ; des courbes commencent à s'ébaucher. Même ses mouvements – ce geste de coincer une mèche derrière l'oreille – sont empreints d'une sorte de grâce que j'associe davantage à une femme adulte.

— Il y a quelque chose dont tu voudrais me parler ?

Ses dents mordillent sa lèvre inférieure, et elle fixe ses baskets.

— Peut-être que toi, tu pourrais me parler, suggère Anna.

Alors je l'installe sur ma veste et je lui indique les étoiles. Je lui dis que Véga fait partie de la Lyre, la lyre qui appartenait à Orphée. Je n'ai pas un grand talent de conteur, mais je me souviens des histoires qui ont trait aux constellations. Je lui parle de ce fils du dieu Soleil dont la musique charmait les animaux et attendrissait les pierres. Un homme qui aimait sa femme Eurydice au point d'essayer d'empêcher la Mort de l'emporter.

Quand j'arrive à la fin de mon histoire, nous sommes tous deux couchés sur le dos.

— Je peux rester ici avec toi ? demande Anna.

Je l'embrasse sur le haut de la tête.

— Évidemment.

— Papa, murmure Anna alors que je la croyais endormie. Ça a marché ?

Je mets un moment à comprendre qu'elle me parle d'Orphée et d'Eurydice.

— Non.

Elle laisse échapper un soupir.

— M'étonne pas.

Mardi

Ma chandelle brûle par les deux bouts ;
Elle ne durera pas la nuit ;
Mais ah ! mes ennemis, et oh ! mes amis...
Elle donne une si jolie lumière.

EDNA SAINT VINCENT MILLAY,
« Première figue », *Quelques figues*
parmi les chardons

Anna

Longtemps, j'ai fait semblant d'être seulement de passage dans cette famille avant de retrouver la vraie. Ce n'est pas tellement absurde, en réalité : il y a Kate, le portrait craché de mon père, et Jesse, le portrait craché de maman, et puis il y a moi, un amalgame de gènes récessifs venus d'on ne sait où. À la cafétéria de l'hôpital, tout en avalant des frites spongieuses et un dessert d'un rouge artificiel, je jetais des coups d'œil de table en table, en me disant que mes parents légitimes étaient peut-être un plateau plus loin. Ils sangloteraient de joie de me retrouver, m'emporteraient vers notre château à Monaco ou en Roumanie, et ils m'offriraient un saint-bernard rien qu'à moi et une femme de chambre qui sentirait bon les draps propres et une ligne téléphonique personnelle. Le problème, c'est que la première personne que j'appellerais pour lui raconter ma nouvelle vie, ce serait Kate.

Les séances de dialyse de Kate ont lieu trois fois par semaine, pendant deux heures d'affilée. Son cathéter de dialyse paraît identique au cathéter central qu'elle avait avant et dépasse du même endroit de sa poitrine. On le branche à la machine qui effectue le travail que ses reins ne font pas. Le sang de Kate (ou plus précisément mon sang) sort de son corps par une aiguille, puis, après avoir été nettoyé, est réinjecté dans son corps par une seconde aiguille. Elle dit que ça ne fait pas mal. C'est surtout qu'elle s'ennuie. Kate apporte généralement un livre ou son lecteur de CD et ses écouteurs. Parfois, nous jouons à des jeux. « Va voir dans le hall si tu repères un beau mec, et reviens me raconter », lui arrive-t-il de me dire. Ou bien : « Espionne discrètement l'infirmier qui surfe sur le Net, et décris-moi les photos de femmes nues qu'il s'amuse à télécharger. » Quand elle est clouée au lit, je suis ses yeux et ses oreilles.

Aujourd'hui, elle lit le magazine *Allure*. Je me demande si elle se rend compte qu'elle passe le doigt sur toutes les photos de mannequins en décolleté à l'endroit du sternum où débouche son cathéter.

— Tiens, c'est intéressant, ça, dit soudain ma mère.

Elle agite la brochure qu'elle a prise dans le présentoir devant la chambre de Kate : VOUS ET VOTRE NOUVEAU REIN.

— Tu savais qu'ils ne t'enlevaient pas l'ancien rein ? Ils se contentent de te greffer le nouveau.

— Ça me fait flipper, dit Kate. Imagine le médecin légiste qui t'autopsie et découvre que tu as trois reins au lieu de deux.

— Il me semble que le but de la greffe est justement d'éviter une autopsie dans un avenir proche, répond ma mère.

Ce rein fictif dont elle discute réside pour l'instant dans mon propre corps.

Moi aussi, j'ai lu cette brochure.

Le don de rein est considéré comme étant une opération relativement bénigne, mais si vous voulez mon avis, la personne qui a rédigé le texte devait la comparer à quelque chose comme une transplantation cœur-poumons, ou l'ablation d'une tumeur au cerveau. D'après moi, une opération bénigne est une de celles que votre médecin pratique sans vous endormir du tout, et vous ressortez de chez lui cinq minutes après – comme lorsqu'on vous enlève une verrue ou qu'on vous soigne une carie. Mais si vous donnez un rein, vous devez passer la veille de l'opération à jeûner et à prendre des laxatifs. On vous fait une anesthésie comportant des risques d'attaque cérébrale, de crise cardiaque et de problèmes pulmonaires. L'intervention, qui dure quatre heures, n'a rien d'une partie de plaisir – vous avez une probabilité sur trois mille de mourir sur la table d'opération. Si vous survivez, vous restez hospitalisée pendant quatre à sept jours, mais il faut quatre à six semaines pour récupérer complètement. Et tout ça, sans parler des effets à longue échéance : le risque accru d'hypertension artérielle, les complications pendant la grossesse et la nécessité d'éviter toute activité qui puisse porter atteinte à l'unique rein restant.

Sans compter que, quand vous vous faites enlever une verrue ou soigner une carie, la seule personne qui en bénéficie à terme, c'est vous.

On frappe à la porte, et un visage familier passe dans l'entrebâillement. Vern Stackhouse est shérif, et de ce fait membre de la même communauté de fonctionnaires que mon père. Il venait de temps en temps à la maison pour nous dire bonjour et pour nous déposer des cadeaux de Noël. Dernièrement, il a sauvé la mise à Jesse au cours d'une bagarre en le ramenant chez nous plutôt que de laisser le système judiciaire s'occuper de son cas. Quand vous faites partie d'une famille où une fille est mourante, les gens se montrent indulgents à votre égard.

Vern a le visage comme un soufflé, dégonflé aux endroits où l'on s'y attend le moins. Il ne semble pas très sûr de savoir s'il peut ou non pénétrer dans la chambre.

— Euh... dit-il. Bonjour, Sara.

— Vern !

Ma mère se lève d'un bond.

— Qu'est-ce que vous faites à l'hôpital ? Tout va bien ?

— Ouais, très bien. Je suis juste ici à titre professionnel.

— Des injonctions à délivrer, j'imagine.

— Hmm.

Vern remue les pieds et fourre la main dans sa veste, façon Napoléon.

— Je suis vraiment désolé, Sara, dit-il.

Puis il lui tend un document.

Tout comme celui de Kate, mon sang quitte mon corps. Même si je le voulais, je ne pourrais pas bouger.

— Qu'est-ce que c'est que ce... Vern, quelqu'un me fait un procès ?

La voix de ma mère est beaucoup trop calme.

Il secoue la tête.

— Écoutez, je ne lis pas les notifications de plainte. Je me contente de les délivrer. Et votre nom figurait juste là, sur ma liste. Si, euh... il y a quoi que ce soit que je...

Il ne finit même pas sa phrase. Son chapeau à la main, il s'éclipse.

— Maman, demande Kate, que se passe-t-il ?

— Je n'en ai aucune idée.

Elle déplie les papiers. Je suis assez près pour lire par-dessus son épaule. L'en-tête, très officiel, dit : ÉTAT DE RHODE ISLAND. TRIBUNAL DES

AFFAIRES FAMILIALES DU COMTÉ DE PROVI-
DENCE. CONCERNE : ANNA FITZGERALD.

REQUÊTE D'ÉMANCIPATION.

Oh, merde ! Mon estomac se contracte comme le jour où le principal m'a renvoyée à la maison avec une remarque disciplinaire parce que j'avais dessiné une caricature de Mme Toohey et de son cul colossal dans la marge de mon livre de maths. Non, rectification, je me sens un million de fois pire. Mes joues sont en feu et mon cœur commence à battre très fort.

Que toutes les décisions d'ordre médical la concernant soient dorénavant prises par elle.

Qu'elle ne soit pas contrainte à se soumettre à un traitement médical allant à l'encontre de ses intérêts ou ne présentant aucun bénéfice pour sa santé.

Qu'il ne lui soit pas demandé de subir des traitements médicaux au profit de sa sœur Kate.

Ma mère lève le visage vers moi.

— Anna, murmure-t-elle. Qu'est-ce que c'est que cette histoire ?

Maintenant que la machine est lancée, ça me fait l'effet d'un coup de poing dans le ventre. Je secoue la tête. Qu'est-ce que je peux lui dire ?

— Anna !

Elle fait un pas vers moi.

Derrière elle, Kate se met à crier :

— Maman, aïe ! maman... Il y a quelque chose qui me fait mal. Appelle l'infirmière !

Ma mère se tourne à moitié. Kate est recroquevillée sur le côté, les cheveux retombant sur le visage. J'ai l'impression que, entre les mèches, elle me regarde, mais je n'en suis pas sûre.

— Maman, gémit-elle, s'il te plaît.

Pendant un instant, ma mère est une bulle de savon, prise entre nous deux. Son regard va de Kate à moi, puis de nouveau à Kate.

Ma sœur souffre, et moi je suis soulagée. Ça doit en dire long sur mon compte.

La dernière vision que j'ai en m'enfuyant de la chambre est ma mère sonnant pour appeler l'infirmière, appuyant sur le bouton encore et encore, comme si c'était le détonateur d'une bombe.

Je ne peux pas me cacher à la cafétéria, ni dans le hall ni dans aucun autre des endroits où ils penseront à chercher. Je prends l'escalier jusqu'au cinquième étage, la maternité. Dans la salle, il n'y a qu'un seul téléphone public, et il est occupé.

— Trois kilos cent, dit l'homme, avec un sourire si large que son visage me donne l'impression de se déchirer. Elle est parfaite.

Mes parents ont-ils fait la même chose quand je suis née ? Mon père a-t-il envoyé des messages de fumée ; a-t-il compté mes doigts et mes orteils, convaincu qu'il avait tiré le plus beau lot de l'univers ? Est-ce que ma mère m'a embrassée sur le dessus de la tête et refusé que l'infirmière m'emporte pour me laver ? Ou m'ont-ils simplement laissée partir, le vrai trésor étant clampé entre mon ventre et le placenta ?

Le nouveau père finit par raccrocher, en riant à propos de rien.

— Félicitations, dis-je alors que je voudrais vraiment lui conseiller de prendre son bébé dans ses bras et de le serrer fort contre lui, d'accrocher la lune au rebord de son berceau et d'écrire son nom parmi les étoiles, afin que jamais, jamais, cette petite fille ne lui fasse ce que je viens de faire à mes parents.

78

J'appelle Jesse en PCV. Vingt minutes plus tard, il arrive devant l'entrée de l'hôpital. À ce stade, le shérif Stackhouse a été prévenu que j'étais en fuite ; il m'attend à la porte au moment où je sors.

— Anna, ta maman est terriblement inquiète à ton sujet. Elle a fait appeler ton père. On te cherche dans tout l'hôpital.

Je prends une profonde inspiration.

— Alors vous devez vite lui dire que je vais bien.

Et sur ce, je saute dans la voiture, dont Jesse m'a ouvert la portière côté passager.

Il démarre en trombe et allume une Merit, pourtant – je le sais pertinemment – il a affirmé à ma mère qu'il avait arrêté de fumer. Il met sa musique à fond la caisse et bat le rythme en tapant du plat de la main sur le volant. Ce n'est qu'à la sortie d'Upper Darby sur l'autoroute qu'il éteint la radio et ralentit.

— Alors ? Elle a pété les plombs ?

— Elle a fait venir papa du boulot.

Dans notre famille, déranger mon père au travail est un péché capital. Sachant que son travail consiste justement à répondre aux urgences, quelle crise à la maison pourrait être assez grave en comparaison ?

— La dernière fois, m'informe Jesse, c'était le jour où on diagnostiquait la leucémie de Kate.

— Génial.

Je croise les bras.

— Là, tu peux être sûr que je me sens vraiment mieux.

Jesse se contente de sourire. Il exhale un rond de fumée.

— Sœurette, dit-il, bienvenue dans le monde du Mal.

Ils entrent dans la maison comme un ouragan. Kate réussit à peine à me jeter un regard avant que mon père ne la pousse dans le couloir, en direction de notre chambre. Ma mère pose violemment son sac, ses clés de voiture, puis elle avance vers moi.

— Très bien, dit-elle d'une voix tendue, sur le point de casser. Tu vas m'expliquer ce qui se passe.

Je m'éclaircis la gorge.

— J'ai pris un avocat.

— J'ai bien compris.

Ma mère attrape le téléphone sans fil et me le tend.

— Maintenant, débarrasse-toi de lui.

Au prix d'un énorme effort, je parviens à secouer la tête et à faire tomber le téléphone parmi les coussins du canapé.

— Anna, alors aide-moi à...

— Sara.

La voix de mon père est une hache. Elle s'interpose entre nous et nous fait tourner la tête.

— Je crois que nous devons laisser à Anna une chance de s'expliquer. Nous étions d'accord sur ce point, n'est-ce pas ?

Je baisse la tête.

— Je ne veux plus le faire.

Ces mots font exploser ma mère.

— Eh bien, tu sais, Anna, moi non plus. Et pour tout dire, Kate non plus. Mais nous n'avons pas le choix.

Sauf que moi, j'ai le choix. C'est précisément pourquoi c'est à moi de faire cette démarche.

Ma mère est plantée devant moi.

— Tu es allée voir un avocat et tu lui as fait croire que cette histoire ne concernait que toi, ce qui n'est pas le cas. Elle nous concerne tous. *Tous*.

Les mains de mon père s'enroulent autour des épaules de ma mère et les serrent. Quand il s'accroupit pour être à ma hauteur, je sens son odeur de fumée. Il a quitté l'incendie de quelqu'un d'autre pour plonger dans celui-ci, et pour cette raison, cette seule raison, je me sens gênée.

— Anna, ma chérie, nous savons que tu penses faire quelque chose dont tu as besoin...

— Ce n'est pas ce que *moi* je pense, interrompt ma mère.

Mon père ferme les yeux.

— Sara, tais-toi, bon Dieu !

Puis il me regarde de nouveau.

— Peut-on en discuter tous les trois, sans qu'un avocat s'en mêle ?

Ce qu'il dit me fait venir les larmes aux yeux. Mais je savais ce qui m'attendait. Alors je lève le menton et laisse couler mes larmes.

— Papa, je ne peux pas.

— Pour l'amour du ciel, Anna, dit ma mère. Est-ce que tu as conscience, ne serait-ce qu'un peu, des conséquences possibles de cet acte ?

Ma gorge se referme comme l'obturateur d'un appareil photo, de sorte que le moindre souffle ou la plus petite excuse doit se frayer un passage à travers un tunnel pas plus gros qu'une épingle. Je me dis : « Je suis invisible ». Mais je me rends compte trop tard que j'ai prononcé cette phrase à haute voix.

Ma mère fonce sur moi si vite que je ne la vois même pas venir. Elle m'envoie une gifle assez violente pour faire partir ma tête en arrière et laisse une trace qui me salit bien après s'être effacée de ma peau. Je vous le dis juste pour que vous le sachiez : la honte possède cinq doigts.

Un jour, quand Kate avait huit ans et moi cinq, nous nous sommes disputées et nous avons décidé que nous ne voulions plus partager la même chambre. Compte tenu de la taille de notre maison et du fait que Jesse occupait l'autre chambre à coucher, nous n'avions nulle part ailleurs où nous installer. Alors Kate, étant la plus âgée et la plus raisonnable, a décidé que nous allions diviser notre espace en deux.

— Tu veux quel côté ? a-t-elle demandé diplomatiquement. Je vais même te laisser choisir.

Bon, je voulais la partie où était mon lit. Et la moitié où il se trouvait était aussi celle qui contenait la caisse à poupées Barbie et les étagères où nous rangions nos affaires de dessin et de peinture. Kate s'apprêtait à y prendre un feutre lorsque je l'ai arrêtée.

— Ça, c'est mon côté, lui ai-je fait remarquer.

— Alors tu m'en passes un, a-t-elle ordonné.

Je lui ai tendu le rouge. Elle est montée sur le bureau et a étiré le bras aussi près du plafond qu'elle le pouvait.

— Une fois que ce sera fait, dit-elle, tu devras rester sur ton côté, et moi je resterai sur le mien, d'accord ?

J'ai fait oui de la tête, aussi déterminée qu'elle à respecter notre contrat. Après tout, j'avais la plupart des jouets intéressants. Kate serait la première à supplier de pouvoir franchir la frontière.

— Tu jures ? a-t-elle demandé.

On a fait croix de bois, croix de fer. Elle a dessiné une ligne irrégulière partant du plafond, divisant le bureau, traversant la moquette beige et passant par la table de chevet pour remonter sur le mur d'en face. Puis elle m'a rendu le feutre.

— N'oublie pas, a-t-elle dit. Il n'y a que les tricheurs qui reviennent sur un serment.

Je me suis assise par terre de mon côté de la chambre, j'ai réuni toutes les Barbie que nous possédions et je les ai déshabillées et rhabillées ostensiblement, pour bien faire remarquer à Kate que moi je pouvais le faire mais pas elle. Elle m'observait, assise sur son lit avec les genoux ramenés sous le menton. Elle n'a pas réagi du tout. Jusqu'au moment où ma mère nous a appelées pour le déjeuner.

Alors Kate m'a souri et elle est sortie de la chambre par la porte, qui était de son côté.

Je suis allée vers la ligne qu'elle avait dessinée sur la moquette ; j'ai donné des coups dedans avec mes orteils. Je ne voulais pas être une tricheuse. Mais je ne voulais pas non plus passer le restant de mes jours dans ma chambre.

Je ne sais pas combien de temps ma mère a mis avant de se demander pourquoi je n'étais pas descendue déjeuner à la cuisine mais, quand vous avez cinq ans, une seule seconde peut sembler une éternité. Elle se tenait dans l'embrasure de la porte, le regard fixé sur la ligne de feutre sur les murs et la moquette, et elle a fermé les yeux pour ne pas perdre patience. Elle est entrée dans la chambre et m'a soulevée, et là, je me suis débattue.

— Non ! ai-je crié. Je ne pourrai jamais revenir !

Une minute plus tard, elle est partie, pour réapparaître avec des maniques, des torchons et des coussins. Elle les a disposés à intervalles irréguliers tout le long du côté de Kate.

— Allez, viens, a-t-elle dit.

Mais je n'ai pas bougé. Alors elle est venue s'asseoir près de moi sur le lit.

— C'est peut-être l'étang de Kate, mais ce sont *mes* feuilles de nénuphar.

Et, se mettant debout, elle a sauté sur un torchon et de là sur un coussin. Elle m'a regardée par-dessus son épaule jusqu'à ce que je saute à mon tour sur le torchon, puis sur le coussin, puis sur la manique que Jesse avait faite en CP, et ainsi de suite à travers tout le territoire de Kate. Marcher sur les traces de ma mère était la meilleure façon de m'en sortir.

Je suis sous la douche quand Kate force la serrure et entre dans la salle de bains.

— Je veux te parler, dit-elle.

J'écarte un peu le rideau en plastique pour passer la tête. J'essaie de retarder au maximum une conversation que je n'ai aucune envie d'avoir.

— Quand j'aurai terminé.

— Non, maintenant.

Elle s'assied sur l'abattant de la cuvette des W-C et soupire.

— Anna... ce que tu es en train de faire...

— C'est déjà fait.

— Tu peux le défaire, tu sais, si tu veux.

Je suis contente qu'il y ait autant de buée entre nous, parce que je ne supporte pas l'idée qu'elle puisse voir mon visage à cet instant. Je murmure :

— Je sais.

Pendant un long moment, Kate reste silencieuse. Son esprit tourne en rond, pareil à une gerbille sur une roue, tout comme le mien. Faites le tour des possibilités, les unes après les autres, et vous vous retrouvez exactement au même point.

Au bout de quelque temps, je sors de nouveau la tête. Kate s'essuie les yeux et me regarde.

— Tu te rends compte que tu es la seule amie que j'aie ?

— Ce n'est pas vrai, je rétorque aussitôt.

Mais nous savons toutes les deux que je mens. Kate a passé trop de temps en dehors d'une structure scolaire classique pour trouver un groupe auquel elle arrive à s'intégrer. La plupart des amis qu'elle s'est faits pendant sa longue période de rémission ont disparu – une désaffection réciproque. Il était trop difficile pour un enfant ordinaire de savoir se comporter avec quelqu'un qui est sur le point de mourir, et il était tout aussi difficile pour Kate de s'intéresser vraiment aux concours et aux remises de diplômes, en n'ayant aucune garantie qu'elle serait là pour y participer. Elle a bien quelques camarades, garçons et filles, mais le plus souvent, quand ils viennent la voir, ils donnent l'impression de purger une peine, et restent assis sur le bord de son lit en comptant les minutes jusqu'à l'heure de repartir et de remercier Dieu de les avoir épargnés.

Une véritable amie n'est pas capable de vous prendre en pitié.

— Je ne suis pas ton amie, dis-je en refermant le rideau d'un geste brusque. Je suis ta sœur.

Et c'est un rôle que je remplis très mal. Je mets le visage sous le jet pour qu'elle ne sache pas que, moi aussi, je pleure.

Soudain, le rideau s'écarte, me laissant complètement nue.

— C'est de ça que je voulais parler, dit Kate. Si tu ne veux plus être ma sœur, très bien. Mais je crois que je ne supporterais pas de te perdre comme amie.

Elle referme le rideau et la vapeur s'élève autour de moi. Un instant plus tard, j'entends la porte s'ouvrir et se refermer, et je sens la lame d'air froid qui pénètre dans la foulée.

Je ne supporte pas non plus l'idée de la perdre.

Cette nuit, après que ma sœur s'est endormie, je sors de mon lit et je me tiens près du sien. Quand je passe la paume sous son nez pour m'assurer qu'elle respire, une bouffée d'air me remplit la main. Je pourrais appuyer, maintenant, sur ce nez et cette bouche ; maintenir Kate immobile si elle se débattait. En quoi est-ce que ce serait très différent de ce que je fais déjà ?

Un bruit de pas dans le couloir me précipite sous l'abri de mes couvertures. Je me tourne sur le côté, dos à la porte, au cas où les mouvements de mes paupières me trahiraient quand mes parents entreront dans la chambre.

— Je n'arrive pas à y croire, chuchote ma mère. Je n'arrive pas à croire qu'elle ait pu faire ça.

Mon père reste silencieux, et je me demande si je ne me suis pas trompée, s'il est vraiment là.

— On recommence comme avec Jesse, ajoute ma mère. Elle fait ça pour attirer l'attention.

Je sens son regard peser sur moi, comme si j'étais une créature étrange qu'elle n'avait jamais vue auparavant.

— Peut-être qu'elle a besoin qu'on l'emmène quelque part, toute seule. Qu'on aille au cinéma, ou faire des courses, pour qu'elle ne se sente pas exclue. Afin qu'elle comprenne qu'elle n'a pas à commettre des folies pour qu'on la remarque. Qu'est-ce que tu en penses ?

Mon père prend son temps avant de répondre.

— Écoute, dit-il doucement, peut-être que ce n'est pas une folie.

Vous savez que, dans le noir, le silence peut vous crever les tympans, vous rendre sourd ? C'est ce qui se produit, et je manque presque de ne pas entendre ce que dit ma mère.

— Pour l'amour du ciel, Brian... de quel côté es-tu ?

Et mon père :

— Qui a dit qu'il y avait des côtés ?

Mais même moi je pourrais répondre à ça. Il y a toujours des côtés. Toujours un gagnant et un perdant. Pour chaque personne qui reçoit, il existe quelqu'un qui doit donner.

Quelques instants plus tard, la porte se referme et la lumière du couloir, qui faisait des arabesques sur le plafond, disparaît. En clignant des yeux, je roule sur le dos... et je vois ma mère, encore plantée près de mon lit. Je murmure :

— Je pensais que tu étais partie.

Elle s'assied au pied du lit, et je m'écarte. Mais elle pose la main sur mon mollet avant que je ne me dérobe.

— Qu'est-ce que tu penses d'autre, Anna ?

Mon ventre se contracte.

— Je pense... Je pense que tu dois me détester.

Même dans le noir, je peux voir briller ses yeux.

— Oh, Anna, soupire ma mère, comment peux-tu ne pas savoir combien je t'aime ?

Elle m'ouvre grands les bras et je vais m'y blottir, comme si j'étais de nouveau petite et que je pouvais encore tenir dans cet espace. J'appuie fort le visage contre son épaule. Ce que je veux, plus que tout, c'est remonter le temps, juste un peu. Redevenir l'enfant que j'étais, qui croyait que tout ce que disait sa mère était vrai et juste à cent pour cent, sans avoir à y regarder de près et voir les minuscules failles.

Ma mère me serre plus fort.

— Nous allons parler au juge et nous expliquer. Nous pouvons arranger ça, dit-elle. Nous pouvons tout arranger.

Et parce que ces paroles sont en vérité les seules que j'aie jamais voulu entendre, je fais oui de la tête.

Sara

1990

Contre toute attente, j'éprouve un certain réconfort à me trouver dans le pavillon d'oncologie de l'hôpital, un sentiment d'appartenance à un club. De l'employé du parking qui nous demande si c'est la première fois que nous venons, jusqu'aux légions d'enfants qui déambulent avec leur cuvette rose sous le bras comme un nounours, ces personnes sont toutes arrivées là avant nous, et leur nombre a quelque chose de rassurant.

Nous prenons l'ascenseur jusqu'au deuxième étage, où est situé le bureau du Dr Harrison Chance. Déjà, son nom me hérisse. Pourquoi pas « Dr Victor » ?

— Il est en retard, dis-je à Brian en regardant ma montre pour la vingtième fois.

Une plante araignée brunâtre flétrit sur le rebord d'une fenêtre. J'espère qu'il soigne mieux les humains que les végétaux.

Pour amuser Kate, qui commence à s'agiter, je gonfle un gant de latex et je l'attache pour en faire un ballon. C'est précisément ce qu'un avertissement, bien visible sur le distributeur de gants près de l'évier, recommande aux parents de ne pas faire. Nous jouons au volley un moment, jusqu'à ce que le Dr Chance en personne entre dans la pièce, sans s'excuser de son retard.

— Monsieur et madame Fitzgerald ?

Il est très grand et maigre comme un clou, avec des yeux bleus incisifs que grossissent des lunettes aux verres épais, et une bouche pincée. Il attrape notre ballon de fortune et fronce les sourcils.

— Eh bien ! Je vois qu'il y a déjà un problème.

Brian et moi échangeons un regard. Cet homme au cœur glacé serait donc celui qui va nous mener tout au long de cette bataille, notre général, notre preux chevalier ? Avant que je ne puisse même formuler une explication, le Dr Chance se saisit d'un feutre, dessine un visage sur le latex et le complète de lunettes à fine monture qui ressemblent aux siennes.

— Voilà, dit-il.

Et, avec un sourire qui le transforme, il le rend à Kate.

Je ne vois ma sœur Suzanne qu'une ou deux fois par an. Elle vit à moins d'une heure de chez nous, et à plusieurs milliers de kilomètres de nos convictions philosophiques.

Pour autant que je peux en juger, Suzanne est payée très cher pour donner des ordres aux uns et aux autres. Ce qui signifie, théoriquement, qu'elle a fait son apprentissage sur moi. Notre père est mort en tondant sa pelouse le jour de son quarante-neuvième anniversaire ; notre mère ne s'en est jamais complètement remise. Suzanne, de dix ans mon aînée, a pris les choses en main. Elle s'assurait que je faisais mes devoirs, que je remplissais mes dossiers de candidature de droit et que je nourrissais de grandes ambitions. Elle était intelligente et belle et elle savait toujours ce qu'il fallait à tout moment. Elle pouvait s'attaquer à n'importe quelle catastrophe et trouver le moyen de réparer les dégâts, ce qui a justifié sa réussite professionnelle. Elle montre la même aisance dans une réunion de conseil d'administration qu'en faisant du jogging le long du fleuve. Elle donne l'impression que tout est facile. Existe-t-il quelqu'un qui ne voudrait *pas* en faire son modèle ?

Le premier coup que je lui ai porté fut d'épouser un garçon dépourvu de tout diplôme universitaire. Le deuxième et le troisième étaient de tomber enceinte. Je suppose qu'à partir du moment où j'ai décidé de ne pas devenir un ténor du barreau, elle avait de bonnes raisons de me considérer comme une ratée. Et je suppose que, jusqu'ici, j'avais de bonnes raisons de penser que je ne l'étais pas.

Ne vous méprenez pas. Elle adore ses neveu et nièce. Elle leur envoie des bois sculptés d'Afrique, des coquillages de Bali, des chocolats de Suisse. Jesse veut un bureau vitré comme le sien, quand il grandira. « Tout le monde ne peut pas être tante Zanne », lui dis-je, et ce que j'entends par là, c'est que moi je ne peux pas être elle.

Je ne sais plus laquelle de nous deux a commencé à ne pas rappeler l'autre, mais c'était plus facile ainsi. Rien n'est pire qu'un silence qui ponctue lourdement une conversation délicate. Alors il me faut une semaine entière avant de prendre le téléphone. Je l'appelle sur sa ligne directe.

— Bureau de Suzanne Crofton, répond un homme.

— Oui.

J'hésite.

— Puis-je lui parler ?

— Elle est en réunion.

— S'il vous plaît...

J'inspire profondément.

— S'il vous plaît, dites-lui que c'est sa sœur qui appelle.

Un instant plus tard, sa voix fluide, détachée, emplit mon oreille.

— Sara. Ça fait longtemps.

Elle est la personne vers qui je me suis tournée quand j'ai eu mes premières règles ; celle qui m'a aidée à recoller les morceaux de mon cœur brisé par mon premier chagrin d'amour ; la main vers laquelle la mienne se tendait au milieu de la nuit quand je ne pouvais plus me rappeler de quel côté notre père faisait sa raie, ou à quoi ressemblait le rire de notre mère. Peu importe ce qu'elle est devenue ; avant tout cela, elle était ma meilleure amie et faisait partie intégrante de moi-même.

— Zanne ? Comment vas-tu ?

Trente-six heures après que le diagnostic de LAP eut été officiellement établi pour Kate, il nous est donné, à Brian et à moi, la possibilité de poser des questions. Kate s'amuse à étaler de la colle à paillettes avec une animatrice spécialisée pendant que nous rencontrons l'équipe de médecins, infirmières et psychiatres.

— Avec la leucémie, dit une infirmière, nous n'avons pas fini d'injecter le premier traitement que nous réfléchissons déjà au quatrième. Le pronostic pour cette forme particulière de la maladie est plutôt sombre, alors nous devons toujours anticiper. Ce qui complique les choses, c'est la chimiorésistance de la leucémie aiguë promyélocytaire.

— Qu'est-ce que c'est ? demande Brian.

— Normalement, dans les leucémies myéloïdes, vous pouvez obtenir une rémission de la maladie chaque fois que le patient rechute, pour autant que ses organes le supportent. Son corps s'épuise, mais vous savez qu'il réagira au traitement. Avec la LAP, cependant, le traitement que vous avez appliqué avec succès au patient la première fois restera généralement sans effet lors de la rechute. À ce jour, les traitements dont nous disposons sont en nombre limité.

— Est-ce que vous êtes en train de dire...

Brian avale sa salive.

— ... de dire qu'elle va mourir ?

— Je dis que je ne peux rien vous garantir.

— Alors que faites-vous ?

Une autre infirmière répond :

— Kate va commencer une semaine de chimiothérapie, dans l'espoir que nous pourrons tuer les cellules malades et entraîner une rémission. Il est probable qu'elle aura des nausées et des vomissements, mais nous tenterons de les réduire autant que possible à l'aide d'antiémétiques. Elle va perdre ses cheveux.

À ces mots, je laisse échapper un tout petit cri. C'est une chose si insignifiante, et pourtant ce sera la bannière qui proclamera la maladie de Kate. Il y a six mois à peine, elle a eu sa première coupe de cheveux ; les boucles dorées s'amoncelaient comme des pièces sur le sol des Super Têtes.

— Il est possible qu'elle fasse de la diarrhée. Il est très probable, compte tenu de l'état de son système immunitaire, qu'elle développe une infection nécessitant son hospitalisation. La chimio peut également provoquer des retards dans son développement. Elle recevra aussi une chimiothérapie de consolidation environ deux semaines après, puis quelques séances de traitement d'entretien. Leur nombre exact dépendra des résultats que nous obtiendrons à l'issue des ponctions médullaires auxquelles nous procéderons périodiquement.

— Et ensuite ?

— Ensuite, nous la suivrons de près, répond le Dr Chance. Avec la LAP, il faut être très attentif au moindre signe de rechute. Il faudra l'amener aux urgences en cas de saignement, de fièvre, de toux ou d'infection. L'idée est d'arriver à ce que le corps de Kate produise une moelle osseuse saine. Et en ce qui concerne la suite du traitement, elle disposera de quelques options. Dans l'hypothèse peu vraisemblable où la chimio ne nous permettrait pas d'obtenir une rémission moléculaire, nous pouvons recueillir les propres cellules de Kate et les lui réintroduire – c'est ce qui s'appelle une transplantation autologue. Si elle rechute, nous pourrions tenter de greffer chez Kate la moelle osseuse d'un donneur afin de produire des cellules hématopoïétiques. Est-ce que Kate a des frères et sœurs ?

— Un frère.

Et, à l'instant où je réponds, une pensée me vient, une pensée horrible.

— Lui aussi pourrait être atteint ?

— C'est très peu probable. Mais il pourrait se révéler compatible pour une transplantation allogène. Sinon, nous ferons figurer Kate au registre national de donneurs non apparentés afin de trouver un donneur compatible.

L'information est sans fin, c'est une série de fléchettes décochées si vite que je ne sens plus leur piqûre. On nous dit : *Ne réfléchissez pas, confiez-nous simplement votre enfant, sinon elle va mourir.* Chaque réponse qu'ils nous donnent appelle une autre question de notre part.

« Ses cheveux vont-ils repousser ? »

« Ira-t-elle jamais à l'école ? »

« Peut-elle jouer avec des amis ? »

« Est-ce que c'est arrivé à cause de l'endroit où nous vivons ? »

« Est-ce que c'est arrivé à cause de ce que nous sommes ? »

Je m'entends demander :

— Qu'est-ce qui va se passer si elle meurt ?

Le Dr Chance me regarde.

— Tout dépend de ce qui entraînera la mort, explique-t-il. Si c'est une infection, elle sera en état de détresse respiratoire et aura été mise sous respirateur. Si c'est une hémorragie, elle se videra de son sang après avoir perdu conscience. Si c'est la défaillance d'un organe, les modalités varieront en fonction du système qui est atteint. Souvent, c'est un ensemble de tous ces facteurs.

— Est-ce qu'elle saura ce qui lui arrive ?

Ce que je voulais vraiment dire est : *Comment vais-je y survivre ?*

— Madame Fitzgerald, dit-il comme s'il avait entendu ma question muette, parmi les vingt enfants présents ici aujourd'hui, dix vont mourir dans les prochaines années. Je ne peux pas vous dire dans quel groupe se trouvera Kate.

Pour sauver la vie de Kate, une partie d'elle doit mourir. C'est à cela que sert la chimiothérapie, à éliminer toutes les cellules leucémiques. A cet effet, une ligne veineuse centrale a été placée sous la clavicule de Kate, avec un dispositif à trois voies qui sera le point d'entrée de multiples traitements médicamenteux, perfusions et prises de sang. Je regarde les tuyaux jaillissant de ce petit thorax et je pense aux films de science-fiction.

Elle a déjà été soumise à un électrocardiogramme, pour vérifier que son cœur pourra supporter la chimio. On lui a administré un collyre à base de dexaméthasone, parce que l'une des substances provoque des conjonctivites. On lui a fait une prise de sang par son cathéter central, afin d'étudier ses fonctions rénales et hépatiques.

L'infirmière accroche la poche de soluté au pied à perfusion. Je demande :

— Est-ce qu'elle va le sentir ?

— Non. Hé, Kate, regarde par ici.

Elle indique la poche de Daunorubicin, recouverte d'un sac foncé pour le protéger de la lumière. Il est émaillé d'étiquettes de couleurs vives, qu'elle a aidé Kate à faire pendant que nous attendions. J'ai vu un adolescent avec un Post-it sur le sien, disant : *Jésus sauve, la chimio marque.*

Voici ce qui commence à circuler dans ses veines : du Daunorubicin 50 mg dans 25 cc de D5W ; de la Cytarabine 46 mg dans un soluté de D5W en perfusion continue ; de l'Allopurinol 92 mg IV. Ou, en d'autres termes, du poison. J'imagine la grande bataille qui fait rage en elle. Je vois des armées étincelantes, des morts évacués par ses pores.

Ils nous disent que Kate va souffrir de nausées d'ici à quelques jours, mais il ne se passe pas deux heures avant qu'elle commence à vomir. Brian appuie sur la sonnette et une infirmière entre dans la chambre.

— Nous allons lui donner un peu de Reglan, dit-elle avant de disparaître.

Quand Kate ne vomit pas, elle pleure. Je m'assieds sur le bord du lit, l'installe à moitié sur mes genoux. Les infirmières ne sont pas là pour consoler. Elles administrent des antiémétiques par la perfusion, mais nous laissent le soin de faire le reste. Brian, qui ne supporte pas de rester dans la chambre des enfants quand l'un d'eux a une gastro, est un modèle d'efficacité : lui épongeant le front, tenant ses maigres épaules, lui nettoyant le pourtour de la bouche avec un mouchoir en papier. « Tu vas t'en sortir », lui murmure-t-il chaque fois qu'elle vomit, mais peut-être est-ce à lui-même qu'il s'adresse.

Et moi aussi, je m'étonne moi-même. Avec une sombre détermination, j'exécute comme un ballet les allers et retours pour rincer la cuvette. Si vous vous concentrez sur l'entassement des sacs de sable le long du rivage, vous pouvez faire semblant de ne pas voir arriver le raz-de-marée.

Essayez d'affronter la situation de n'importe quelle autre manière, et vous deviendrez dingue.

Brian amène Jesse à l'hôpital pour une analyse de sang, une simple piqûre au bout du doigt. Il faut Brian et deux internes pour le maîtriser ; ses hurlements secouent tout l'hôpital. Je reste à l'écart, les bras croisés, en pensant par inadvertance à Kate, qui, depuis deux jours, ne pleure plus lorsqu'on lui introduit une aiguille dans le corps.

Des médecins vont examiner ce spécimen de sang et analyser six protéines, de l'invisibilité en suspens. Si les six protéines en question sont identiques à celles de Kate, alors Jesse est histocompatible HLA – et donneur de moelle potentiel pour sa sœur. Je me demande quelles peuvent être les probabilités de trouver six protéines identiques.

Aussi faibles que de contracter la leucémie.

La biologiste repart avec son spécimen sanguin, et Brian et les médecins lâchent Jesse. Il se précipite dans mes bras.

— Maman, ils m'ont piqué.

Il brandit le doigt, arborant un pansement Razmoket. Son visage humide, rayonnant, est chaud contre ma peau.

Je le tiens serré contre moi. Je dis tous les mots qu'il faut. Mais j'ai beaucoup, beaucoup de mal à éprouver de la compassion à son égard.

— Malheureusement, dit le Dr Chance, votre fils n'est pas histocompatible.

Mes yeux fixent la plante, toujours aussi brunâtre et desséchée sur le bord de la fenêtre. Quelqu'un devrait jeter cette horreur. Quelqu'un devrait la remplacer par des orchidées, des oiseaux-de-paradis, ou n'importe quelle autre fleur inattendue.

— Il est possible que nous trouvions un donneur non apparenté par le registre national.

Brian se penche en avant, raide et tendu.

— Mais vous aviez dit que, venant d'un donneur non apparenté, la greffe serait dangereuse.

— Oui, en effet, dit le Dr Chance. Mais parfois nous n'avons pas d'autre option.

Je lève les yeux.

— Et si nous ne trouvons pas de donneur compatible par le registre national ?

— Eh bien...

Le cancérologue se masse le front.

— Dans ce cas, il nous faudra la faire tenir jusqu'à ce que la recherche progresse.

Il parle de ma petite fille comme s'il s'agissait d'une machine dont le carburateur est en panne, d'un avion au train d'atterrissage bloqué. Plutôt que de le regarder en face, je me détourne, juste à temps pour assister au suicide d'une malheureuse feuille de la plante, qui fait un plongeon mortel vers la moquette. Sans une explication, je me lève et j'attrape le pot. Je sors du bureau du Dr Chance, passe devant les réceptionnistes et d'autres parents en état de choc patientant auprès de leurs enfants malades. Dans la première poubelle que je rencontre, je jette la plante et toute sa terre desséchée. Je regarde le pot en terre cuite que je tiens à la main et je suis sur le point de le fracasser sur le sol carrelé, quand j'entends une voix derrière moi.

— Sara, dit le Dr Chance. Ça va bien ?

Je me retourne lentement, les larmes aux yeux.

— Je vais bien. Je suis en bonne santé. Je vais vivre une longue, longue vie.

En lui tendant le pot, je lui fais mes excuses. Il hoche la tête et m'offre un mouchoir qu'il tire de sa poche.

— Je pensais que Jesse pourrait la sauver. Je voulais que ce soit Jesse.

— Nous le voulions tous, répond le médecin. Ecoutez. Il y a vingt ans, le taux de survie était encore plus faible. Et je connais beaucoup de familles où l'un des enfants n'était pas compatible, mais où un autre l'était.

À l'instant où je m'apprête à dire : « Nous n'avons que ces deux-là », je me rends compte que le Dr Chance parle des enfants que je n'ai pas encore, des enfants que je n'ai jamais eu l'intention d'avoir. Je me tourne vers lui, une question sur le bout de la langue.

— Brian va se demander où nous sommes passés.

Il se dirige vers son bureau en tenant le pot.

— Quelles plantes, demande-t-il d'un ton anodin, est-ce que je risque le moins de tuer ?

Il est si facile de présumer que la vie de tous les autres s'arrête en même temps que la nôtre. Mais l'éboueur a ramassé nos ordures et laissé les poubelles sur le bord de la route, comme d'habitude. Il y a une facture de fioul domestique coincée dans la porte. Sur le plan de travail de la cuisine, le courrier de la semaine est soigneusement empilé. Contre toute attente, la vie a suivi son cours.

Huit jours après y être entrée pour sa chimiothérapie d'induction, Kate quitte l'hôpital. Le cathéter central, qui dépasse toujours de sa poitrine, fait un renflement sous sa blouse. J'ai une longue liste de recommandations à suivre ; quand appeler ou ne pas appeler les urgences, quand revenir pour de nouvelles séances de chimiothérapie, quelles précautions prendre pendant que Kate est en état d'immunodépression.

Le lendemain matin à six heures, la porte de notre chambre s'ouvre. Kate s'avance sur la pointe des pieds jusqu'à notre lit, bien que Brian et moi nous soyons réveillés immédiatement.

— Qu'est-ce qu'il y a, ma chérie ? demande Brian.

Elle ne parle pas, elle porte simplement la main à sa tête et passe les doigts dans ses cheveux. Une grosse touffe tombe sur la moquette, comme un petit blizzard.

— J'ai fini, annonce Kate quelques jours plus tard, au dîner.

Son assiette est encore pleine ; elle n'a pas touché à ses haricots ni à sa viande. Elle danse jusqu'au salon pour aller jouer.

— Moi aussi.

Jesse repousse son assiette.

— Je peux sortir de table ?

Brian pique une autre bouchée avec sa fourchette.

100

— Pas avant d'avoir terminé toutes les choses vertes.

— Je déteste les haricots verts.

— Ils ne t'aiment pas trop non plus.

Jesse regarde l'assiette de Kate.

— Elle a le droit de sortir de table. C'est pas juste.

Brian pose sa fourchette sur le bord de son assiette.

— Juste ? répond-il d'une voix trop tranquille. Tu veux être juste ? D'accord, Jesse. La prochaine fois que Kate aura une ponction de moelle osseuse, tu en auras une aussi. Quand on lui changera son cathéter, nous ferons en sorte que tu subisses quelque chose d'aussi douloureux. Et à la prochaine chimio, nous...

— Brian !

Il s'arrête aussi brusquement qu'il a commencé et se passe une main tremblante sur les yeux. Son regard se pose sur Jesse, qui s'est réfugié sous mon bras.

— Je... je suis désolé, Jesse. Je ne...

Mais ce que Brian cherche à dire se dissipe tandis qu'il sort de la cuisine.

Pendant un bon moment, nous restons assis en silence. Puis Jesse se tourne vers moi.

— Il est malade aussi, papa ?

Je réfléchis bien avant de répondre :

— Nous le sommes tous.

Une semaine exactement après notre retour à la maison, un fracas nous réveille au milieu de la nuit. Brian et moi nous précipitons vers la chambre de Kate. Couchée dans son lit, elle tremble si fort qu'elle a fait tomber la lampe de la table de chevet. Je lui mets la main sur le front.

— Elle est brûlante, dis-je à Brian.

Je me suis demandé comment, au cas où Kate présenterait des symptômes inhabituels, je serais amenée à décider s'il fallait ou non appeler le médecin. En la regardant maintenant, je m'étonne d'avoir été assez stupide pour penser que je ne saurais pas, dans la seconde, reconnaître l'expression de la maladie. J'annonce à Brian :

— On l'emmène aux urgences.

Il enveloppe déjà Kate dans ses couvertures et la soulève de son lit.

Nous nous dépêchons de l'installer dans la voiture et de mettre le moteur en marche, quand nous nous rappelons que nous ne pouvons pas laisser Jesse tout seul.

— Vas-y, toi, répond Brian en lisant dans mes pensées. Moi je reste ici.

Mais il ne lâche pas Kate des yeux.

Quelques instants plus tard, nous filons vers l'hôpital, Jesse sur la banquette arrière à côté de sa sœur, demandant pourquoi il faut quitter son lit alors que le soleil n'est pas encore levé.

Aux urgences, Jesse s'endort dans le nid de nos manteaux. Brian et moi regardons les médecins s'agiter autour du corps fiévreux de Kate, abeilles sur un champ de fleurs, aspirant tout ce qu'ils peuvent prélever sur elle. On lui fait une hémoculture et une ponction lombaire pour tenter de déterminer la cause de l'infection et d'écarter l'hypothèse d'une méningite. Un radiologue apporte un appareil portatif pour lui radiographier le thorax afin de s'assurer que l'infection n'est pas localisée dans les poumons.

Après, il place le cliché sur le panneau lumineux à l'extérieur de la salle. Les côtes de Kate ressemblent à des allumettes et il y a une grosse tache grise un peu décentrée. Mes genoux tremblent et je m'agrippe au bras de Brian.

— C'est une tumeur. Le cancer a fait des métastases.

Le médecin pose une main sur mon épaule.

— Madame Fitzgerald, dit-il, c'est le cœur de Kate.

La pancytopénie est un mot sophistiqué qui signifie que rien dans l'organisme de Kate ne la protège contre l'infection. Cela veut dire, d'après le Dr Chance, que la chimio a bien fonctionné – qu'une grande majorité des globules blancs de Kate a été éliminée. Cela veut dire également que la septicémie – une infection généralisée résultant de la chimiothérapie – n'est plus une probabilité, mais une certitude.

On lui administre du Tylenol pour faire tomber la fièvre. On met en culture des échantillons de son sang, de son urine et de ses sécrétions respiratoires afin de lui donner les antibiotiques appropriés. Pendant six heures, les tremblements qui la secouent sont si forts qu'ils risquent de la faire tomber du lit.

L'infirmière – une femme qui, pour faire sourire ma fille, un après-midi il y a quelques semaines, lui a tressé les cheveux en une multitude de petites nattes blondes et serrées comme un épi de maïs – prend la température de Kate, puis se tourne vers moi.

— Sara, dit-elle doucement, vous pouvez respirer maintenant.

Le visage de Kate paraît aussi minuscule et blafard que ces lunes lointaines que Brian aime à débusquer dans son télescope – immobiles, distantes, glacées. On dirait un cadavre... pire encore, c'est un soulagement de la voir ainsi plutôt que dans les affres de la souffrance.

— Hé !

Brian me touche la tête, son autre bras est enroulé autour de Jesse. Il est presque midi, et nous sommes encore en pyjama ; nous n'avons pas pensé à apporter de quoi nous changer.

— Je l'emmène à la cafétéria manger un morceau. Tu veux quelque chose ?

Je secoue la tête. J'approche mon fauteuil du lit de Kate, je lisse les couvertures sur ses jambes. Je prends sa main et la mesure à l'aune de la mienne.

Ses yeux s'entrouvrent. Pendant un moment, elle hésite, ne sachant pas très bien où elle se trouve. Je murmure :

— Kate, je suis là, juste à côté de toi.

Tandis qu'elle tourne la tête pour me regarder, je porte sa paume à mes lèvres et je dépose un baiser en son centre.

— Tu es si courageuse, lui dis-je.

Puis je souris et ajoute :

— Quand je serai grande, je veux être exactement comme toi.

A ma grande surprise, Kate secoue la tête avec véhémence. Sa voix est une plume, un fil, quand elle dit :

— Non, maman. Sinon tu serais malade.

Dans mon premier rêve, le débit de la perfusion est trop rapide. La solution saline vide Kate de l'intérieur, comme un ballon qui se dégonfle. J'essaie de tirer la tubulure, mais elle est solidement arrimée au cathéter central. A mesure que j'observe Kate, ses traits se lissent, se brouillent, s'effacent, jusqu'à ce que son visage ne soit plus qu'un ovale, qui n'est ni le sien ni celui de personne.

Dans mon second rêve, je suis à la maternité, en train d'accoucher. Mon corps devient concave, mon cœur bat dans mon bas-ventre. La pression se fait très forte, et puis le bébé jaillit en un éclair dans un flot de liquide.

— C'est une fille, annonce l'infirmière, rayonnante, en me tendant le nouveau-né.

J'écarte la couverture rose de son visage, et je m'arrête.

— Ce n'est pas Kate.

— Non, bien sûr, confirme l'infirmière. Mais elle est quand même à vous.

L'ange qui débarque est habillé en Armani et aboie dans un téléphone portable en entrant dans la chambre d'hôpital.

— Vendez, ordonne ma sœur. Même si vous devez installer une buvette en plein centre et distribuer les actions aux passants, Peter. Je vous dis de vendre.

Elle appuie sur une touche et m'ouvre les bras.

— Hé, murmure Zanne quand j'éclate en sanglots. Tu croyais vraiment que j'allais t'écouter lorsque tu m'as dit de ne pas venir ?

— Mais...

— Fax. Téléphone. Je peux travailler de chez toi. Qui d'autre va garder Jesse ?

Brian et moi nous regardons. Pour toute réponse, Brian se lève et serre maladroitement Zanne contre lui. Jesse se jette sur elle.

— Qui est cet enfant que tu as adopté, Sara ? Parce que Jesse ne peut pas être si grand...

Elle libère ses genoux de l'étreinte de Jesse et se penche sur le lit d'hôpital où dort Kate.

— Je parie que tu ne te souviens pas de moi, dit-elle, les yeux brillants. Mais moi je me souviens de toi.

Ça vient facilement, de la laisser prendre les rênes. Zanne occupe Jesse à une partie de pendu et convainc un restaurant chinois qui ne livre pas de nous apporter à déjeuner. Je reste assise au chevet de Kate, jouissant de la compétence de ma sœur. Je me laisse persuader qu'elle saura réparer ce pour quoi moi je ne peux rien.

Après que Zanne a emmené Jesse à la maison pour la nuit, Brian et moi devenons comme des serre-livres dans l'obscurité, de part et d'autre de Kate. Je murmure :

— Brian, j'ai un peu réfléchi.

Il se tourne sur sa chaise.

— A quoi ?

Je me penche en avant pour capter son regard.

— A l'idée de faire un enfant.

Brian plisse les yeux.

— Bon Dieu, Sara !

Il se lève, me tourne le dos.

— Bon Dieu !

Je me lève aussi.

— Ce n'est pas ce que tu crois.

Quand il me fait face, la douleur tend chaque trait de son visage.

— Nous ne pouvons pas simplement remplacer Kate si elle meurt, dit-il.

Sur le lit d'hôpital, Kate remue dans un bruissement de draps. Je me force à l'imaginer à cinq ans, portant une couronne d'anniversaire ; à douze ans, essayant du rouge à lèvres ; à vingt ans, dansant dans une chambre de cité universitaire.

— Je sais. C'est pourquoi nous devons faire en sorte qu'elle ne meure pas.

Mercredi

Je lirai les cendres pour toi,
si tu me le demandes.

Je scruterai le feu et te distinguerai
Parmi les cils gris

Et entre les langues et les raies
rouges et noires,

Je devinerai comment naît le feu

Et comment il s'étend aussi loin que la mer.

CARL SANDBURG, *Pages de Feu*

Campbell

Nous sommes tous, je suppose, attachés à nos parents – la question est de savoir jusqu'à quel point. C'est ce qui me traverse l'esprit pendant que ma mère déblatère sur la dernière aventure de mon père. Je regrette, et ce n'est pas la première fois, de ne pas avoir de frères et sœurs – ne serait-ce que parce que les appels téléphoniques de ce genre ne me réveilleraient plus aux aurores qu'une ou deux fois par semaine au lieu de sept.

— Mère, je doute fort qu'elle n'ait vraiment que seize ans.

— Tu sous-estimes ton père, Campbell.

C'est possible, mais je sais aussi qu'il est juge fédéral. Il reluque peut-être les collégiennes, mais il ne commettrait jamais rien d'illégal.

— Maman, je vais être en retard au tribunal. On en reparlera plus tard, dis-je en raccrochant avant qu'elle ait le temps de protester.

Je ne vais pas au tribunal, mais quand même. En prenant une profonde inspiration, je secoue la tête et je vois Judge qui me fixe des yeux.

— Raison numéro 106 de la supériorité intellectuelle des chiens sur les humains : une fois sevrés, vous rompez le contact avec votre mère.

Je me dirige vers la cuisine en nouant ma cravate. Mon appartement, c'est une véritable œuvre d'art.

Glacé et minimaliste, mais ce qu'il contient est le summum de ce qui existe sur le marché : un canapé en cuir noir d'un modèle unique, un écran plat accroché au mur, une vitrine fermée à clé recélant des premières éditions signées d'auteurs comme Hemingway et Hawthorne. Ma cafetière électrique est importée d'Italie, mon réfrigérateur est le plus perfectionné qui soit. Je l'ouvre et je trouve un unique oignon, une bouteille de ketchup et trois pellicules photo noir et blanc.

Ce qui n'est pas non plus une surprise – je mange rarement à la maison. Judge est tellement habitué à la nourriture de restaurant qu'il serait incapable de reconnaître de la pâtée pour chiens même si je lui en faisais avaler.

— Qu'est-ce que tu en penses ? Rosie te paraît une bonne idée ?

Il aboie tandis que j'attache son harnais. Je l'ai acheté à un éleveur de chiens policiers, mais il a été dressé pour répondre spécifiquement à mes besoins. Quant à son nom, quel avocat ne serait pas tenté de voir un juge lui obéir au doigt et à l'œil ?

Rosie est tout ce que Starbucks aurait voulu être : éclectique et branché, rempli de clients occupés aussi bien à lire de la littérature russe en version originale qu'à équilibrer le budget d'une société sur un ordinateur portable ou à écrire un scénario en se shootant à la caféine. Judge et moi marchons généralement jusque-là et nous installons à notre table habituelle, dans le fond. Nous commandons un double-express, deux croissants au chocolat, et nous flirtons sans vergogne avec Ophelia, la serveuse âgée de vingt ans. Mais aujourd'hui, quand nous entrons, Ophelia est introuvable et une femme est assise à notre table, faisant manger un bagel à un petit enfant dans une poussette. Cela me déconcerte tellement que Judge doit me traîner jusqu'au seul endroit libre, un tabouret au comptoir qui fait face à la rue.

Sept heures et demie, et la journée est déjà fichue.

Un garçon d'une maigreur d'héroïnomane, avec assez d'anneaux dans les sourcils pour ressembler à une tringle de rideau de douche, s'approche pour prendre ma commande. Il voit Judge à mes pieds.

— Désolé, mec, interdit aux chiens.

— Celui-ci est un chien guide. Où est Ophelia ?

— Partie, mec. Hier soir. Elle s'est enfuie de chez elle pour se marier.

S'enfuir pour se marier ? Ça se fait encore, ça ?

Je demande, même si ça ne me regarde pas :

— Avec qui ?

— Un genre d'artiste, qui sculpte des bustes de personnalités politiques dans de la merde de chien. C'est censé être un *manifeste*.

Pendant un instant, j'ai une pensée émue pour la pauvre Ophelia. Croyez-moi sur parole, l'amour a à peu près le même degré de permanence qu'un arc-en-ciel : magnifique tant qu'il dure, mais, le temps que vous cligniez des yeux, il aura probablement disparu.

Le serveur extirpe une carte plastifiée de sa poche arrière.

— Voici le menu en braille.

— Je veux un double-express et deux croissants au chocolat, et je ne suis pas aveugle.

— Alors il sert à quoi, Fido ?

— J'ai le SRAS. Il me signale les personnes que je contamine.

Le garçon n'a pas l'air de savoir si je plaisante ou non. Perplexe, il s'en va chercher ma commande.

Contrairement à ma table habituelle, celle-ci a une vue sur la rue. J'observe une dame âgée qu'un taxi a failli frôler, un garçon qui passe en dansant, avec une radio trois fois plus grosse que sa tête en équilibre sur l'épaule. Des jumelles en uniforme d'école religieuse rigolent derrière les pages d'un magazine pour ados. Et une femme avec un flot de cheveux noirs éclabousse sa jupe de café en faisant tomber son gobelet en carton sur le trottoir.

A l'intérieur de moi, tout s'arrête. J'attends qu'elle lève le visage – pour voir si c'est la personne que je crois –, mais elle se détourne de moi en épongeant sa jupe avec une serviette. Un bus coupe le monde en deux, et mon portable se met à sonner.

Je regarde s'afficher le numéro : pas de surprise. Eteignant le téléphone sans me donner la peine de prendre l'appel de ma mère, je cherche des yeux la femme de l'autre côté de la vitre, mais le bus est parti et elle aussi.

J'ouvre la porte de mon cabinet en aboyant déjà des ordres pour Kerri.

— Appelez Osterlitz et demandez-lui s'il peut venir témoigner au procès Weiland ; trouvez-moi une liste d'autres plaignants ayant attaqué New England Power dans les cinq dernières années ; faites-moi une copie de la déposition de Melbourne ; et passez un coup de fil à Jerry au tribunal pour lui demander qui sera le juge à l'audience de la petite Fitzgerald.

Elle lève le regard vers moi au moment où le téléphone se met à sonner.

— Justement, à ce propos...

D'un mouvement de la tête, elle m'indique la porte du saint des saints. Dans l'encadrement, armée d'une bombe de nettoyant industriel et d'une peau de chamois, Anna Fitzgerald s'emploie à astiquer la poignée.

— Que faites-vous ?

— Ce que vous m'avez demandé.

Ses yeux se portent sur le chien.

— Salut, Judge.

— Un appel pour vous sur la deux, interrompt Kerri.

Je lui adresse un regard éloquent – qu'elle laisse entrer la gamine dépasse mon entendement – et j'essaie de pénétrer dans mon bureau, mais le produit dont Anna a enduit le métal rend les choses difficiles. J'essaie vainement de tourner le bouton, jusqu'à ce qu'elle l'attrape avec le chiffon et m'ouvre la porte.

Judge tourne en rond sur le sol, cherchant l'endroit le plus confortable. J'appuie sur la touche du téléphone qui clignote.

— Campbell Alexander.

— Monsieur Alexander, Sara Fitzgerald à l'appareil. La mère d'Anna Fitzgerald.

Je prends le temps d'assimiler l'information. Je garde les yeux braqués sur la fille, occupée à astiquer à moins de deux mètres de moi.

— Madame Fitzgerald...

Et, comme il fallait s'y attendre, Anna suspend son geste.

— Je vous appelle parce que... enfin, voyez-vous, tout ceci n'est qu'un énorme malentendu.

— Avez-vous déposé une réponse à la requête ?

— Ce ne sera pas nécessaire. J'ai parlé à Anna hier soir et elle renonce à poursuivre cette affaire. Elle veut faire tout ce qu'elle peut pour aider Kate.

— Vous m'en direz tant.

Ma voix est monocorde.

— Malheureusement, si ma cliente a l'intention de renoncer à ce procès, il faudra qu'elle m'en informe elle-même.

Je lève un sourcil, intercepte le regard d'Anna.

— Vous ne sauriez pas où je peux la trouver ?

— Elle est allée courir, dit Sara Fitzgerald. Mais nous comptons passer au tribunal cet après-midi. Nous allons parler au juge et régler toute cette histoire.

— Je suppose que je vous verrai là-bas.

Je raccroche le téléphone et, croisant les bras, je regarde Anna.

— Y a-t-il quelque chose que vous voudriez me dire ?

Elle hausse les épaules.

— Pas vraiment.

— Ce n'est pas ce que votre mère semble penser. Mais, d'un autre côté, elle vous croyait occupée à jouer les sprinteuses.

Anna jette un coup d'œil vers le secrétariat, où Kerri est suspendue à nos lèvres. Elle ferme la porte et s'avance vers moi.

— Je ne pouvais pas lui dire que je venais ici. Pas après hier soir.

— Que s'est-il passé hier soir ?

Devant le silence d'Anna, je perds patience.

— Écoutez. Si vous n'avez pas l'intention d'intenter ce procès... Si cette affaire n'est pour moi qu'une énorme perte de temps... je vous serais reconnaissant d'avoir l'honnêteté de me le dire tout de suite. Parce que je ne suis pas un thérapeute familial ni votre meilleur ami ; je suis avocat. Alors je vous le demande une bonne fois pour toutes : avez-vous changé d'avis quant à ce procès ?

Je m'attendais que cette diatribe mette un terme à la procédure, qu'elle plonge Anna dans le doute et dans les affres de l'indécision. Mais, à ma surprise, elle me regarde droit dans les yeux, calme et pondérée.

— Vous êtes toujours d'accord pour me représenter ? demande-t-elle.

En toute inconscience, je réponds oui.

— Alors, dit-elle, non, je n'ai pas changé d'avis.

La première fois que j'ai fait une course à la voile avec mon père, j'avais quatorze ans, et il y était résolument opposé. J'étais trop jeune ; je n'étais pas assez mûr ; les conditions météorologiques n'étaient pas bonnes. Ce qu'il disait vraiment, c'est que m'avoir comme membre d'équipage risquait de l'empêcher de gagner la coupe. Aux yeux de mon père, si vous n'étiez pas parfait, vous n'existiez pas, tout simplement.

Son bateau était de type USA-1, une merveille d'acajou et de teck qu'il avait rachetée au musicien J. Geils à Marblehead. En d'autres termes : un rêve, un signe extérieur de richesse et un rite de passage, le tout enveloppé dans une grande voile d'un blanc éclatant et une coque couleur miel.

Nous avons franchi la ligne de départ à pleine voile à l'instant même où le coup de canon est parti. Je faisais de mon mieux pour anticiper les ordres de mon père – manœuvrant le gouvernail avant même qu'il ne me le demande. Et peut-être cette histoire aurait-elle pu connaître une fin heureuse si une tempête venant du nord ne s'était pas levée, apportant des rideaux de pluie et soulevant des lames de trois mètres qui nous projetaient de haut en bas.

Je regardais mon père s'activer dans son ciré jaune. Il ne semblait pas remarquer qu'il pleuvait ; il n'éprouvait certainement pas le même désir que moi de se recroqueviller au fond d'un trou et de mourir en s'agrippant le ventre.

— Campbell, hurla-t-il, vire !

Mais virer vent debout signifiait affronter une autre montagne russe.

— Campbell, répéta mon père, *maintenant* !

Un creux s'ouvrit devant nous ; le bateau piqua du nez si violemment que je perdis l'équilibre. Mon père m'écarta d'un bond, saisissant la barre. Pendant un instant béni, les voiles s'immobilisèrent. Puis la bôme tourna, et le bateau changea de direction.

— J'ai besoin de relèvements, ordonna mon père.

La fonction de navigateur impliquait de descendre dans la coque où se trouvent les cartes, et de calculer la direction que nous devions prendre pour rejoindre la prochaine bouée. Mais être en bas, loin de l'air frais, ne fit qu'empirer les choses. J'ouvris une carte juste à temps pour l'inonder de mes vomissements.

Mon père me trouva par défaut, parce que je n'étais pas revenu avec la réponse. Il passa la tête et me vit, assis dans une flaque de mon propre vomi.

— Bon Dieu, marmonna-t-il avant de me laisser.

Il me fallut faire appel à toute la force dont j'étais capable pour me lever et le suivre. Il tournait brutalement la roue et tirait sur le gouvernail. Il fit semblant de ne pas me voir. Et quand il vira lof pour lof, il ne prévint pas. La voile changea de côté en déchirant le ciel comme un éclair. La bôme vola, me frappa sur l'arrière de la tête et m'assomma.

J'ai repris connaissance au moment où mon père venait de voler le vent d'un autre bateau, à quelques mètres de la ligne d'arrivée. Le déluge a fait place à un crachin, et quand il a placé notre embarcation entre le courant atmosphérique et notre concurrent le plus proche, celui-ci a perdu son avance. Nous avons gagné à quelques secondes près.

J'ai reçu l'ordre de nettoyer mes saletés et de prendre un taxi pour rentrer, tandis que mon père est monté à bord du doris pour célébrer sa victoire au yacht-club. Une heure plus tard, quand je l'ai finalement rejoint, il était d'excellente humeur, buvant du scotch dans la coupe en cristal qu'il avait gagnée.

— Voilà ton équipier, Hayden, annonça un de ses amis.

Mon père salua mon arrivée en levant la coupe de la victoire, but longuement, puis la reposa si violemment sur le bar que son anse vola en éclats.

— Oh ! fit un autre marin. Quel dommage !

Mon père garda les yeux braqués sur moi.

— N'est-ce pas ? dit-il.

Sur le pare-chocs arrière d'une voiture sur trois ou presque à Rhode Island, vous verrez un de ces autocollants rouge et blanc à la mémoire de l'une ou l'autre victime des grandes affaires criminelles qui ont fait la une des journaux de la région. *Mon amie Katy DeCubellis a été tuée par un automobiliste en état d'ivresse. Mon ami John Sisson a été tué par un automobiliste en état d'ivresse.* Ils sont distribués dans les kermesses scolaires ou lors de collectes de fonds ou dans les salons de coiffure, et peu importe que vous ne connaissiez pas le gosse qui s'est fait tuer, vous les collez quand même sur votre voiture par solidarité et pour exprimer la joie secrète de n'avoir pas été frappé personnellement par cette tragédie.

L'année dernière, il y a eu des autocollants rouge et blanc au nom d'une nouvelle victime, Dena DeSalvo. Contrairement aux autres victimes, je connaissais vaguement celle-ci. Elle était la fille de douze ans d'un juge qui, paraît-il, s'est effondré peu après les funérailles au cours d'un procès engagé pour une affaire d'autorité parentale, et qui a dû prendre un congé de trois mois pour assumer son deuil. Le même juge, à propos, qui vient d'être assigné à l'affaire d'Anna Fitzgerald.

En me dirigeant vers le Garrahy Complex, qui abrite le tribunal des affaires familiales, je me demande si un homme qui porte un fardeau aussi lourd sera capable d'arbitrer dans un procès qui, s'il est gagné par ma cliente, précipitera la mort de la sœur de celle-ci, encore adolescente.

Il y a un nouvel huissier à l'entrée, un homme dont le cou est aussi épais qu'un séquoia et le niveau intellectuel probablement à l'avenant.

— Désolé, dit-il. Les animaux sont interdits.

— C'est un chien guide.

Déconcerté, l'huissier se penche et scrute mes yeux. Je lui rends la pareille.

— Je suis très myope. Il m'aide à lire les panneaux de signalisation.

Contournant le type, Judge et moi nous engageons dans le couloir qui mène au tribunal.

A l'intérieur, le greffier se fait remettre à sa place par la mère d'Anna Fitzgerald. C'est du moins mon impression, parce que en réalité cette femme ne ressemble en rien à sa fille, qui se tient derrière elle.

— Je suis persuadée qu'en l'occurrence le juge comprendrait parfaitement, argumente Mme Fitzgerald.

Son mari attend quelques pas en arrière, à l'écart.

Quand Anna m'aperçoit, une expression de soulagement envahit son visage. Je me tourne vers le greffier.

— Je suis Campbell Alexander. Y a-t-il un problème ?

— J'essaie d'expliquer à Mme Fitzgerald que l'accès aux cabinets des juges n'est autorisé qu'aux avocats.

— Eh bien, je suis ici pour assurer la défense d'Anna.

Le greffier s'adresse à Sara Fitzgerald.

— Qui représente votre partie ?

Pendant un instant, la mère d'Anna reste prise de court. Elle se tourne vers son mari.

— C'est comme monter à bicyclette, dit-elle calmement.

Son mari secoue la tête.

— Tu es sûre que tu veux le faire ?

— Je ne *veux* pas. Je *dois* le faire.

Les mots s'imbriquent à la perfection.

— Attendez. Vous êtes avocate ?

Sara me regarde.

— Euh, oui.

Incrédule, je me penche vers Anna.

— Et vous avez omis de le mentionner ?

— Vous n'avez jamais demandé, murmure-t-elle.

Le clerc nous remet à chacun un acte de comparution et convoque le shérif.

— Vern, dit Sara en souriant. Ça me fait plaisir de vous revoir.

Oh, de mieux en mieux.

— Hé, bonjour !

Le shérif l'embrasse sur la joue, serre la main du mari.

— Brian.

Alors, non seulement elle est avocate, mais elle tient tous les officiers du ministère public dans le creux de sa main. Je demande :

— En avons-nous terminé avec les civilités ?

Sara Fitzgerald lève les yeux au ciel à l'intention du shérif, l'air de dire : *Ce type est un connard, mais qu'est-ce qu'on peut y faire ?*

— Restez ici, dis-je à Anna avant de suivre sa mère en direction de la salle d'audience.

Le juge DeSalvo est un homme trapu, avec des sourcils d'un seul tenant et une faiblesse pour le lait aromatisé au café.

— Bonjour, dit-il en nous faisant signe de nous asseoir. Qu'est-ce que c'est que ce chien ?

— C'est un chien guide, Votre Honneur.

Avant qu'il ne puisse dire quoi que ce soit, j'entame une de ces conversations informelles qui précèdent toutes les réunions des tribunaux du Rhode Island. Notre Etat est tout petit, et plus petit encore dans le microcosme judiciaire. Il existe non seulement une possibilité, mais une forte probabilité que votre adjointe soit la nièce ou la belle-sœur du juge devant lequel vous allez vous retrouver. Tandis que nous bavardons, je jette un coup d'œil à Sara, qui a besoin de savoir lequel de nous deux est vraiment de la partie, et lequel ne l'est pas. Peut-être bien qu'elle a été avocate, mais pas depuis dix ans que j'exerce.

Elle est nerveuse, triture le bas de son chemisier. Le juge DeSalvo le remarque.

— Je ne savais pas que vous plaidiez de nouveau.

— Je n'en avais pas l'intention, Votre Honneur, mais la plaignante est ma fille.

Sur quoi le juge s'adresse à moi.

— Alors, pourriez-vous m'expliquer de quoi il s'agit, maître ?

— La plus jeune des filles de Mme Fitzgerald demande à s'émanciper de ses parents pour tout ce qui relève de sa santé.

Sara secoue la tête.

— Ce n'est pas vrai, monsieur le juge.

En croyant entendre son nom, mon chien lève la tête.

— J'ai parlé à Anna, et elle m'a affirmé qu'elle ne le veut vraiment pas. Elle avait passé une mauvaise journée et réclamait un peu plus d'attention.

Sara hausse les épaules.

— Vous savez comment peuvent être les filles de treize ans.

Le silence qui s'installe dans la pièce est tellement absolu que j'entends mon propre pouls. Le juge DeSalvo ne sait pas comment peuvent être les filles de treize ans. La sienne est morte quand elle en avait douze.

Le visage de Sara s'empourpre. Comme tout le monde dans cet Etat, elle est au courant pour Dena DeSalvo. Si ça se trouve, elle a même un des autocollants sur le pare-chocs de son break.

— Oh, mon Dieu. Je suis désolée. Je ne voulais pas...

Le juge détourne le regard.

— Monsieur Alexander, quand avez-vous parlé à votre cliente pour la dernière fois ?

— Hier matin, Votre Honneur. Elle était à mon cabinet lorsque sa mère a téléphoné pour me dire qu'il y avait un malentendu.

Comme il fallait s'y attendre, Sara reste bouche bée.

— C'est impossible. Elle faisait du jogging.

Je la regarde.

— Vous en êtes bien sûre ?

— Elle était *censée* faire du jogging...

— Votre Honneur, dis-je, c'est précisément mon propos, et la raison qui justifie la requête d'Anna Fitzgerald. Sa propre mère ne sait pas ce qu'elle fait de ses matinées ; les décisions d'ordre médical concernant Anna sont prises avec le même mépris de...

— Maître, taisez-vous.

Le juge se tourne vers Sara.

— Votre fille vous a dit qu'elle voulait renoncer à ce procès ?

— Oui.

Il me jette un regard.

— Et à vous, elle a dit qu'elle voulait le poursuivre ?

— C'est exact.

— Alors je ferais bien de parler directement à Anna.

Quand le juge se lève et sort de la salle d'audience, nous le suivons. Anna est assise sur un banc dans le hall avec son père. Le lacet d'une de ses baskets est défait. Je l'entends dire : « J'aperçois quelque chose de vert », et puis elle lève les yeux.

— Anna.

Je le dis exactement au même moment que sa mère.

Il est de ma responsabilité d'expliquer à Anna que le juge DeSalvo veut lui parler quelques instants en privé. Je dois lui faire certaines recommandations, afin qu'elle sache ce qu'elle doit dire pour que le juge comprenne combien ce procès lui tient à cœur. Elle est ma cliente ; par définition, elle est censée suivre mes conseils.

Mais quand je prononce son nom, c'est vers sa mère qu'elle se tourne.

Anna

Je ne pense pas que qui que ce soit vienne à mon enterrement. Mes parents, sans doute, et tante Zanne et peut-être M. Ollincott, le prof de sciences sociales. J'imagine le même cimetière que celui où j'ai assisté aux obsèques de ma grand-mère, mais c'était à Chicago, alors ça n'a pas beaucoup de sens. Il y aurait des collines ondulantes qui ressembleraient à du velours vert, et des statues de divinités et d'anges de moindre importance, et ce grand trou marron comme une couture déchirée dans la terre, attendant d'avaler le corps qui a été moi.

J'imagine maman coiffée d'un chapeau à voilette noire comme celui de Jackie O., sanglotant. Papa agrippé à elle. Kate et Jesse, les yeux fixés sur le cercueil lustré, négociant avec Dieu un pardon pour toutes les fois où ils ont été méchants avec moi. Quelques garçons de mon équipe de hockey seraient peut-être là, avec des lis à la main, s'efforçant de ne pas perdre contenance. « Cette Anna », diraient-ils, et ils ne pleureraient pas, mais ils en auraient envie.

Il y aurait un avis de décès à la page vingt-quatre du journal, et peut-être que Kyle McFee le verrait et viendrait à l'enterrement, son beau visage torturé par toutes les questions restées sans réponse sur la petite amie qu'il n'aura jamais eue. Je crois qu'il y aurait des fleurs, des pois de senteur et des gueules-de-loup et de grosses boules bleues d'hortensias. J'espère que quelqu'un chantera *Amazing Grace*, pas juste la première strophe, si connue, mais en entier. Et plus tard, quand les feuilles tomberaient et que viendrait la neige, j'envahirais périodiquement l'esprit de tous comme une marée montante.

Aux funérailles de Kate, tout le monde viendra. Il y aura des gens de l'hôpital et d'autres malades du cancer qui peuvent encore remercier leur bonne étoile, et des habitants de la ville qui ont aidé à collecter des fonds pour ses traitements. Ils vont devoir refouler les gens à l'entrée du cimetière. Il y aura tellement de gerbes et de couronnes qu'une partie ira aux œuvres de charité. Le journal publiera un article sur sa vie brève et tragique.

Croyez-moi, ce sera en première page.

Le juge DeSalvo porte des tongs, du genre que les joueurs de football enfilent quand ils retirent leurs chaussures. Je ne sais pas pourquoi, mais ça me met un peu plus à l'aise. Je veux dire, c'est déjà assez dur d'être dans ce tribunal, de devoir le suivre vers son bureau, dans le fond ; c'est plutôt agréable de savoir que je ne suis pas la seule à être un peu en décalage.

Il prend une cannette dans un frigo nain et me demande si je veux quelque chose à boire.

— Un Coca serait super.

Le juge ouvre la cannette.

— Sais-tu que si tu déposes une dent de lait dans un verre de Coca, elle aura complètement disparu au bout de quelques semaines ? L'acide carbonique.

Il me sourit.

— Mon frère est dentiste à Warwick. Il raconte ça chaque année aux classes de maternelle.

124

J'avale une petite gorgée de Coca et j'imagine mes organes se dissoudre. Le juge DeSalvo ne s'assied pas derrière son bureau, mais s'installe sur une chaise juste à côté de moi.

— Voici le problème, Anna. Ta mère me dit que tu veux une chose. Et ton avocat me dit que tu en veux une autre. En temps normal, j'aurais tendance à penser que ta mère te connaît mieux qu'un gars que tu as rencontré il y a deux jours. Sauf que tu n'aurais jamais rencontré ce gars-là si tu n'avais pas eu recours à ses services. Ce qui me porte à croire que j'ai besoin de t'entendre t'exprimer à ce sujet.

Je m'étais dit que lorsque je viendrais ici, je garderais mon calme. Si je craque, le juge ne va jamais me croire capable de décider de quoi que ce soit. J'ai pris toutes sortes de bonnes résolutions, mais je me laisse distraire par la vision que j'ai du juge, levant sa cannette de jus de pomme.

Il n'y a pas si longtemps, quand Kate était à l'hôpital pour un examen des reins, une infirmière vraiment odieuse lui a tendu un gobelet pour une analyse d'urine. « Je veux que ce soit fait le temps que je revienne », a-t-elle déclaré. Aussitôt que l'infirmière a tourné les talons, Kate m'a envoyée en mission au distributeur de boissons pour aller lui chercher une cannette du même jus que celui que le juge boit à cet instant. Elle l'a versé dans le gobelet et, quand l'infirmière est revenue, elle l'a regardé à la lumière. « Hum, a fait Kate. On dirait que c'est un peu trouble. Mieux vaut le filtrer encore une fois. » Alors elle a porté le gobelet à ses lèvres et avalé le jus.

L'infirmière est devenue toute pâle et elle est sortie de la chambre comme une furie. Kate et moi, nous avons ri à en avoir des crampes à l'estomac. Pendant tout le reste de la journée, chaque fois que nos regards se croisaient, nous nous liquéfiions. Comme une dent qui se dissout, et après il ne reste plus rien.

— Anna ? m'encourage le juge.

Puis il pose cette foutue cannette sur la table entre nous et je fonds en larmes.

— Je ne peux pas donner un rein à ma sœur. Je n'y arrive pas, c'est tout.

Sans un mot, le juge me tend une boîte de mouchoirs en papier. J'en prends quelques-uns, j'en fais une boule, et je m'essuie les yeux et le nez. Pendant un instant, il garde le silence pour me laisser reprendre mon souffle. Quand je lève la tête, je vois qu'il attend.

— Ce n'est pas ce qu'affirme ta mère, dit-il. Est-ce qu'elle m'a menti ?

— Non.

J'avale péniblement ma salive.

— Alors... pourquoi lui as-tu menti ?

Il y a un millier de réponses à ça ; je choisis la plus facile.

— Parce que je l'aime.

Et je recommence à pleurer.

— Je suis désolée. Vraiment désolée.

Il me regarde avec insistance.

— Tu sais quoi, Anna ? Je vais nommer quelqu'un qui va aider ton avocat à me dire ce qui est le mieux pour toi. Qu'est-ce que tu en penses ?

Mes cheveux partent dans tous les sens ; je les ramène derrière l'oreille. J'ai le visage tellement rouge que j'ai l'impression qu'il est enflé.

— D'accord.

— D'accord.

Il appuie sur un bouton d'interphone et demande que tous les autres soient reconduits vers la salle.

Ma mère est la première à entrer dans la pièce et s'avance vers moi, jusqu'à ce que Campbell et son chien lui barrent le passage. Il lève les sourcils et fait un geste du pouce indiquant que tout va bien, mais c'est une interrogation.

— Je ne suis pas sûr de comprendre exactement ce qui se passe ici, dit le juge DeSalvo, alors je vais nommer un tuteur ad hoc qui va être avec Anna pendant les deux semaines à venir. Inutile de préciser que je compte sur votre coopération totale à toutes les deux. Je veux que le tuteur me fasse son rapport, après quoi l'audience aura lieu. Si vous avez d'autres documents à me communiquer, apportez-les avec vous à ce moment-là.

— Deux semaines... dit ma mère.

Je sais à quoi elle pense.

— Avec tout le respect que je vous dois, Votre Honneur, c'est très long, deux semaines, compte tenu de la gravité de l'état de mon autre fille.

Je ne la reconnais pas. Je l'ai déjà vue être une tigresse, se battant contre un système médical qui n'avance pas assez vite à son gré. Je l'ai vue être un roc et nous donner à tous quelque chose à quoi nous raccrocher. Je l'ai vue dans le rôle du boxeur se relever pour anticiper d'un swing le direct asséné par le destin. Mais je ne l'avais encore jamais vue dans celui d'avocate.

Le juge hoche la tête.

— Entendu. Nous aurons une audience lundi prochain. Entre-temps, je veux qu'on me transmette le dossier médical de Kate pour...

— Votre Honneur, l'interrompt Campbell Alexander. Comme vous le savez, en raison du caractère inhabituel de cette affaire, ma cliente vit sous le même toit que la partie adverse. Cela constitue une infraction flagrante à la justice.

Ma mère inspire.

— Vous ne suggérez tout de même pas que mon enfant me soit retirée ?

Retirée ? Pour aller où ?

— Je n'ai pas l'assurance que la partie adverse ne va pas tenter d'utiliser à son avantage l'organisation domestique, monsieur le juge, et peut-être exercer des pressions sur ma cliente.

Campbell regarde le juge droit dans les yeux, sans ciller.

— Maître Alexander, il est hors de question que j'arrache cette enfant à sa maison, dit le juge.

Mais il se tourne ensuite vers ma mère.

— Toutefois, madame, vous n'êtes pas autorisée à discuter de cette affaire avec votre fille en dehors de la présence de son avocat. Si vous n'acceptez pas cette condition, ou si j'apprends qu'il y a eu la moindre entorse à cette règle, je risque d'être conduit à prendre des mesures plus draconiennes.

— Compris, Votre Honneur, dit ma mère.

— Bon.

Le juge DeSalvo se lève.

— Je vous verrai tous la semaine prochaine.

Il quitte la pièce, ses tongs frappant le sol carrelé avec un petit bruit de succion.

Dès qu'il a disparu, je me tourne vers ma mère. « Je peux t'expliquer », voudrais-je lui dire, mais les mots ne franchissent pas ma gorge. Soudain, un museau humide se frotte à ma main. Judge. Il ralentit le rythme de mon cœur, ce train fou.

— Il faut que je parle à ma cliente, dit Campbell.

— Pour l'instant, elle est ma fille, réplique ma mère.

Elle m'attrape par la main et me tire hors de mon siège. Sur le seuil de la porte, je réussis à regarder derrière moi. Campbell fulmine. J'aurais pu lui dire que ça finirait ainsi. La *fille* encaisse tout, quel que soit le jeu.

La Troisième Guerre mondiale éclate immédiatement, pas à cause d'un archiduc assassiné ou d'un dictateur dément, mais d'un carrefour manqué.

— Brian, dit ma mère en tendant le cou. C'était celle-là, North Park Street.

Mon père émerge de son brouillard.

— Tu aurais pu me prévenir avant que je la dépasse.

— C'est ce que j'ai fait.

Sans même commencer à évaluer les avantages et les inconvénients de s'engager dans le combat de quelqu'un d'autre, je dis :

— *Moi*, je ne t'ai pas entendue.

La tête de ma mère pivote à la vitesse de l'éclair.

— Anna, à cet instant, tu es la dernière personne que je souhaite entendre.

— Mais je...

Elle lève la main, faisant comme un mur de verre entre nous. Elle secoue la tête.

Sur la banquette arrière, je me recroqueville, le dos tourné, et je ramène mes pieds sous moi. Je ne vois rien d'autre que du noir.

— Brian, dit ma mère. Tu l'as encore ratée.

Quand nous entrons dans la maison, ma mère passe comme une furie devant Kate, qui nous a ouvert la porte, et devant Jesse, qui regarde une chaîne cryptée – Playboy, on dirait – à la télé. Dans la cuisine, elle ouvre des portes de placards et les referme en les claquant. Elle sort de la nourriture du réfrigérateur et la jette sur la table.

— Salut, dit mon père à Kate. Comment te sens-tu ?

Elle ignore sa question et pénètre dans la cuisine.

— Qu'est-ce qui est arrivé ?

— Ce qui est arrivé. Eh bien...

Ma mère m'épingle du regard.

— Pourquoi tu ne demandes pas ça à ta sœur ?

Kate se tourne vers moi, me dévorant des yeux.

— Incroyable ce que tu peux être silencieuse, maintenant qu'il n'y a plus de juge pour t'écouter, dit ma mère.

Jesse éteint la télé.

— Elle t'a obligée à parler à un juge. Putain, Anna !

Ma mère ferme les yeux.

— Jesse, tu sais, je crois que c'est le moment pour toi de partir.

— Inutile de me le demander deux fois, dit-il, le ton tranchant, la voix pleine de tessons.

Nous entendons la porte d'entrée s'ouvrir et se refermer – toute une histoire.

— Sara.

Mon père entre dans la pièce.

— Nous avons tous besoin de nous calmer un peu.

— J'ai un enfant qui vient de signer l'arrêt de mort de sa sœur, et il faut que je me calme ?

Le silence qui s'installe dans la cuisine est si dense que l'on perçoit le murmure du réfrigérateur. Ces mots restent en suspens comme des fruits trop mûrs, et lorsqu'ils tombent par terre et éclatent, ma mère s'ébroue.

— Kate, dit-elle en se précipitant vers ma sœur, les bras déjà tendus. Kate, je n'aurais pas dû. Ce n'est pas ce que je voulais dire.

Dans ma famille, nous semblons avoir la doulou-reuse habitude de ne pas dire ce qu'il faut et de dire ce que nous ne pensons pas. Kate plaque la main sur sa bouche. Elle sort de la cuisine à reculons, se cogne à mon père, qui essaie maladroitement de l'attraper, sans succès, et s'enfuit dans le couloir. J'entends claquer la porte de notre chambre. Ma mère la suit, évidemment.

Alors je fais ce que je fais toujours très bien. Je pars dans l'autre sens.

Connaissez-vous un endroit au monde où l'odeur soit meilleure que dans une laverie automatique ? C'est comme un dimanche de pluie, quand vous n'avez pas besoin de sortir de sous la couette, ou comme se coucher sur le gazon que votre père vient de tondre – un réconfort pour le nez. Quand j'étais petite et que maman sortait les habits tout chauds du sèche-linge, je me mettais sur le canapé et elle entassait les vêtements sur moi. Je me persuadais qu'ils formaient une peau sous laquelle j'étais serrée comme un gros cœur.

L'autre chose que j'aime, c'est que les laveries automatiques attirent comme un aimant toutes sortes de gens seuls. Il y a un gars endormi sur une rangée de sièges, dans le fond, avec des bottes militaires et un tee-shirt qui dit *Nostradamus était un optimiste*. Une femme est occupée à plier une pile de chemises d'homme, en reniflant et en essayant de refouler ses larmes. Réunissez dix personnes dans une laverie automatique et il y a de bonnes chances pour que vous ne soyez pas la plus mal lotie.

Je m'assois en face d'une batterie de machines à laver et j'essaie d'associer leur contenu avec les personnes qui attendent. Les strings roses et la chemise de nuit en dentelle appartiennent à la fille qui lit un roman sentimental. Les épaisses chaussettes rouges et la chemise à carreaux sont celles de l'étudiant crade qui est en train de dormir. Les maillots

de foot et les salopettes de bébé sont vraisemblablement au petit gamin qui n'arrête pas de ramasser
les voiles pour sèche-linge usagés qu'il trouve par
terre pour les tendre à sa mère, indifférente, en
grande conversation sur un téléphone portable.
Quel genre de femme peut se payer un portable
mais n'a pas les moyens de s'acheter un lave-linge ?

Parfois, je joue à imaginer ce que serait ma vie
si j'étais la personne dont les vêtements tournoient
devant moi. Si j'étais venue laver ce bleu de travail,
je serais peut-être couvreur à Phoenix, dans l'Ari-
zona, et j'aurais les bras musclés et le dos tanné
par le soleil. Si ces draps fleuris m'appartenaient, je
serais peut-être en vacances, venue de Harvard où
j'étudierais le profilage en criminologie. Si je possédais cette cape en satin, j'aurais un abonnement à
l'année au ballet. Et puis j'essaie de m'imaginer
dans ces situations et je n'y arrive pas. Je ne peux
jamais me voir autrement que comme donneur
pour Kate, chaque nouvelle intervention s'étendant
jusqu'à la suivante comme une succession de
poteaux télégraphiques disparaissant à l'horizon,
même si la logique vous dit qu'il y en a encore plein
d'autres que vous ne parvenez pas à distinguer.

Kate et moi sommes comme des sœurs siamoi-
ses ; simplement, vous ne pouvez pas deviner à quel
endroit nous sommes rattachées l'une à l'autre. Ce
qui rend la séparation d'autant plus difficile.

Quand je lève la tête, la fille qui travaille à la laverie est plantée devant moi, avec son piercing à la
lèvre et ses dreadlocks teintes en bleu.

— Besoin de quelque chose ? demande-t-elle.

Pour être tout à fait honnête, j'ai peur d'entendre
ma réponse.

Jesse

Je suis le gosse qui jouait avec les allumettes. Je les volais sur l'étagère au-dessus du réfrigérateur et les emportais dans la salle de bains de mes parents. La lotion après-bain de Jean Naté est inflammable, vous saviez ça ? Versez, allumez, et vous pouvez mettre le feu au sol. Ça fait une flamme bleue, et quand il n'y a plus d'alcool, ça s'éteint.

Un jour, Anna est entrée et m'a surpris. « Hé, ai-je dit, regarde ça. » J'ai versé du Jean Naté par terre, pour l'initier. Puis j'ai allumé. Je pensais qu'elle se dépêcherait d'aller cafter, mais, au lieu de partir en courant, elle s'est assise sur le bord de la baignoire. Elle a attrapé la bouteille de Jean Naté, a fait un genre de dessin sur le carrelage et m'a dit de recommencer.

Anna est ma seule preuve que je suis né dans cette famille et qu'un quelconque couple de Bonnie et Clyde ne m'a pas déposé sur le paillasson avant de disparaître dans la nuit. En surface, nous sommes des pôles opposés. Mais sous la peau nous sommes pareils : les gens croient qu'ils savent à quoi s'attendre, mais ils se trompent toujours.

Qu'ils aillent tous se faire foutre. J'aurais dû me faire tatouer ça sur le front, pour toutes les fois que je l'ai pensé. En général, je ne fais que passer, à toute vitesse au volant de ma Jeep ou en courant jusqu'à ce que mes poumons explosent. Aujourd'hui, je roule à cent cinquante-cinq kilomètres à l'heure sur la nationale 95. Je slalome entre les voitures, décrivant comme une suture sur une plaie. Les gens m'insultent à travers leurs vitres fermées. Je leur fais des doigts d'honneur.

Si je précipitais la Jeep dans un fossé, ça résoudrait un millier de problèmes. Ne croyez pas que je n'y ai pas pensé. Sur mon permis de conduire, il y a marqué que je suis donneur d'organes mais, pour dire la vérité, je serais prêt à devenir *martyr* d'organes. Je suis sûr que je vaux beaucoup plus mort que vivant – la somme des parties est plus grande que le tout. Je me demande chez qui pourraient bien finir mon foie, mes poumons, même mes yeux. Je me demande quel pauvre con pourrait bien se retrouver avec ce qui me tient lieu de cœur.

A ma grande consternation, j'arrive à la sortie sans une égratignure. Je quitte la bretelle et file le long d'Allens Avenue. Il y a là un pont autoroutier sous lequel je sais que je trouverai Duracell Dan. Le mec est un SDF, un vétéran du Vietnam, qui passe le plus clair de son temps à ramasser les piles que les gens jettent aux ordures. Ce qu'il en fait, je n'en ai pas la moindre idée. Il les ouvre, ça je sais. Il dit que la CIA cache des messages sur toutes ses opérations dans les Energizer AA, que le FBI n'utilise que des Eveready.

Dan et moi, on a conclu un marché. Je lui apporte un menu Best Of du McDo plusieurs fois par semaine, et en échange il garde mes affaires. Je le trouve penché sur le livre d'astrologie qu'il considère comme sa bible.

— Dan, dis-je en sortant de la voiture et en lui tendant son Big Mac, ça gaze ?

Il me regarde en plissant les yeux.

— La Lune est en Verseau, bordel !

Il fourre une frite dans sa bouche.

— J'aurais jamais dû sortir du lit.

Dan a un lit ? Première nouvelle.

— Désolé, vieux. Tu as mes trucs ?

D'un mouvement de la tête, il m'indique les barils derrière les pylônes de béton. L'acide chlorhydrique que j'ai piqué dans le labo de chimie du lycée est intact ; et dans un autre baril, je trouve la sciure. Je remplis une taie d'oreiller et la tire jusqu'à la voiture. Il m'attend devant la portière.

— Merci.

Il s'appuie contre la voiture, ne me laisse pas monter.

— Ils m'ont donné un message pour toi.

Même si je sais que tout ce qui sort de la bouche de Dan est un tas de conneries, mon estomac se révulse.

— Qui ça ?

Ses yeux scrutent la route, puis se posent de nouveau sur moi.

— Tu sais.

En se penchant plus près, il murmure :

— Tiens-toi bien.

— C'était ça, le message ?

Dan fait oui de la tête.

— Ouais. C'était ça, ou alors *pinte-toi bien*, je ne suis pas sûr.

— Voilà un conseil que je pourrais suivre.

Je le pousse un peu de façon à pouvoir entrer dans la voiture. Il est plus léger qu'on ne le croirait, comme si ce qu'il y avait à l'intérieur de lui s'était épuisé depuis longtemps. Si je m'applique ce raisonnement, je me demande pourquoi je ne suis pas en train de flotter dans le ciel.

— Plus tard, lui dis-je.

Je pars en direction du hangar que je surveille depuis un moment.

Je recherche toujours des endroits qui me ressemblent : grands, vides, oubliés de tous. Celui-ci est dans la zone d'Olneyville. A une époque, il servait d'entrepôt à une entreprise d'exportation. Maintenant, il abrite principalement une colonie de rats. Je me gare suffisamment loin pour que la présence de ma voiture n'attire l'attention de personne. Je fourre la taie d'oreiller sous ma veste et j'y vais.

Il se trouve que mon cher vieux papa m'a appris quelque chose, après tout : les pyromanes sont maîtres dans l'art de pénétrer dans des endroits où ils ne devraient pas se trouver. Forcer la serrure ne demande pas beaucoup d'efforts, et ensuite la question est de décider où je veux commencer. Je perce un trou dans la taie d'oreiller et je laisse la sciure dessiner trois grosses initiales : JBF. Puis j'asperge les lettres d'acide chlorhydrique.

C'est la première fois que je fais ça en milieu de journée.

Je prends mon paquet de Merit dans ma poche et j'en sors une, que je me colle dans la bouche. Mon Zippo n'a presque plus d'essence à briquet, il faudra que je pense à en racheter. Quand j'ai fini, je me lève, je tire sur ma cigarette une dernière fois, puis je balance le mégot sur la sciure. Je sais que ça va aller très vite, alors je cours déjà lorsque le mur de flammes s'élève derrière moi. Comme toujours, ils vont chercher des indices. Mais cette cigarette et mes initiales seront parties en fumée depuis belle lurette. La dalle de ciment tout entière va fondre. Les murs se tordront avant de s'écrouler.

La première fois que j'ai vu ma mère pleurer, j'avais cinq ans. Elle se tenait à la fenêtre de la cuisine, faisant comme si de rien n'était. Le soleil commençait à peine à se lever, boule compacte. « Qu'est-ce que tu fais ? » lui ai-je demandé. C'est seulement des années plus tard que j'ai pris conscience d'avoir mal interprété sa réponse. Qu'en disant que la *fin* était venue, elle ne parlait pas de préparer le petit déjeuner.

Maintenant, le ciel est dense, noir de fumée. Des étincelles jaillissent au moment où le toit s'effondre. Une seconde équipe de pompiers arrive, ceux qui ont été appelés en renfort alors qu'ils étaient à table, ou sous la douche, ou dans leur salon. Avec les jumelles, j'arrive à distinguer son nom, scintillant sur le dos de sa veste d'intervention comme s'il était écrit en lettres de diamant. FITZ-GERALD. Mon père s'empare d'une lance chargée, et moi je monte dans ma voiture et je démarre.

Ma mère sort de la maison comme une furie aussitôt que je me gare. Elle est en pleine crise de nerfs.

— Dieu merci, dit-elle. J'ai besoin de ton aide.

Elle ne regarde même pas derrière elle pour vérifier que je la suis, et c'est à ça que je sais qu'il s'agit de Kate. La porte de la chambre de mes sœurs a été ouverte à coups de pied, le bois de l'encadrement a volé en éclats. Ma sœur est couchée sur son lit, immobile. Et tout d'un coup, elle reprend vie, bondissant comme un ressort et vomissant du sang. Une tache s'étale sur sa chemise et sur sa couette à fleurs, y ajoutant des coquelicots rouges qui n'y étaient pas auparavant.

Ma mère s'assied à côté d'elle, lui retient les cheveux et lui met une serviette devant la bouche quand Kate vomit de nouveau un jet de sang.

— Jesse, dit-elle calmement, ton père est de service et je ne peux pas le joindre. J'ai besoin que tu nous conduises à l'hôpital pour que je puisse m'asseoir à l'arrière avec Kate.

Les lèvres de Kate sont luisantes comme des cerises. Je la soulève. Elle n'est qu'un paquet d'os pointus, saillant sous la peau de son tee-shirt.

— Quand Anna s'est enfuie, Kate n'a pas voulu m'ouvrir la porte de sa chambre, dit ma mère en se hâtant à côté de moi. Je lui ai donné un peu de temps pour se remettre. Et puis quand je l'ai entendue tousser, il a bien fallu que j'entre.

Alors tu as défoncé la porte à coups de pied, et ça ne m'étonne pas. Nous atteignons la voiture, et elle ouvre la portière pour que je puisse glisser Kate à l'intérieur. Je descends l'allée et traverse la ville encore plus vite qu'à mon habitude jusqu'à l'autoroute et l'hôpital.

Aujourd'hui, quand mes parents étaient au tribunal avec Anna, Kate et moi avons allumé la télé. Elle voulait regarder sa série préférée ; je lui ai dit d'aller se faire foutre et j'ai mis la chaîne cryptée Playboy. Maintenant, en fonçant aux feux rouges, je regrette de ne pas l'avoir laissée voir sa série débile. J'essaie de ne pas regarder la petite tache blanche de son visage dans le rétroviseur. Vous pourriez penser que, avec tout le temps que j'ai eu pour m'y habituer, des épisodes comme celui-là ne m'impressionneraient plus autant. La question qu'on ne doit pas poser s'insinue dans mes veines à chaque pulsation : « Cette fois, ça y est ? Ça y est ? Ça y est ? »

Je ne suis pas encore arrêté devant les urgences que ma mère sort déjà de la voiture et me presse de prendre Kate. Nous formons un sacré tableau lorsque nous franchissons les portes automatiques, Kate en sang dans mes bras et ma mère se jetant sur la première infirmière qui passe.

— Il lui faut des plaquettes, ordonne ma mère.

On me l'enlève, et pendant quelques instants après que l'équipe d'urgentistes et ma mère ont disparu avec Kate derrière des rideaux fermés, je reste avec les bras offerts, essayant de m'habituer au fait qu'ils ne portent plus rien.

Le Dr Chance, l'oncologue que je connais, et le Dr Nguyen, un autre spécialiste que je n'avais jamais vu, nous disent ce que nous avons déjà compris : ce sont les assauts mortels d'une maladie des reins en phase terminale. Ma mère est debout à côté du lit, la main serrant le pied à perfusion de Kate.

— Est-ce que vous pouvez quand même pratiquer une greffe ?

Elle demande ça comme si Anna n'avait jamais entrepris une action en justice, comme si ça ne signifiait rien.

— L'état clinique de Kate est assez critique, lui répond le Dr Chance. Je vous ai déjà dit que je ne savais pas si elle était en condition de survivre à une opération de cette ampleur ; ses chances sont encore plus réduites aujourd'hui.

— Mais si un donneur se présentait, insiste-t-elle, le feriez-vous ?

— Attendez.

On croirait que ma gorge vient d'être tapissée de paille.

— Le mien pourrait marcher ?

Le Dr Chance secoue la tête.

— En règle générale, un donneur de rein ne doit pas obligatoirement être compatible à cent pour cent, mais votre sœur échappe à la règle générale.

Quand les médecins quittent la pièce, je sens que ma mère me fixe des yeux.

— Jesse, dit-elle.

— Ce n'est pas que je me proposais. Je voulais juste *savoir*.

Mais, à l'intérieur de moi, ça brûle encore plus qu'au moment où le feu a pris dans l'entrepôt. Qu'est-ce qui m'a porté à croire que je pouvais avoir la moindre valeur, encore maintenant ? Que je pouvais sauver ma sœur, alors que je suis incapable de me sauver moi-même ?

Kate ouvre les yeux et me regarde bien en face. Elle se lèche les lèvres – elles sont toujours couvertes de sang séché – et ça la fait ressembler à un vampire. Un être qui revient d'entre les morts. Si seulement.

Je me penche plus près parce qu'elle n'a plus assez de souffle en elle pour que ses mots franchissent l'air qui nous sépare. *Dis*, articule silencieusement sa bouche pour ne pas attirer l'attention de ma mère.

Je réponds tout aussi silencieusement : *Dis ?* Je veux m'assurer que j'ai bien compris.

Dis à Anna.

Mais la porte de la chambre s'ouvre soudain et mon père remplit la pièce de fumée. L'odeur est partout, dans ses cheveux et ses vêtements et sur sa peau, à tel point que je lève la tête, m'attendant à voir les extincteurs entrer en action.

— Qu'est-ce qui s'est passé ? demande-t-il en allant droit au lit.

Je me glisse hors de la chambre, puisque personne ne semble plus avoir besoin de moi. Dans l'ascenseur, en face du signe INTERDICTION DE FUMER, j'allume une cigarette.

Dire quoi à Anna ?

Sara

1990 – 1991

Par le plus grand des hasards, ou peut-être par une combinaison du karma, les trois clientes du salon de coiffure sont enceintes. Assises sous le casque, nous croisons les mains sur notre ventre comme une rangée de bouddhas.

— Mes préférés sont Liberty, Low et Jack, dit ma voisine de droite, qui se fait teindre les cheveux en rose.

— Et si ce n'est pas un garçon ? demande la femme assise à ma gauche.

— Oh, c'est pareil. Ça va aussi bien aux filles.

Je cache un sourire.

— Je vote pour Jack.

La femme plisse les yeux, regarde par la vitre le temps pourri qu'il fait dehors. La neige fondue qui tombe sans discontinuer semble l'inspirer.

— C'est joli, *Sleet*, dit-elle d'un air absent.

Puis elle fait quelques essais :

— Sleet, range tes jouets. Sleet, mon cœur, dépêche-toi, on va être en retard au concert.

Elle sort un morceau de papier et un bout de crayon de la poche de sa salopette de grossesse et note le nom.

Ma voisine de gauche m'adresse un grand sourire de connivence.

— C'est votre premier ?

— Mon troisième.

— Moi aussi. J'ai deux garçons. Je croise les doigts.

— Moi j'ai un garçon et une fille, lui dis-je. Cinq et trois ans.

— Et vous savez ce que ce sera cette fois-ci ?

Je sais tout de ce bébé, depuis son sexe jusqu'à l'agencement de ses chromosomes, y compris ceux qui vont assurer sa totale histocompatibilité avec Kate. Je sais exactement ce que je vais avoir : un miracle.

— C'est une fille.

— Oh, que je suis jalouse ! Mon mari et moi n'avons pas cherché à le savoir à la dernière échographie. Je me suis dit que si j'apprenais que c'était encore un garçon, je me sentirais peut-être incapable d'aller jusqu'au bout.

Elle éteint le casque et le repousse.

— Vous avez choisi des prénoms ?

Je me rends compte tout d'un coup que je ne l'ai pas fait. Bien que je sois enceinte de neuf mois, bien que j'aie eu beaucoup de temps pour y songer, je n'ai jamais vraiment considéré la spécificité de cet enfant. Je n'ai pensé à cette seconde fille qu'en fonction de ce qu'elle pourra faire pour la fille que j'ai déjà. C'est quelque chose que je n'ai jamais avoué, même à Brian, qui dort chaque nuit la tête contre mon ventre monumental, guettant les coups de pied qui annonceront – croit-il – la première buteuse de l'équipe des Patriots. Mais, pour tout dire, mes rêves en ce qui la concerne ne sont pas moins délirants ; je compte sur elle pour sauver la vie de sa sœur.

— Nous attendons, dis-je à la femme.

Parfois, j'ai l'impression que nous ne faisons jamais rien d'autre.

Pendant un moment, après les trois premiers mois de chimiothérapie de Kate l'an dernier, j'ai été assez stupide pour croire que nous avions triomphé de la maladie. Le Dr Chance disait qu'elle semblait être en rémission et qu'il nous faudrait juste rester attentifs à la façon dont les choses évoluaient. Et pendant un temps, ma vie est même redevenue normale : je pouvais conduire Jesse à son entraînement de foot, donner un coup de main dans la classe de Kate au jardin d'enfants et même prendre un bain chaud pour me détendre.

Et pourtant, une partie de moi savait qu'il y aurait tôt ou tard un retour de bâton. Cette partie-là passait chaque matin l'oreiller de Kate au peigne fin, même après que ses cheveux eurent repoussé, avec leurs pointes frisottées et brûlées, pour m'assurer qu'elle n'avait pas recommencé à les perdre. Cette partie-là est allée voir le généticien recommandé par le Dr Chance. A fait fabriquer un embryon approuvé par les scientifiques pour sa parfaite histocompatibilité avec Kate. A suivi un traitement hormonal pour la FIV et porté cet embryon, à tout hasard.

C'est à la suite d'une ponction de moelle osseuse de routine que nous avons appris que Kate rechutait. Vue de l'extérieur, elle ressemblait à n'importe quelle autre petite fille de trois ans. A l'intérieur, le cancer recommençait à envahir son organisme, laminant les progrès accomplis grâce à la chimio.

Maintenant, sur la banquette arrière avec Jesse, Kate s'amuse à donner des coups de pied et joue avec un téléphone en plastique. Son frère, assis à côté d'elle, regarde par la fenêtre.

— Maman, est-ce que les bus peuvent tomber sur les gens ?

— Tomber des arbres, comme les feuilles ?

— Non. Comme... en se renversant.

Il fait le geste de retourner sa main.

— Seulement s'il fait très mauvais temps ou si le chauffeur conduit trop vite.

Il hoche la tête, acceptant mon explication pour sa sécurité dans cet univers. Puis :

— Maman ? Tu as un chiffre préféré ?

— Trente et un. C'est la date prévue pour mon accouchement. Et toi ?

— Neuf. Parce que ça peut être un nombre, ou l'âge qu'on a, ou un six qui fait le poirier.

Il fait une pause, juste le temps d'une respiration.

— Maman ? Est-ce qu'on a des ciseaux spéciaux pour couper la viande ?

— Oui, nous en avons.

Je tourne à droite et nous longeons un cimetière, des pierres tombales plantées irrégulièrement comme une dentition jaunie.

— Maman, c'est là que Kate va aller ? demande Jesse.

Cette question, aussi innocente que n'importe quelle autre question que Jesse pourrait poser, me scie les jambes. Je m'arrête sur le bas-côté de la route et j'allume mes feux de détresse. Puis je défais ma ceinture de sécurité et je me retourne.

— Non, Jesse. Elle va rester avec nous.

— Monsieur et madame Fitzgerald ? dit le producteur. C'est ici que nous allons vous asseoir.

Nous prenons place sur le plateau du studio de télévision. Nous avons été invités en raison des conditions peu orthodoxes dans lesquelles ce bébé a été conçu. Dans nos efforts pour assurer la santé

144

de Kate, nous sommes devenus sans nous en rendre compte les hérauts d'un débat scientifique.

Brian me prend la main au moment où Nadya Carter, la journaliste du magazine d'information, s'avance vers nous.

— Nous sommes presque prêts. J'ai déjà enregistré une introduction sur l'histoire de Kate. Je vais simplement vous poser quelques questions, et ce sera très vite terminé.

Juste avant que les caméras ne commencent à tourner, Brian s'essuie le visage sur la manche de sa chemise. La maquilleuse, restée à l'écart derrière les projecteurs, émet un gémissement.

— Bon Dieu, me murmure-t-il, il est hors de question que je passe sur une chaîne de télé nationale avec du fard à joues.

La caméra s'anime avec beaucoup moins de cérémonies que je ne le pensais, juste un léger bourdonnement qui vibre le long de mes jambes et de mes bras.

— Madame Fitzgerald, dit Nadya, pouvez-vous nous expliquer ce qui vous a décidés à consulter un généticien ?

Brian me regarde.

— Notre fille de trois ans est atteinte d'une forme de leucémie extrêmement agressive. Son cancérologue nous a conseillé de trouver un donneur de moelle osseuse, mais notre fils aîné n'est pas compatible. Il existe un registre national, mais, le temps qu'un donneur se présente pour Kate, elle pourrait... ne plus être là. Alors nous avons pensé que ce serait une bonne idée de lui trouver un frère ou une sœur qui pourrait se révéler compatible avec elle.

— Un frère ou une sœur, dit Nadya, qui n'existe pas.

— Pas encore, réplique Brian.

— Mais pourquoi vous êtes-vous adressés à un généticien ?

— En raison des contraintes de temps, dis-je sèchement. Nous ne pouvions pas faire des enfants année après année jusqu'à ce qu'il y en ait un de compatible. Le médecin a réussi à isoler plusieurs embryons fécondés in vitro pour voir si l'un d'eux était susceptible de devenir un donneur idéal pour Kate. Nous avons eu la chance d'en avoir un sur les quatre, et il a été implanté selon la technique habituelle pour les FIV.

Nadya consulte ses notes.

— Vous avez reçu des lettres d'injures, n'est-ce pas ?

Brian fait oui de la tête.

— Certaines personnes nous accusent de chercher à fabriquer un bébé sur mesure.

— Est-ce que ce n'est pas le cas ?

— Nous ne demandons pas un enfant aux yeux bleus, ou qui atteindrait un mètre quatre-vingts à l'âge adulte, ou qui aurait un QI de 200. D'accord, nous avons voulu certains caractères génétiques spécifiques, mais rien que l'on puisse considérer comme exceptionnel. Ce sont simplement les caractères génétiques de Kate. Nous ne voulons pas un superbébé ; notre unique but est de sauver la vie de notre fille.

Je serre fort la main de Brian. Dieu, que je l'aime !

— Madame Fitzgerald, que direz-vous à cet enfant quand il grandira ? demande Nadya.

— Avec un peu de chance, je pourrai lui dire d'arrêter d'embêter sa grande sœur.

Les contractions débutent le soir du réveillon de la Saint-Sylvestre. L'infirmière qui s'occupe de moi s'efforce de me distraire en me parlant des signes du zodiaque.

— Celle-là, elle va être Capricorne, annonce Emelda en me massant les épaules.

— C'est bien ?

— Oh, les Capricornes, on peut compter sur eux. Inspirer, souffler.

— Bon... à... savoir.

Deux autres femmes sont en travail. L'une d'elles, raconte Emelda, garde les jambes croisées. Elle essaie d'attendre 1991. Les bébés du Nouvel An ont droit à des paquets de couches gratuits et à une prime de cent dollars sur un compte d'épargne offerte par la Citizens Bank, en prévision de leurs études universitaires.

Quand Emelda nous laisse seuls, Brian me prend la main.

— Ça va bien ?

Je grimace tout le temps que dure la contraction.

— Ça ira mieux quand ce sera terminé.

Il me sourit. Pour un pompier amené à intervenir dans toutes sortes d'urgences, un accouchement normal à l'hôpital n'est pas une affaire bien grave. Si j'avais perdu les eaux lors d'un accident ferroviaire ou si j'accouchais dans un taxi...

— Je sais ce que tu penses, dit-il alors que je n'ai pas prononcé un mot, et c'est faux.

Il porte ma main à sa bouche, embrasse mes articulations.

Soudain, une ancre se déroule à l'intérieur de moi. La chaîne, épaisse comme le poing, se tord dans mon abdomen. Je glapis :

— Brian, appelle un médecin.

Mon obstétricien arrive et met la main entre mes cuisses. Il jette un coup d'œil à la pendule murale.

— Si vous tenez encore une minute, cette enfant sera célèbre, dit-il.

Mais je secoue la tête.

— Sortez-la. Maintenant.

Le médecin regarde Brian.

— Déductions fiscales ? hasarde-t-il.

Je pense à ce qu'on va gagner, mais pas en termes d'impôts. La tête du bébé franchit la barrière de ma peau. Les mains de l'accoucheur le tiennent, dégagent son cou en écartant ce superbe cordon, le délivrent, une épaule après l'autre.

Je me hisse sur les coudes pour regarder ce qui se passe en bas. Je lui rappelle :

— Le cordon ombilical. Faites attention.

Il le coupe – du sang magnifique – et il se précipite hors de la salle afin qu'il soit conservé par cryogénie en attendant que Kate soit prête à le recevoir.

Le jour J du régime auquel Kate est soumise pour préparer la greffe de cellules souches débute le matin qui suit la naissance d'Anna. Je suis descendue de la maternité pour rejoindre Kate en radiologie. Nous portons toutes les deux des combinaisons isolantes jaunes et ça la fait rire.

— Maman, dit-elle, on est compatibles.

On lui a administré un cocktail de sédatifs pédiatriques, et en d'autres circonstances, ce serait drôle. Kate ne parvient pas à trouver ses propres pieds. Chaque fois qu'elle se met debout, elle s'écroule. Je me dis que c'est à ça qu'elle ressemblera la première fois qu'elle se soûlera à la liqueur de pêche, dans une soirée entre étudiants. L'instant d'après, je me rappelle que Kate ne vivra peut-être pas jusque-là.

Quand la radiothérapeute vient la chercher, Kate s'accroche à ma jambe.

— Ma chérie, dit Brian, tout va bien se passer.

Elle secoue la tête et s'agrippe encore un peu plus. Lorsque je m'accroupis, elle se jette dans mes bras.

— Je ne te quitterai pas des yeux, promis.

La salle de radiothérapie est vaste, avec une fresque représentant la jungle sur les murs. Les accélérateurs linéaires sont installés dans le plafond et dans une fosse au-dessous de la table de traitement, qui n'est guère plus qu'un lit de camp en toile recouvert d'un drap. La radiothérapeute dispose de grosses pièces en plomb en forme de haricot sur la poitrine de Kate et lui demande de ne pas bouger. Elle lui promet de lui donner un autocollant quand ce sera terminé.

Je regarde Kate à travers la vitre de protection. Les rayons gamma, la leucémie, la parentalité. Ce sont les choses que vous ne voyez pas qui ont le pouvoir de vous tuer.

Il existe une loi de Murphy s'appliquant à la cancérologie, une loi qui n'est écrite nulle part mais dont la validité est largement reconnue : si vous n'êtes pas malade, vous ne guérirez pas. Par conséquent, si la chimio vous rend horriblement malade, si la radiothérapie vous brûle la peau, tout est pour le mieux. En revanche, si vous supportez les traitements avec un minimum de nausées ou de douleur, il est probable que les drogues ne pénètrent pas votre organisme et ne font pas leur travail.

Si l'on se réfère à ce critère, Kate devrait déjà être guérie. Contrairement à la chimio de l'an dernier, cette cure-ci a transformé en épave une petite fille qui n'avait pas le moindre rhume. Trois jours de radiations ont provoqué une diarrhée constante et l'ont fait régresser au stade des couches. Au début, elle en avait honte ; maintenant, elle est trop malade pour s'en soucier. Les cinq jours de chimio qui ont suivi ont tapissé sa gorge de mucosités, qui l'obligent à s'accrocher au tuyau de l'aspirateur comme à une bouée de sauvetage. Quand elle est éveillée, elle pleure sans discontinuer.

Depuis le sixième jour, où son taux de globules blancs et de neutrophiles a commencé à s'effondrer, Kate a été placée en isolement dans une chambre stérile. Maintenant, le microbe le plus inoffensif risque de la tuer ; de ce fait, le monde extérieur est tenu à distance. Les visites sont strictement limitées, et les rares personnes autorisées à pénétrer dans sa chambre ressemblent à des cosmonautes, avec leur blouse et leur masque. Kate doit porter des gants de caoutchouc pour feuilleter ses livres d'images. Ni plantes ni fleurs ne sont permises, parce qu'elles transportent des bactéries qui peuvent lui être fatales. Aucun jouet ne peut lui être offert avant d'avoir été lavé dans une solution antiseptique. Elle dort avec son nounours empaqueté dans un sac en plastique hermétiquement scellé qui bruisse toute la nuit et la réveille parfois.

Brian et moi restons assis devant le sas, à attendre. Pendant que Kate dort, je m'exerce à faire des piqûres à une orange. Après sa greffe de cellules souches, Kate aura besoin d'injections de facteurs de croissance, et c'est à moi qu'incombera la tâche de les pratiquer. Je plante la seringue dans la peau épaisse du fruit jusqu'à ce que je sente la pulpe plus tendre. Le produit doit être injecté en sous-cutané, et s'infiltrera dans le muscle. Je dois m'assurer que l'angle est correct, que j'exerce la bonne pression. De la vitesse à laquelle vous enfoncez l'aiguille dépend le degré de douleur. L'orange, bien sûr, ne pleure pas quand je fais une erreur. Mais les infirmières m'assurent que piquer Kate ne me fera pas un effet très différent.

Brian ramasse une seconde orange et commence à la peler.

— Pose ça tout de suite !

— J'ai faim.

Il désigne du menton le fruit que j'ai dans la main.

— Et tu as déjà une patiente.

— Si ça se trouve, c'est celle de quelqu'un d'autre. Dieu sait à quoi elle a été droguée.

Soudain, le Dr Chance apparaît et vient vers nous.

— Ça y est, c'est parti, annonce-t-il. Voici arrivé le moment que nous attendions tous.

Derrière lui, Donna, une infirmière du service de cancérologie, brandit une poche à perfusion remplie d'un liquide écarlate.

— On y va, dit-elle.

Je pose mon orange, je les suis dans le sas et je me mets en tenue stérile pour pouvoir me tenir à trois mètres de ma fille. En quelques instants, Donna a accroché la poche au support à perfusion et branché le goutte-à-goutte sur le cathéter central de Kate. C'est un acte si anodin que Kate ne se réveille même pas. Je me lève et je me mets sur un côté, tandis que Brian va vers l'autre. Retenant ma respiration, je garde les yeux braqués sur les hanches de Kate, sa crête iliaque, là où la moelle osseuse est fabriquée. Par un processus qui relève du miracle, les cellules souches appartenant à Anna vont pénétrer dans le sang de Kate par sa poitrine, mais elles sauront trouver leur chemin.

— Bon, dit le Dr Chance.

Nous observons le sang du cordon ombilical glisser doucement dans la tubulure, ce serpentin de possibilités.

Julia

Deux heures que j'ai recommencé à cohabiter avec ma sœur, et j'ai du mal à croire que nous ayons pu partager confortablement le même utérus. Isobel a déjà classé mes CD par année de sortie, balayé sous le canapé et jeté la moitié du contenu de mon réfrigérateur.

— Les dates sont nos amies, Julia, soupire-t-elle. Tu as des yaourts qui remontent au temps où les démocrates étaient à la Maison-Blanche.

Je claque la porte et compte jusqu'à dix. Mais quand Izzy s'avance vers la gazinière en cherchant le bouton du nettoyage, je perds mon calme.

— Sylvia n'a pas besoin d'être nettoyée.

— Et autre chose : Sylvia la cuisinière, Smilla le frigo. Est-il vraiment nécessaire de donner un nom à nos appareils électroménagers ?

Mes appareils électroménagers. Les *miens*, pas les *nôtres*, bordel ! Je marmonne :

— Je comprends parfaitement pourquoi Janet t'a larguée.

Sous le choc, Izzy lève la tête.

— Tu es horrible, dit-elle. Tu es horrible, et après être sortie, j'aurais dû refermer hermétiquement l'utérus de maman.

En larmes, elle court se réfugier dans la salle de bains.

Isobel est plus âgée que moi de trois minutes, mais c'est toujours moi qui ai pris soin d'elle. Je suis sa bombe nucléaire : chaque fois qu'on lui fait des misères, j'arrive avec mes déchets toxiques, qu'il s'agisse de la défendre contre les taquineries de nos six frères aînés ou contre la méchante Janet qui a décidé, après sept années de relation exclusive avec elle, que tout compte fait elle n'était pas homosexuelle. Quand nous étions petites, Izzy était l'enfant modèle, et moi la bagarreuse – celle qui jouait des poings, ou se rasait la tête pour obtenir de nos parents une rallonge d'argent de poche, ou qui portait des bottes de l'armée avec son uniforme scolaire. N'empêche qu'aujourd'hui, à trente-deux ans, moi je suis celle qui est devenue membre patenté du Système, tandis qu'Izzy est une lesbienne qui fabrique des bijoux avec des trombones et des boulons. Allez comprendre.

La porte de la salle de bains ne ferme pas à clé, mais Izzy ne le sait pas encore. Alors j'entre, j'attends qu'elle ait fini de s'asperger le visage d'eau froide, et je lui tends une serviette-éponge.

— Iz, je ne voulais pas te faire de peine.

— Je sais.

Elle me regarde dans la glace. La plupart des gens sont incapables de nous distinguer l'une de l'autre maintenant que j'ai un vrai travail qui exige une coiffure et une tenue vestimentaire conventionnelles.

— Au moins, toi, tu avais quelqu'un dans ta vie, lui fais-je remarquer. La dernière fois que je suis sortie avec un homme doit remonter au jour où j'ai acheté les yaourts.

Un sourire se dessine sur les lèvres d'Izzy et elle se tourne vers moi.

— Est-ce que le cabinet a un nom ?

— J'envisageais *Janet*.

Ma sœur éclate de rire. Le téléphone sonne, et je vais au salon pour décrocher.

— Julia ? Le juge DeSalvo à l'appareil. Je suis chargé d'une affaire qui nécessite un tuteur ad hoc, et j'espère que vous pourrez m'aider.

Je ferais n'importe quoi pour cet homme-là ; il a usé de son influence pour que j'obtienne un boulot quand j'ai commencé à exercer.

— Tout ce que vous voudrez. Quel est le problème ?

Il me donne un aperçu de la situation – avec des mots que j'entends à peine, comme « émancipation en matière de décisions médicales » et « treize ans » et « mère qui était du métier ». Je ne retiens que deux choses : le terme urgent et le nom de l'avocat.

Seigneur, je ne vais pas y arriver.

— Je peux être là dans une heure.

— Parfait. Parce que je pense que cette gamine a besoin d'avoir quelqu'un dans son camp.

— Qui c'était ? demande Izzy.

Elle déballe la boîte où elle range ses instruments de travail : des outils, des fils métalliques et des tubes contenant des petits bouts de métal qui tintent quand elle les pose.

— Un juge. Il y a une fille qui a besoin d'aide.

Ce que je ne dis pas à ma sœur, c'est que je parle de moi.

Personne chez les Fitzgerald. Je sonne deux fois à la porte, certaine qu'il doit s'agir d'une erreur. Si j'ai bien compris ce que m'a dit le juge DeSalvo, nous avons affaire à une famille en crise. Mais je me trouve face à une coquette maison de style Nouvelle-Angleterre, avec des plates-bandes de fleurs soigneusement entretenues le long de l'allée.

154

Au moment où je retourne à ma voiture, je vois la fille. Elle a cette allure dégingandée des préadolescents ; elle saute par-dessus chaque rainure du trottoir.

J'attends qu'elle soit assez près pour m'entendre.

— Salut, tu es Anna ?

Son menton se relève.

— Peut-être.

— Je m'appelle Julia Romano. Le juge DeSalvo m'a demandé d'être ton tuteur ad hoc. Est-ce qu'il t'a expliqué ce que ça veut dire ?

Anna plisse les yeux.

— Il y a une fille à Brockton qui a été enlevée par quelqu'un qui lui a raconté qu'il venait la chercher à la demande de sa mère pour l'emmener là où sa mère travaillait.

Je fouille dans mon sac et sors mon permis de conduire et un tas de papiers.

— Voilà, tu peux vérifier.

Elle me regarde, puis examine la photo hideuse sur mon permis ; elle lit la copie de la requête d'émancipation que je suis allée chercher au tribunal des affaires familiales avant de venir ici. Si je suis une psychopathe, alors j'ai vraiment bien préparé mon coup. Mais, dans une certaine mesure, la méfiance d'Anna plaide en sa faveur : ce n'est pas une gamine qui fonce tête baissée. Si elle réfléchit autant avant de se décider à me suivre, elle a dû réfléchir encore plus avant de chercher à se libérer de sa famille.

Elle me rend tous les papiers que je lui ai donnés.

— Où est ma famille ? demande-t-elle.

— Je ne sais pas. Je pensais que tu pourrais me le dire.

Le regard d'Anna se coule vers la porte, nerveux.

155

— J'espère que rien n'est arrivé à Kate.

Je penche la tête, dévisageant cette fille qui réussit déjà à m'étonner. Je lui demande :

— Tu as un peu de temps pour discuter ?

Notre premier arrêt au zoo a lieu devant les zèbres. De tous les animaux dans la section africaine, ils ont toujours été mes préférés. Je n'éprouve ni passion ni aversion pour les éléphants, je n'arrive jamais à repérer le guépard, mais les zèbres me fascinent. Ils seraient parmi les rares à s'adapter si l'on vivait dans un monde en noir et blanc.

Nous passons devant les céphalophes bleus, les bongos, et un animal appelé le rat-taupe, qui n'est pas sorti de sa tanière. J'emmène souvent les enfants au zoo lorsqu'on m'assigne ce genre d'affaire. Contrairement à ce qui se produit lorsque nous sommes assis face à face au tribunal, ou même dans un McDonald's, en allant au zoo il y a de plus grandes chances pour qu'ils s'ouvrent à moi. Ils regardent les gibbons se balancer de branche en branche comme des gymnastes olympiques, et sans même s'en rendre compte, ils me racontent ce qui se passe à la maison.

Anna, cependant, est plus âgée que tous les autres enfants dont j'ai eu la charge, et elle est beaucoup moins contente d'être là. A la réflexion, je me dis que j'ai fait un mauvais choix. J'aurais dû l'emmener dans un centre commercial, ou au cinéma.

Nous marchons le long des sentiers sinueux du zoo, Anna ne parlant que si elle y est obligée. Elle me répond poliment lorsque je lui pose des questions sur la santé de sa sœur. Elle me dit qu'en effet sa mère est l'avocate de la partie adverse. Elle me remercie quand je lui achète une glace.

— Raconte-moi ce que tu aimes faire. Comme loisirs.

— Jouer au hockey, répond Anna. J'étais gardien de but.

— Tu ne l'es plus ?

— Plus on avance en âge, moins l'entraîneur tolère les absences.

Elle hausse les épaules.

— Je n'aime pas laisser tomber toute une équipe.

Je me dis qu'elle a une façon intéressante de formuler les choses.

— Tes amis continuent à en faire ?

— Quels amis ?

Elle secoue la tête.

— On ne peut pas vraiment inviter des gens à venir à la maison, quand on a une sœur qui a besoin de repos. Les copines n'invitent pas à dormir chez elles une fille que sa mère vient chercher à deux heures du matin pour la conduire à l'hôpital. Vous ne vous en souvenez peut-être plus, mais au collège tout le monde se tient à l'écart de ceux qui ne sont pas comme les autres, au cas où il y aurait un risque de contagion.

— Alors avec qui peux-tu parler ?

Elle me regarde.

— Avec Kate, dit-elle.

Puis elle me demande si j'ai un portable.

J'en sors un de mon sac et je la regarde composer de mémoire le numéro de l'hôpital.

— Je cherche une patiente, dit Anna à la standardiste. Kate Fitzgerald.

Elle me jette un regard.

— Merci quand même.

Elle appuie sur une touche et me rend le téléphone.

— Kate n'est pas enregistrée.

— C'est plutôt bon signe, non ?

— Ça veut peut-être simplement dire que son nom n'a pas encore été transmis au standard. Parfois, ça prend quelques heures.

Je m'appuie contre une grille près des éléphants.

— Tu m'as l'air de te faire beaucoup de souci pour ta sœur. Tu es sûre que tu te sens prête à affronter les conséquences, si tu cesses d'être donneur ?

— Je sais ce qui va arriver.

La voix d'Anna est basse.

— Je n'ai jamais dit que ça me plaisait.

Elle lève le visage vers moi, me défiant de la prendre en défaut.

Pendant une minute, je la regarde. Qu'est-ce que *moi* je ferais si j'apprenais qu'Izzy avait besoin d'un rein, d'une partie de mon foie, ou de moelle ? La réponse ne fait pas le moindre doute : je demanderais à entrer à l'hôpital au plus vite pour subir l'intervention.

Mais alors ce serait *mon* choix, *ma* décision.

— Tes parents t'ont-ils jamais demandé si tu étais d'accord sur le fait d'être donneur pour ta sœur ?

Anna hausse les épaules.

— Vaguement. Comme font les parents quand ils posent une question à laquelle ils ont déjà répondu dans leur tête. « Ce n'est quand même pas à cause de toi que toute la classe a été privée de récré, si ? » Ou : « Tu veux des brocolis, n'est-ce pas ? »

— Tu as déjà dit à tes parents que tu n'étais pas contente des choix qu'ils faisaient pour toi ?

Anna s'éloigne des éléphants et commence à gravir la colline.

— Quand un enfant de cinq ans hurle parce qu'un médecin approche une aiguille de son bras, je pense qu'ils considèrent que c'est normal. Je me suis peut-être plainte une ou deux fois. Mais ils sont aussi les parents de Kate.

Quelques pièces de ce casse-tête commencent à s'emboîter. Traditionnellement, les parents prennent des décisions pour un de leurs enfants dans le souci de servir au mieux ses intérêts. Mais s'ils sont aveuglés par les intérêts d'un autre de leurs enfants, alors le système s'écroule. Et quelque part, sous les gravats, se trouvent des victimes comme Anna.

La question est de savoir si elle a entrepris cette procédure judiciaire parce qu'elle estime pouvoir faire de meilleurs choix que ses parents en ce qui concerne sa propre santé, ou bien parce qu'elle veut que, pour une fois, ceux-ci l'entendent pleurer.

Nous nous retrouvons devant les ours polaires, Trixie et Norton. Pour la première fois depuis que nous sommes ici, le visage d'Anna s'éclaire. Elle observe Kobe, l'ourson de Trixie, le nouveau pensionnaire du zoo. Il donne des coups de patte à sa mère, étendue sur les rochers, pour qu'elle se décide à jouer avec lui.

— La dernière fois qu'un bébé ours polaire est né, dit Anna, ils l'ont donné à un autre zoo.

Elle a raison ; le souvenir d'articles dans le *ProJo* me revient à l'esprit. C'était une grosse opération de relations publiques pour Rhode Island.

— Il s'appelait Triton. Vous croyez qu'il se demande ce qu'il a bien pu faire pour qu'on l'envoie ailleurs ?

Nous sommes formés, en qualité de tuteur ad hoc, à repérer les signes de dépression. Nous savons interpréter le langage corporel, et l'indifférence, et les sautes d'humeur. Les mains d'Anna serrent fort la rambarde métallique. Ses yeux deviennent aussi ternes que de l'or vieilli.

Je pense : Ou bien cette fille perd sa sœur, ou bien elle va se perdre elle-même.

— Julia, dit-elle, on peut rentrer à la maison ?

Plus on approche de chez elle, plus Anna met de distance entre elle et moi. Elle se ratatine contre la vitre de ma voiture, les yeux fixés sur les rues qui défilent.

— Et après, qu'est-ce qu'on fait ?

— Je vais parler à tous les autres, à ta mère et ton père, ton frère et ta sœur. A ton avocat.

Maintenant, une Jeep défoncée est garée dans l'allée, et la porte d'entrée de la maison est ouverte. Je coupe le moteur, mais Anna ne manifeste aucune intention de défaire sa ceinture de sécurité.

— Vous m'accompagnerez à l'intérieur ?

— Pourquoi ?

— Parce que ma mère va me tuer.

Cette Anna timorée ne ressemble en rien à celle avec qui je viens de passer une heure. Je me demande comment une fille peut être à la fois assez courageuse pour entreprendre une action en justice et trop terrorisée pour affronter sa mère.

— Et pour quelle raison ?

— Je suis partie aujourd'hui sans lui dire où j'allais.

— Tu fais ça souvent ?

Anna secoue la tête.

— En général, je fais ce qu'on me dit.

Bon, je vais devoir parler à Sara Fitzgerald tôt ou tard. Je sors de la voiture et j'attends qu'Anna fasse la même chose. Nous remontons l'allée, passons devant les plates-bandes bien entretenues et franchissons la porte.

Elle n'est pas l'ennemie que je m'étais imaginée. Pour commencer, la mère d'Anna est plus petite que moi, et plus menue. Elle a les cheveux foncés, des yeux hagards, et elle marche de long en large. A l'instant où elle entend la porte s'ouvrir, elle se jette sur Anna.

— Pour l'amour du ciel ! crie-t-elle en secouant sa fille par l'épaule. Où étais-tu passée ? Est-ce que tu as la moindre idée du...

Je l'interromps :

— Excusez-moi, madame Fitzgerald. Permettez-moi de me présenter.

J'avance d'un pas en tendant la main.

— Je suis Julia Romano, tuteur ad hoc mandaté par le tribunal.

Elle encercle Anna de son bras, en une démonstration de tendresse trop raide.

— Merci d'avoir ramené Anna. Je suis sûre que vous avez beaucoup de choses à discuter avec elle, mais pour l'instant...

— A vrai dire, c'est à *vous* que j'espérais pouvoir parler. Le juge m'a demandé de lui présenter mon rapport dans moins d'une semaine, alors si vous avez quelques minutes...

— Je n'ai pas quelques minutes, coupe Sara brutalement. Ce n'est vraiment pas le moment. Mon autre fille vient d'être de nouveau admise à l'hôpital.

Elle regarde Anna, qui est restée plantée dans l'encadrement de la porte de la cuisine : *J'espère que tu es contente*.

— Je suis vraiment désolée, dis-je.

— Moi aussi.

Sara s'éclaircit la gorge.

— Je vous suis reconnaissante d'être venue parler à Anna. Et je sais que vous faites simplement votre travail. Mais vraiment, tout va s'arranger.

161

C'est un malentendu. Je suis sûre que c'est ce que le juge DeSalvo vous dira dans un jour ou deux.

Elle recule d'un pas, nous défiant, Anna et moi, de la contredire. Je jette un coup d'œil à Anna, qui croise mon regard et secoue imperceptiblement la tête, me suppliant de ne pas insister.

Qui veut-elle protéger, elle-même ou sa mère ?

Un drapeau rouge s'agite dans ma tête : Anna a treize ans. Anna vit avec sa mère. La mère d'Anna est l'avocate de la partie adverse. Comment Anna peut-elle vivre sous le même toit que Sara Fitzgerald et ne pas subir ses pressions ?

— Anna, je t'appellerai demain.

Puis, sans dire au revoir à Sara Fitzgerald, je quitte sa maison, en direction du seul endroit au monde où je ne voulais pas aller.

Le cabinet d'avocat de Campbell Alexander est exactement comme je l'avais imaginé : au dernier étage d'un immeuble en verre fumé, au bout d'un couloir revêtu d'un tapis persan, protégé du vulgum pecus par deux lourdes portes en acajou. À l'accueil, une fille aux traits d'une délicatesse de porcelaine est assise à un bureau monumental, avec un casque téléphonique mains libres caché par sa splendide chevelure. Je l'ignore et je me dirige vers l'unique porte close.

— Hé ! crie-t-elle. On n'entre pas, là !

— Il m'attend.

Campbell ne lève pas les yeux de ce qu'il écrit d'une main rageuse. Ses manches de chemise sont roulées jusqu'au coude. Il a besoin d'une coupe de cheveux.

— Kerri, dit-il, essayez de me trouver une transcription de l'émission de Jenny Jones sur les vrais jumeaux qui ne savent pas que...

— Bonjour, Campbell.

D'abord, il arrête d'écrire. Puis il lève la tête.

— Julia.

Il se met debout, comme un écolier pris en faute. J'entre et je referme la porte derrière moi.

— Je suis le tuteur ad hoc mandaté dans l'affaire d'Anna Fitzgerald.

Un chien que je n'avais pas remarqué jusqu'ici apparaît près de Campbell.

— J'étais au courant que tu avais fait du droit.

Harvard. Avec une bourse d'études.

— Providence est une toute petite commu-nauté... J'ai toujours espéré que...

Sa voix s'estompe, et il secoue la tête.

— J'étais sûr que nous nous rencontrerions plus tôt.

Il me sourit, et soudain je reviens à mes dix-sept ans, à l'année où j'ai pris conscience que l'amour n'obéit pas aux règles du jeu, l'année où j'ai compris que rien n'est plus désirable que l'inatteignable. Je réponds avec désinvolture :

— Ce n'est pas si difficile d'éviter quelqu'un, si on le souhaite. Tu es bien placé pour le savoir.

Campbell

Je suis remarquablement calme, vraiment, jusqu'à ce que le proviseur du lycée de Ponaganset commence à me faire par téléphone un cours sur le politiquement correct.

— Bon Dieu, s'indigne-t-il, quand un groupe de lycéens indiens donne à son association de basket le nom de « P'tits Blancs », quel message est-ce que ça véhicule ?

— Exactement la même chose, j'imagine, que lorsque vous avez choisi les « Grands Chefs » comme emblème pour l'association sportive de votre école.

— Nous sommes les Grands Chefs de Ponaganset depuis 1970, rétorque le proviseur.

— Oui, et ils appartiennent à la tribu des Narragansett depuis qu'ils sont nés.

— C'est humiliant. Et politiquement incorrect.

— Malheureusement, on ne peut pas faire un procès à quelqu'un au motif qu'il est politiquement incorrect, ou alors il y a belle lurette que vous auriez dû être assigné en justice. D'un autre côté, la Constitution garantit un certain nombre de droits individuels aux Américains, y compris aux Indiens, notamment le droit de se réunir et la liberté d'expression, ce qui implique que les P'tits Blancs seraient autorisés à tenir une assemblée même si votre ridicule menace de procès aboutissait au tribunal. Et pendant que vous y êtes, vous pourriez envisager un recours collectif en justice contre l'humanité en général, et vous aimeriez sûrement étouffer les connotations racistes implicites dans les termes Maison-Blanche, Mont-Blanc et pages blanches de l'annuaire.

Il y a un silence de mort au bout du fil.

— Dans ces conditions, puis-je informer mon client que vous renoncez à le poursuivre, après tout ?

Une fois qu'il m'a raccroché au nez, j'appuie sur le bouton de l'interphone.

— Kerri, appelez Ernie Fishkiller, et dites-lui qu'il n'a plus de souci à se faire.

Tandis que je m'installe devant une montagne de travail, Judge laisse échapper un soupir. Il dort, à gauche de mon bureau, enroulé sur lui-même comme une natte. Sa patte tressaute.

Ça, c'est la vie même, a-t-elle dit en regardant un chiot pourchasser sa propre queue. Voilà ce que je veux être, après.

J'ai ri. Toi, tu te réincarnerais en chat, lui ai-je dit. Ils n'ont besoin de personne.

J'ai besoin de toi, a-t-elle répondu.

Bon, ai-je dit. Peut-être que je reviendrais sous la forme d'herbe-aux-chats.

J'appuie les pouces contre mes globes oculaires. À l'évidence, je manque de sommeil ; d'abord, il y a eu ce moment au café, et là, ça recommence. Je regarde Judge de travers, comme si c'était sa faute, puis je me concentre sur des notes que j'ai prises sur un bloc. Nouveau client – un trafiquant de drogue filmé en flagrant délit par la caméra de vidéosurveillance du plaignant. Il va être impossible d'échapper à une condamnation, sauf si le type a un vrai jumeau dont sa mère lui a caché l'existence.

Ce qui, à la réflexion...

La porte s'ouvre et, sans lever les yeux, je bombarde Kerri de directives.

— Kerri, essayez de me trouver une transcription de l'émission de Jenny Jones sur les vrais jumeaux qui ne savent pas que...

— Bonjour, Campbell.

Pas de doute, je deviens dingue, complètement dingue. Parce que, à moins d'un mètre cinquante de moi, se tient Julia Romano, que je n'ai pas revue depuis quinze ans. Ses cheveux sont plus longs, et de fines rides d'expression lui encadrent la bouche, parenthèses renfermant toute une vie de mots que je n'étais pas là pour entendre. Je bredouille :

— Julia...

Elle ferme la porte et, au bruit, Judge se dresse sur ses pattes.

— Je suis le tuteur ad hoc mandaté dans l'affaire d'Anna Fitzgerald.

— J'étais au courant que tu avais fait du droit. Providence est une toute petite communauté... J'ai toujours espéré que... J'étais sûr que nous nous rencontrerions plus tôt.

— Ce n'est pas si difficile d'éviter quelqu'un, si on le souhaite, rétorque-t-elle. Tu es bien placé pour le savoir.

Puis, brusquement, elle paraît se vider de sa colère.

— Je suis désolée. C'était tout à fait déplacé.

— Ça fait si longtemps...

Je voudrais lui demander ce qu'elle est devenue pendant ces quinze dernières années. Si elle boit toujours son thé avec du lait *et* du citron. Si elle est heureuse.

— Tu n'as plus les cheveux roses, dis-je parce que je suis un imbécile.

— Non, répond-elle. C'est un problème ?

Je hausse les épaules.

— C'est simplement... Bon...

Où sont les mots lorsqu'on en a besoin ?

— J'aimais bien le rose, j'avoue.

— Ça nuit à mon autorité au tribunal, admet Julia.

Cela me fait sourire.

— Depuis quand te soucies-tu de ce que les gens pensent ?

Elle ne répond pas, mais quelque chose change. La température dans la pièce, ou le mur qui s'érige dans ses yeux.

— Peut-être qu'au lieu de remuer le passé nous pourrions parler d'Anna, suggère-t-elle diplomatiquement.

Je hoche la tête. J'ai l'impression d'être assis à l'étroit dans un Abribus avec quelqu'un entre nous deux, dont nous prétendons ne pas relever la présence, alors nous nous parlons comme si nos mots le traversaient ou le contournaient et nous lui lançons des coups d'œil subreptices quand l'autre regarde ailleurs. Comment puis-je penser à Anna Fitzgerald quand tout ce qui m'intéresse est de savoir si Julia s'est jamais réveillée dans les bras d'un autre avec, le temps que le sommeil se dissipe, l'illusion que c'était moi ?

Percevant la tension, Judge se lève et vient se poster à côté de moi. Julia semble remarquer pour la première fois que nous ne sommes pas seuls dans la pièce.

— Ton associé ?

— Simplement un adjoint, mais *Law Review* lui a déjà consacré un article.

Ses doigts grattent Judge derrière l'oreille – sacré veinard ! – et, avec une grimace, je lui demande d'arrêter.

— C'est un chien guide. Il ne doit pas être caressé.

Julia lève la tête, surprise. Avant qu'elle ne puisse poser de questions, je détourne la conversation.

— Donc, Anna.

Judge enfonce le museau dans le creux de ma main.

Elle croise les bras.

— Je suis allée la voir.

— Et ?

— Les enfants de treize ans sont facilement influencés par leurs parents. Et Anna semble beaucoup moins sûre d'elle en présence de sa mère.

— C'est quelque chose que je peux arranger.

Elle me regarde d'un air dubitatif.

— Comment ?

— Je vais demander que Sara Fitzgerald soit éloignée de la maison.

Elle reste bouche bée.

— Tu plaisantes, non ?

À ce stade, Judge a déjà commencé à tirer sur mes vêtements. Voyant que je ne réagis pas, il aboie deux fois.

— Je ne pense vraiment pas que ce soit à ma cliente de partir. *Elle* n'a pas violé les directives du juge. Je vais obtenir une ordonnance restrictive temporaire pour empêcher Sara Fitzgerald d'avoir le moindre contact avec elle.

— Campbell, c'est sa mère !

— Cette semaine, elle est l'avocate de la partie adverse, et si elle fait pression sur ma cliente, il faut le lui interdire.

— Ta *cliente* a un nom et un âge, et un monde qui s'écroule : la dernière chose dont elle ait besoin, c'est d'encore plus d'instabilité dans sa vie. Est-ce que tu as au moins pris la peine d'essayer de la connaître ?

— Évidemment.

Un gémissement de Judge, couché à mes pieds, accompagne mon mensonge.

Julia lui jette un regard.

— Qu'est-ce qu'il a, ton chien ?

— Il va très bien. Écoute. Mon rôle est de défendre les droits d'Anna et de gagner le procès, et c'est exactement ce que je compte faire.

— Bien sûr. Pas nécessairement parce que c'est l'intérêt d'Anna... mais parce que c'est le tien. Tu ne trouves pas ça ironique, qu'une gamine qui ne veut plus être utilisée pour le bénéfice de quelqu'un d'autre tombe précisément sur ton nom dans les pages jaunes ?

— Tu ne sais rien de moi, dis-je, la mâchoire crispée.

— À qui la faute ?

Pour ce qui est de ne pas remuer le passé, c'est raté. Un frisson me secoue des pieds à la tête, et j'attrape Judge par le collier.

— Excuse-moi, dis-je.

Je sors du bureau, quittant Julia pour la seconde fois de ma vie.

Tout bien réfléchi, la Wheeler School était une usine à fabriquer des débutantes et de futurs banquiers d'affaires. Nous nous ressemblions tous et nous parlions tous de la même manière. Pour nous, l'été était une forme verbale.

Bien entendu, certains élèves brisaient ce moule. Les boursiers, notamment, qui relevaient leur col et apprenaient à ramer, sans jamais se douter que nous ne les considérions jamais comme étant des nôtres. Il y avait les vedettes, comme Tommy Boudreaux, qui a été sélectionné par les Detroit Redwings au cours de son avant-dernière année. Ou les cinglés qui se tailladaient les poignets ou mélangeaient alcool et Valium et disparaissaient aussi silencieusement qu'ils traversaient le lycée.

J'étais en terminale l'année où Julia Romano est arrivée à Wheeler. Elle portait un tee-shirt de Cheap Trick sous son blazer d'uniforme ; elle était capable de réciter de mémoire des sonnets entiers sans avoir le trac. Pendant les pauses, alors que nous nous arrangions pour fumer dans le dos du proviseur, elle grimpait tout en haut des gradins du gymnase et s'asseyait contre le tuyau du chauffage pour lire des livres de Henry Miller ou de Nietzsche. À la différence des autres filles du lycée, aux cascades de cheveux blonds et lisses retenus par un serre-tête comme un ruban de guimauve, elle avait une véritable tornade de boucles noires, et elle ne se maquillait jamais. Elle arborait l'anneau le plus minuscule que j'aie jamais vu, un filament en argent, dans son sourcil gauche. Son odeur était celle de la pâte qui lève.

Il courait toutes sortes de rumeurs sur son compte : qu'elle s'était fait virer d'une maison de redressement pour filles, qu'elle était une sorte de surdouée avec un QI impressionnant, qu'elle avait deux ans de moins que tous les autres dans la classe, qu'elle avait un tatouage. Personne ne savait vraiment comment la définir. Ils l'appelaient le Monstre, parce qu'elle était différente de nous.

Un jour, Julia Romano est arrivée à l'école avec les cheveux courts et roses. Nous pensions tous qu'elle serait exclue, mais il s'est avéré que dans la litanie des règles vestimentaires à Wheeler la coiffure était

*curieusement absente. Cela m'a conduit à me deman-
der pourquoi aucun des garçons de l'école n'avait de
dreadlocks, et je suis arrivé à la conclusion que ce
n'était pas faute de pouvoir, mais de vouloir.*

*Au déjeuner ce jour-là, elle est passée devant la
table où j'étais assis avec un groupe de copains de
l'équipe de voile et quelques-unes de leurs petites
amies.*

— Hé ! a dit une fille. Ça t'a fait mal ?

Julia a ralenti le pas.

— Quoi ?

*— De tomber dans la machine à fabriquer de la
barbe à papa ?*

Elle n'a même pas cillé.

*— Désolée, mais je n'ai pas les moyens de me faire
coiffer à La Brosse à reluire.*

*Sur quoi elle est partie s'asseoir dans le coin de la
cafétéria où elle mangeait toujours seule en faisant
des parties de solitaire avec un jeu de cartes à l'effigie
des saints patrons.*

*— Merde, a dit un de mes amis, cette fille-là, je
n'irais pas me frotter à elle !*

*J'ai ri, pour faire comme tous les autres. Mais je
l'ai regardée s'asseoir, repousser son assiette et
commencer à étaler ses cartes. Je me suis demandé
ce qu'on éprouve lorsqu'on se fout complètement de
ce que pensent les gens.*

*Un après-midi, j'ai déserté l'équipe de voile dont
j'étais capitaine, et je l'ai suivie. J'ai pris soin de rester
assez loin derrière elle pour qu'elle ne s'aperçoive pas
de ma présence. Elle a descendu Blackstone Boule-
vard, est entrée dans le cimetière de Swan Point, est
montée jusqu'au sommet. Elle a ouvert son sac à dos,
en a sorti ses manuels scolaires et son classeur et s'est
installée devant une tombe.*

— Tu peux te montrer, a-t-elle dit alors.

Et j'ai presque avalé ma langue, m'attendant à voir apparaître un fantôme, jusqu'à ce que je prenne conscience que c'était à moi qu'elle s'adressait.

— Pour vingt-cinq cents de plus, tu as même le droit de regarder de plus près.

Je suis sorti de derrière un gros chêne, les mains enfoncées dans mes poches. Maintenant que j'étais là, je ne savais plus du tout pourquoi j'étais venu. J'ai indiqué la tombe d'un mouvement de la tête.

— Quelqu'un de ta famille ?

Elle a jeté un coup d'œil par-dessus son épaule.

— Ouais. Ma grand-mère était assise à côté de lui sur le Mayflower.

Elle m'a fixé du regard, toute d'angles droits et d'arêtes vives.

— Tu ne devrais pas être à un match de cricket ?

— De polo, ai-je dit avec un sourire. J'attends simplement que mon cheval arrive.

La plaisanterie lui a échappé... ou peut-être ne l'a-t-elle pas trouvée drôle.

— Qu'est-ce que tu veux ?

Je ne pouvais pas admettre que je la suivais.

— De l'aide, ai-je prétexté. Pour les devoirs.

En vérité j'avais à peine jeté un coup d'œil sur le sujet de notre dissertation d'anglais. J'ai attrapé une feuille sur le dessus de son classeur et j'ai commencé à lire à haute voix : Vous arrivez sur les lieux d'un horrible accident impliquant quatre voitures. De tous côtés, des corps désarticulés, des gens qui gémissent de douleur. Êtes-vous dans l'obligation de vous arrêter ?

— Pourquoi devrais-je aider ? a-t-elle demandé.

— En fait, d'un point de vue légal, tu ne dois pas le faire. Si tu déplaces quelqu'un et que tu lui fasses mal, tu risques un procès.

— Je voulais dire : pourquoi devrais-je t'aider, toi ?

La feuille de papier a volé jusqu'au sol.

— *Tu n'as pas une très haute opinion de moi, n'est-ce pas ?*

— *Je n'ai une haute opinion d'aucun de vous, point barre. Vous n'êtes qu'une bande d'imbéciles superficiels qui préféreriez mourir plutôt que d'être surpris avec quelqu'un qui n'est pas de votre bord.*

— *Et ce n'est pas ce que tu fais, toi aussi ?*

Elle m'a dévisagé pendant une longue seconde. Puis elle a commencé à remplir son sac à dos.

— *Tu as du fric, non ? Si tu as besoin d'aide, paie-toi un prof particulier.*

J'ai posé le pied sur un de ses livres.

— *Tu le ferais ?*

— *Te donner des cours ? Hors de question.*

— *T'arrêter. Pour un accident de voiture.*

Ses mains ont cessé de s'agiter.

— *Ouais. Parce que même si la loi dit que personne n'est responsable d'autrui, venir en aide à quelqu'un qui en a besoin est un devoir moral.*

Je me suis assis à côté d'elle, assez près pour que la peau de son bras effleure la mienne.

— *Tu le crois vraiment ?*

Elle a regardé ses genoux.

— *Ouais.*

— *Dans ce cas, ai-je demandé, comment peux-tu me tourner le dos ?*

Après, je m'essuie le visage avec les serviettes en papier du distributeur et j'arrange mon nœud de cravate. Judge tourne autour de moi en cercles étroits, comme il le fait toujours.

— Tu as fait du bon boulot, lui dis-je en caressant l'épaisse fourrure de son cou.

Quand je reviens dans mon bureau, Julia est partie. Assise devant l'ordinateur, dans un de ses rares moments de productivité, Kerri tape un courrier.

— Elle a dit que si vous aviez besoin d'elle, vous n'aviez qu'à vous bouger le cul pour venir la chercher. Ce sont ses termes, pas les miens. Et elle a demandé à voir tous les dossiers médicaux.

Kerri jette un coup d'œil par-dessus son épaule.

— Vous avez vraiment une sale gueule.

— Merci.

Un Post-it orange sur son bureau attire mon attention.

— C'est là qu'elle veut que les dossiers lui soient envoyés ?

— Ouais.

Je glisse l'adresse dans ma poche.

— Je m'en occuperai.

Une semaine plus tard, devant la même tombe, j'ai défait les lacets des bottes militaires de Julia Romano. Je lui ai retiré sa veste de camouflage. Ses pieds étaient minces et aussi roses que l'intérieur d'une tulipe. Le creux de sa clavicule était un mystère. « Je savais que tu étais belle là-dessous », et c'est à cet endroit que j'ai déposé mon premier baiser.

Les Fitzgerald habitent à Upper Darby, dans une maison qui pourrait appartenir à n'importe quelle famille américaine. Garage pour deux voitures, revêtements extérieurs en aluminium, autocollants sur les vitres pour prévenir les pompiers de la présence d'enfants dans la maison. Le temps que j'arrive, le soleil a disparu derrière la toiture.

Pendant tout le trajet, j'ai essayé de me convaincre que la remarque de Julia n'avait pas influé le moins du monde sur ma décision de rendre visite à ma cliente. Que ce petit détour avant de rentrer chez moi le soir était bel et bien prévu.

Mais en vérité, depuis toutes ces années que j'exerce, c'est la première fois que je vais voir un client chez lui.

Anna ouvre lorsque je sonne à la porte.

— Qu'est-ce que vous faites là ?

— Je viens prendre de vos nouvelles.

— Ça coûte plus cher ?

— Non, dis-je sèchement, c'est compris dans la promotion spéciale que je fais ce mois-ci.

— Ah.

Elle croise les bras.

— Vous avez parlé à ma mère ?

— J'essaye d'éviter de le faire. Je suppose qu'elle n'est pas à la maison ?

Anna secoue la tête.

— Elle est à l'hôpital. Kate y a été de nouveau admise. Je pensais que vous y étiez allé.

— Kate n'est pas ma cliente.

Ma réponse semble la décevoir. Elle se plaque les cheveux derrière les oreilles.

— Vous... vous vouliez entrer ?

Je la suis dans le salon et m'assieds sur le canapé, un camaïeu de rayures bleues. Judge renifle le bord des meubles.

— J'ai appris que vous aviez rencontré le tuteur mandaté par le tribunal.

— Julia. Elle m'a emmenée au zoo. Elle a l'air sympa.

Elle me jette un regard scrutateur.

— Elle vous a dit quelque chose à propos de moi ?

— Elle a peur que votre mère ne veuille parler avec vous de ce procès.

— En dehors de Kate, dit Anna, de quoi d'autre pourrait-on parler ?

Nous nous regardons un moment. Sorti de la relation avocat-client, je suis complètement perdu.

Je pourrais lui demander de me montrer sa chambre, mais aucun avocat de la défense ne serait jamais assez fou pour monter seul avec une fille de treize ans. Je pourrais l'emmener dîner, mais je doute fort qu'elle apprécie le Café Nuovo, l'un de mes restaurants de prédilection, et je ne pense pas que mon estomac supporterait un hamburger. Je pourrais lui poser des questions sur son école, mais elle est en période de vacances.

— Vous avez des enfants ? demande Anna.

Je ris.

— À votre avis ?

— C'est sans doute une bonne chose, admet-elle. Je ne dis pas ça pour vous embêter, mais vous n'avez pas vraiment l'air d'un parent.

Voilà qui me fascine.

— De quoi les parents ont-ils l'air ?

Elle paraît réfléchir.

— Vous savez comment le funambule, au cirque, veut toujours qu'on croie que son numéro est un art, mais on voit bien qu'au fond de lui tout ce qu'il souhaite vraiment, c'est réussir à arriver de l'autre côté ? De *ça*.

Elle me regarde.

— Vous pouvez vous détendre, vous savez. Je ne vais pas vous ligoter et vous obliger à écouter du gangsta rap.

— Ah, bon. Dans ce cas.

Je défais un peu ma cravate et je me laisse aller en arrière sur les coussins.

Un sourire fugace lui éclaire le visage.

176

— Vous savez, vous n'avez pas besoin de faire semblant d'être mon ami.

— Je ne veux pas faire semblant.

Je me passe la main dans les cheveux.

— Le problème, c'est que tout ça est très nouveau pour moi.

— Ça quoi ?

Je fais un geste englobant le salon.

— Rendre visite à un client. Bavarder. Ne pas laisser les dossiers pour la nuit en quittant mon bureau à la fin de la journée.

— Eh bien, tout ça est très nouveau pour moi aussi.

— Ça quoi ?

Elle entortille une mèche de cheveux autour de son petit doigt.

— Espérer, dit-elle.

L'appartement de Julia se situe dans un quartier chic de la ville, réputé pour attirer les hommes divorcés, ce qui m'irrite tout le temps que je tourne pour trouver une place de stationnement. Puis le portier, après un regard rapide à Judge, me barre le passage.

— Les chiens sont interdits dans l'immeuble, dit-il. Désolé.

— C'est un chien guide.

Voyant qu'il ne semble pas comprendre, j'insiste.

— Vous savez, comme les chiens d'aveugles.

— Vous n'avez pas l'*air* aveugle.

— Je suis un alcoolique en cours de désintoxication. Le chien s'interpose entre la bière et moi.

L'appartement de Julia est au sixième étage. Je frappe à la porte et puis je vois un œil qui m'inspecte à travers le judas. Elle entrouvre à peine la porte, mais n'enlève pas la chaîne. Elle porte un fichu noué sur la tête et on dirait qu'elle a pleuré.

— Salut. On efface tout et on recommence ?

Elle s'essuie le nez.

— Qui êtes-vous ?

— D'accord. Je l'ai peut-être mérité.

Je désigne la chaîne.

— Tu veux bien me laisser entrer ?

Elle me dévisage comme si j'étais fou.

— Vous vous droguez au crack ?

Il y a un bruissement, une autre voix, puis la porte s'ouvre grand, et, bêtement, je me dis : Elle existe en double.

— Campbell, dit la vraie Julia, qu'est-ce que tu fais là ?

Encore sous le choc, je brandis les dossiers médicaux. Comment se fait-il que, pendant toute cette année à Wheeler, elle ait trouvé moyen de ne jamais faire référence à une sœur jumelle ?

— Izzy, je te présente Campbell Alexander. Campbell, voici ma sœur.

À y regarder de près, elle ne ressemble pas du tout à Julia. Son nez est un peu plus long ; sa peau n'a absolument pas la même teinte dorée. Sans compter que le mouvement de ses lèvres ne suffit pas à me faire bander.

— Pas le fameux Campbell ? dit-elle en se tournant vers Julia. Celui de...

— Si, soupire-t-elle.

Le regard d'Izzy se fait plus dur.

— Je savais que je ne devais pas le laisser entrer.

— C'est bon, insiste Julia, qui me prend les dossiers des mains. Merci de les avoir apportés.

Izzy agite les doigts.

— Vous pouvez partir maintenant.

— Arrête.

178

Julia donne une tape sur le bras de sa sœur.

— Campbell est l'avocat avec lequel je travaille cette semaine.

— Mais ce n'était pas le type qui...

— Si, merci, ma mémoire est en parfait état de fonctionnement.

Je les interromps :

— Voilà. Je suis passé chez Anna.

Julia se tourne vers moi.

— Et ?

— Ho, Julia, reviens sur terre ! dit Izzy. C'est de l'autodestruction.

— Pas quand il s'agit d'un boulot rémunéré, Izzy. Nous travaillons sur la même affaire, c'est tout. D'accord ? Et je n'ai vraiment pas envie de t'entendre me faire la morale sur mon comportement autodestructeur. Qui est-ce qui a appelé Janet pour lui proposer une réconciliation au plumard le lendemain du jour où elle t'a larguée ?

— Hé ! dis-je en m'adressant à Judge. On n'avait pas prévu d'aller voir jouer les Red Sox ?

Furieuse, Izzy nous plante là.

— C'est ton suicide ! crie-t-elle.

Puis j'entends claquer une porte.

— J'ai l'impression que je lui plais vraiment.

Mais ma plaisanterie n'arrache pas le plus petit sourire à Julia.

— Merci pour les dossiers médicaux. Au revoir.

— Julia...

— Écoute, je cherche juste à te faciliter la vie. Ça a dû être compliqué de dresser un chien à t'entraîner hors de la pièce lorsqu'il te faut échapper à une situation émotionnellement explosive, par exemple une ancienne petite amie qui te dit tes quatre vérités. Comment t'y prends-tu, Campbell ? Un signe de la main ? Un ordre verbal ? Un sifflet à ultrasons ?

Je regarde tristement le couloir vide.

— Je crois que je préférerais avoir affaire à Izzy.

Julia essaie de me pousser dehors.

— C'est bon. Je suis désolé. Je ne voulais pas me débarrasser de toi, aujourd'hui, au bureau. Mais... c'était une urgence.

Elle me fixe des yeux.

— Tu as dit que le chien servait à quoi ?

— Je n'ai rien dit.

Quand elle se détourne, Judge et moi la suivons à l'intérieur de l'appartement et je referme la porte derrière nous.

— Alors je suis allé voir Anna Fitzgerald. Tu avais raison : il fallait que je lui parle avant de demander une ordonnance restrictive à l'encontre de sa mère.

Julia ne réagit pas, elle se contente de prendre un verre de vin blanc sur la table de la cuisine.

— Oh oui, j'en veux bien, Julia, merci.

Elle hausse les épaules.

— Il est dans Smilla.

Le réfrigérateur, bien sûr. En référence à la neige. Quand je l'ouvre et en sors la bouteille, je sens que Julia s'efforce de ne pas sourire.

— Tu oublies que je te connais.

— Connaissais, rectifie-t-elle.

— Alors mets-moi au courant. Qu'est-ce que tu as fait pendant ces quinze ans ?

D'un mouvement du menton, je désigne le couloir qui mène à la chambre d'Izzy.

— À part te reproduire par clonage.

Une pensée me vient à l'esprit, mais Julia répond avant que j'aie le temps de la formuler.

180

— Mes frères sont tous devenus maçons, cuisiniers et plombiers. Mes parents voulaient que leurs filles aillent à l'université, et ils ont pensé que m'inscrire en terminale à Wheeler augmenterait mes chances. Mes résultats scolaires m'ont permis d'obtenir une bourse d'études, mais Izzy n'a pas eu cette chance. Mes parents n'avaient pas les moyens de nous mettre toutes les deux dans une école privée.

— Elle est allée à l'université ?

— Elle a fait l'école de design de Rhode Island. Elle est créatrice de bijoux.

— Une créatrice de bijoux *hostile*.

— Ça arrive, quand on vous brise le cœur.

Nos regards se rencontrent et Julia prend conscience de ce qu'elle vient de dire.

— Elle s'est installée chez moi aujourd'hui.

Mes yeux balaient l'appartement à la recherche d'une crosse de hockey, d'un magazine de sport, d'un fauteuil relax ou de n'importe quel autre indice révélateur et typiquement masculin.

— C'est dur de s'habituer à une colocataire ?

— Je vivais seule jusqu'ici, Campbell, si c'est ça que tu veux savoir.

Elle me regarde par-dessus son verre de vin.

— Et toi ?

— J'ai six femmes, quinze enfants et un assortiment de moutons.

Ses lèvres ébauchent un sourire.

— Les gens comme toi me font sentir que ma vie tourne au gâchis.

— Oh ouais, tu occupes inutilement de l'espace sur cette planète. Licence à Harvard, droit à Harvard, tuteur au cœur sensible...

— Comment tu savais que j'avais fait du droit ?

— Le juge DeSalvo.

Elle gobe mon mensonge.

Je me demande si Julia a l'impression que la dernière fois que nous étions ensemble remonte à quelques instants, et non à des années. Si elle éprouve la même aisance que moi à être assis dans cette cuisine. Comme lorsque vous prenez une partition qui ne vous est pas familière, que vous commencez à la déchiffrer laborieusement, pour découvrir qu'il s'agit d'une mélodie que vous connaissez par cœur, que vous pouvez jouer les yeux fermés.

— Je ne te voyais pas devenir tuteur, je le reconnais.

— Moi non plus.

Julia sourit.

— De temps en temps, je m'imagine encore debout sur une caisse à savon à Boston Common, lancée dans une diatribe contre la société patriarcale. Malheureusement, ce n'est pas avec du dogme qu'on paie son loyer.

Elle me jette un regard.

— Bien sûr, j'avais aussi tort de croire qu'à ce stade tu serais déjà président des Etats-Unis.

— Je voyais un peu trop grand, j'avoue. Il m'a fallu réviser mes ambitions à la baisse. Quant à toi... Eh bien, je t'imaginais vivant en banlieue, épouse d'un heureux veinard et mère de famille accomplie.

Julia secoue la tête.

— Je crois que tu me confonds avec Muffy ou Bitsie ou Toto ou n'importe laquelle de ces filles de Wheeler avec un prénom à la con.

— Non. Je pensais juste... que ce serait moi, l'heureux veinard.

Il y a un silence épais, visqueux.

— Tu ne voulais pas l'être, dit enfin Julia. Tu l'as exprimé assez clairement.

182

Je voudrais contester, dire que ce n'est pas vrai. Mais comment pourrait-elle interpréter les choses différemment quand, après, je n'ai plus voulu avoir le moindre contact avec elle. Quand, après, je me suis comporté comme tous les autres.

— Tu te souviens...

— Je me souviens de tout, Campbell, coupe-t-elle. Autrement, tout ceci ne serait pas si pénible.

Mon pouls s'emballe à tel point que Judge, alarmé, se lève et enfonce son museau dans ma hanche. À l'époque, je croyais que rien ne pourrait blesser Julia, qui semblait si libre. Je croyais que je pourrais être l'heureux veinard.

Je m'étais trompé sur toute la ligne.

Anna

Dans notre salon, une étagère entière est consa-
crée à l'histoire en images de notre famille. Les photos de bébé de chacun de nous y sont exposées, avec
quelques portraits scolaires, et puis diverses photos
de vacances, d'anniversaires et de fêtes. Elles me
font penser aux crans d'une ceinture ou aux traits
sur un mur de prison – la preuve que le temps a
passé, que pendant les dix secondes de la prise de
vue quelqu'un était heureux.

Il y a des cadres doubles, des simples, des 20 x 25,
des 10 x 15. Il y en a en bois naturel et en bois
marqueté, et un très original en mosaïque de verre.
Je m'attarde sur une photo de Jesse, à environ deux
ans, en costume de cow-boy. En la regardant, vous
ne devineriez jamais ce qui allait venir.

Il y a Kate avec des cheveux et Kate toute chauve ;
Kate bébé assise sur les genoux de Jesse ; ma mère
les tenant tous deux au bord d'une piscine. Il y a
aussi des photos de moi, mais pas beaucoup. Je
passe d'un seul coup du stade de nourrisson à celui
d'enfant de dix ans.

C'est peut-être parce que j'étais le troisième
enfant et qu'ils en avaient marre de dresser le catalogue de la vie. Ou peut-être parce qu'ils ont oublié.

Ce n'est la faute de personne, et ce n'est pas très
important, mais c'est quand même un peu dépri-

mant. Une photo dit : *Tu étais heureuse et j'ai voulu saisir ce moment.* Une autre dit : *Tu comptes tellement pour moi que j'ai tout lâché pour venir te regarder.*

Mon père appelle à onze heures du soir pour me demander si je veux qu'il vienne me chercher.

— Maman va passer la nuit à l'hôpital, explique-t-il. Mais si tu n'as pas envie de rester seule à la maison, viens dormir à la caserne.

— Non, c'est bon. Je peux toujours m'adresser à Jesse si j'ai besoin de quelque chose.

— C'est vrai, dit mon père. Jesse.

Nous faisons semblant tous les deux d'y voir une solution de remplacement fiable.

— Comment va Kate ?

— Toujours léthargique. Ils l'ont un peu droguée. Je l'entends prendre sa respiration.

— Tu sais, Anna, commence-t-il au moment précis où une sonnerie aiguë se fait entendre. Chérie, je dois y aller.

Il me laisse, avec l'oreille pleine de silence.

Pendant quelques secondes, je continue à tenir le téléphone, et j'imagine mon père enfilant ses bottes et remontant par les bretelles la masse de son pantalon. Je me représente la porte de la caserne grande ouverte comme celle de la caverne d'Ali Baba et le camion s'en échappant toutes sirènes hurlantes, avec mon père sur le siège passager à l'avant. Chaque fois qu'il va travailler, il lui faut éteindre des incendies.

Il n'en faut pas plus pour m'encourager. J'attrape un pull et je sors de la maison en direction du garage.

Il y avait ce garçon dans mon école, Jimmy Stredboe, qui était un loser total. Il lui poussait des pustules ; il possédait un rat apprivoisé appelé Annie l'orpheline, et un jour, en cours de sciences, il a vomi dans l'aquarium. Personne ne lui adressait la parole, au cas où la connerie serait contagieuse. Et puis, un été, on a appris qu'il souffrait de sclérose en plaques. Après ça, on n'a plus jamais embêté Jimmy. On souriait quand on le croisait dans un couloir. S'il s'asseyait à côté de nous à la cantine, on lui faisait un salut de la tête. C'était comme si le fait d'être une tragédie ambulante annulait celui d'être un phénomène.

Depuis le jour où je suis née, je suis la fille qui a une sœur malade. Toute ma vie, les employés de banque m'ont offert un supplément de sucettes ; les principaux des collèges me connaissaient de nom. Personne n'a jamais été ouvertement méchant avec moi.

J'en arrive à me demander quelle impression ça fait d'être traitée comme les autres. Peut-être que je suis quelqu'un d'horrible, mais personne n'aurait le courage de me le dire en face. Peut-être que les gens me trouvent désagréable ou laide ou stupide mais se sentent obligés d'être gentils avec moi parce que ce sont les circonstances de la vie qui m'ont rendue ainsi.

Et du coup je me demande si ce que je fais maintenant est dans ma vraie nature.

Les phares d'une autre voiture réfléchis par le rétroviseur dessinent un masque vert autour des yeux de Jesse. Il conduit avec un poignet sur le volant, nonchalamment. Ses cheveux ont le plus grand besoin d'une coupe.

— Ta voiture sent la fumée.

— Ouais. Mais ça couvre l'odeur du whisky que j'ai renversé.

Ses dents lancent un éclair dans l'obscurité.

— Pourquoi ? Ça te dérange ?

— Un peu.

Jesse passe le bras devant moi pour atteindre la boîte à gants. Il en sort un paquet de Merit et un Zippo, allume une cigarette et envoie la fumée dans ma direction.

— Désolé, dit-il sans le penser.

— Je peux en prendre une ?

— Une quoi ?

— Une cigarette.

Elles sont si blanches qu'elles paraissent fluorescentes.

— Tu veux une cigarette ?

Jesse éclate de rire.

— Je ne plaisante pas.

Jesse lève un sourcil et braque si brutalement que j'ai l'impression que la Jeep va basculer. Nous nous retrouvons sur le bas-côté de la route dans un nuage de poussière. Jesse allume la lumière à l'intérieur de la voiture et secoue le paquet pour en sortir une cigarette.

Entre mes doigts, elle me fait l'effet de quelque chose de trop fragile, tel un os d'oiseau. Je la tiens comme j'imagine qu'une grande tragédienne le ferait, serrée dans l'étau que forment mon index et mon majeur. Je la porte à mes lèvres.

— Tu dois d'abord l'allumer.

Jesse rit et actionne le Zippo.

Il est hors de question que je me penche au-dessus de la flamme ; je risque de mettre le feu à mes cheveux plutôt qu'à la cigarette.

— Fais-le à ma place, Jesse.

— Non. Si tu veux apprendre, tu dois vraiment apprendre.

J'approche ma cigarette de la flamme, j'aspire fort comme j'ai vu Jesse le faire. Ça me fait exploser la poitrine, et je tousse si fort que pendant une minute j'ai la certitude de sentir mon poumon au fond de ma gorge, rose et spongieux. Jesse, plié de rire, m'enlève la cigarette de la main avant que je ne la lâche. Il prend deux longues bouffées, puis la jette par la fenêtre.

— Joli coup d'essai, dit-il.

— On a l'impression de lécher un barbecue.

Ma voix est rocailleuse. Pendant que je m'efforce de réapprendre à respirer, Jesse reprend la route.

— Qu'est-ce qui t'a donné envie d'essayer ?

Je hausse les épaules.

— J'ai pensé que, tant qu'à faire...

— Si tu as besoin d'une check-list de la dépravation, je peux te la fournir.

Comme je ne réponds pas, il me lance un regard.

— Anna, ce que tu fais n'est pas mal.

À ce stade, nous venons d'entrer dans le parking de l'hôpital.

— Ce n'est pas bien non plus, dis-je.

Il coupe le contact mais ne manifeste aucune intention de sortir de la voiture.

— Tu as pensé au dragon qui garde la caverne ?

Je plisse les yeux.

— Tu peux parler clairement ?

— Je suppose que maman dort à quelques pas de Kate.

Oh, merde ! Je ne crois pas que ma mère me jetterait dehors, mais il est certain qu'elle ne me laissera pas seule avec Kate, et à cet instant, c'est la seule chose que je veuille. Jesse me regarde.

— Voir Kate ne va pas t'aider à te sentir mieux.

C'est vraiment impossible à expliquer, mais j'ai besoin de savoir qu'elle va bien, au moins pour l'instant, même si j'ai fait en sorte que ça ne dure pas.

Pour une fois, alors que je garde le silence, quelqu'un semble me comprendre.

— Laisse-moi m'en charger, dit-il.

Nous avions onze et quatorze ans, et nous nous entraînions pour le livre Guinness des records. À n'en pas douter, jamais deux sœurs n'avaient fait le poirier simultanément en tenant si longtemps que leurs joues étaient devenues aussi dures que des prunes et que leurs yeux ne voyaient rien d'autre que du rouge. Kate avait l'allure d'un lutin, jambes et bras filiformes, et quand elle se penchait jusqu'au sol et lançait les jambes en l'air, elle paraissait aussi délicate qu'une araignée sur un mur. Moi, c'était comme si je défiais la gravité d'un coup.

Nous nous maintenions en équilibre pendant quelques secondes.

— J'aimerais bien que ma tête soit plus plate, ai-je dit en sentant mes sourcils se ratatiner. Tu crois que quelqu'un va venir nous minuter ? Ou est-ce qu'on leur envoie simplement une cassette vidéo ?

— Je pense qu'ils vont nous le faire savoir.

Kate a replié les bras le long du tapis.

— Tu crois que nous serons célèbres ?

— Il est possible qu'on passe à l'émission « Today ». Ils ont montré un garçon de onze ans qui savait jouer du piano avec les pieds.

Elle a réfléchi un instant.

— Maman connaissait quelqu'un qui a été tué par un piano tombé d'une fenêtre.

— Ce n'est pas vrai. Pourquoi est-ce que quelqu'un s'amuserait à pousser un piano par une fenêtre ?

— Si, c'est vrai. Tu n'as qu'à lui demander. Et ils ne sortaient pas le piano par la fenêtre, ils essayaient de le faire entrer.

Elle a croisé les jambes contre le mur, et on croirait qu'elle est juste assise à l'envers.

— À ton avis, quelle est la meilleure façon de mourir ?

— Je n'ai pas envie d'en parler, ai-je répondu.

— Pourquoi ? Je suis en train de mourir. *Tu es en train de mourir*.

Quand j'ai froncé les sourcils, elle a dit :

— Absolument.

Puis elle a ricané.

— Je suis simplement plus douée que toi.

— C'est une conversation stupide.

Déjà, ça me provoquait des démangeaisons dans des endroits que je savais que je n'arriverais jamais à gratter.

— Peut-être un accident d'avion, suggéra Kate. Ce serait affreux, le moment où tu réaliserais que l'avion tombe... et puis ça arrive, et tu es pulvérisée. Je me demande comment il est possible que les gens soient pulvérisés, alors qu'on retrouve des bouts de vêtements dans les arbres, et ces fameuses boîtes noires.

À ce stade, je commençais à avoir sérieusement mal à la tête.

— Tais-toi, Kate.

Elle s'est laissée glisser au bas du mur et s'est assise, le visage tout rouge.

— Et on peut toujours mourir dans son sommeil, mais ce n'est pas drôle.

— Tais-toi, ai-je répété, furieuse que nous n'ayons pas tenu plus de vingt-deux secondes, que nous soyons obligées de tenter de nouveau de battre un record.

Je me suis remise à l'endroit et j'ai essayé de défaire le gros nœud de cheveux que j'avais dans la figure.

— Tu sais, les gens normaux ne passent pas leur temps à penser à la mort.

— Menteuse. Tout le monde pense à la mort.

— Tout le monde pense à *ta* mort, ai-je répliqué.

Un silence si profond a envahi la pièce que je me suis demandé si nous ne devrions pas nous attaquer à un autre record – pendant combien de temps deux sœurs peuvent-elles retenir leur respiration ?

Puis un sourire tremblant lui a traversé le visage.

— Bon, a déclaré Kate. Au moins maintenant tu dis la vérité.

Jesse m'a donné un billet de vingt dollars pour que je rentre en taxi, parce que c'est la seule faille dans son plan : une fois que nous l'aurons exécuté, il ne pourra pas me reconduire à la maison. Nous montons à pied jusqu'au septième étage, au lieu de prendre l'ascenseur, parce que l'escalier débouche derrière le bureau des infirmières, plutôt qu'en face. Puis il me pousse dans un placard à linge rempli d'oreillers en plastique et de draps portant le nom de l'hôpital.

Voyant qu'il s'apprête à me laisser, je proteste :

— Attends. Comment je saurai que c'est le bon moment ?

Il se met à rire.

— Tu le sauras, fais-moi confiance.

Il sort de sa poche une flasque en argent – c'est celle que papa a reçue en cadeau de son chef et qu'il a perdue il y a trois ans –, dévisse le bouchon et asperge sa chemise de whisky. Puis il commence à marcher le long du couloir. Enfin, marcher est un terme très approximatif : Jesse se cogne contre les murs comme une boule de billard et renverse tout un chariot de ménage.

— M'man ! crie-t-il. M'man, où tu es ?

Il n'est pas soûl, mais il joue sacrément bien la comédie. À se demander si toutes les fois que j'ai regardé par la fenêtre de ma chambre au milieu de la nuit et que je l'ai vu vomir dans les rhododendrons, ce n'était pas aussi une mise en scène.

Les infirmières sortent du bureau comme d'une ruche, essayant d'arrêter un garçon deux fois plus jeune qu'elles et trois fois plus fort, qui, à cet instant précis, agrippe la grille supérieure d'un chariot à blanchisserie et la fait tomber avec un fracas si violent que ça résonne dans mes oreilles. Des sonneries d'appel se déclenchent comme un standard téléphonique derrière le poste des infirmières, mais les trois dames de garde de nuit font de leur mieux pour maîtriser Jesse, qui donne des coups de pied et fait des moulinets avec les bras.

La porte de la chambre de Kate s'ouvre et ma mère émerge, les yeux ensommeillés. Elle regarde Jesse, et pendant une seconde son visage se fige lorsqu'elle prend conscience que *le pire est toujours à venir*. Jesse balance la tête dans sa direction, tel un énorme taureau, et ses traits s'adoucissent.

— Salut, m'man, fait-il en lui souriant vaguement.

— Je suis vraiment désolée, dit ma mère aux infirmières.

Elle ferme les yeux quand Jesse se relève en titubant et se jette à son cou.

192

— Il y a du café en bas, à la cafétéria, suggère une des infirmières.

Ma mère est trop gênée pour lui répondre. Elle se contente d'avancer vers les ascenseurs, avec Jesse accroché à elle comme une moule à une coque écailleuse, et elle appuie inlassablement sur les boutons dans l'espoir inutile que les portes s'ouvriront plus vite.

Une fois qu'ils sont partis, c'est presque trop facile. Les infirmières regagnent leur poste en échangeant comme si elles jouaient aux cartes des commentaires à voix basse sur Jesse et ma pauvre mère. Elles ne regardent pas une fois dans ma direction tandis que je parcours le couloir sur la pointe des pieds et que je me glisse dans la chambre de ma sœur.

À Thanksgiving, une année où Kate n'était pas hospitalisée, nous avons fait semblant d'être une famille normale. Nous avons regardé le défilé à la télé et vu un ballon géant, emporté par une soudaine rafale de vent, s'enrouler autour d'un feu rouge à New York. Nous avons préparé nous-mêmes la sauce. Ma mère a apporté le bréchet à table et nous nous sommes bagarrés pour avoir le droit de le briser. C'est à Kate et moi que l'honneur en est revenu. Avant même que je n'aie le temps de l'agripper convenablement, ma mère s'est penchée et m'a murmuré à l'oreille :

— Tu sais quel vœu tu dois faire.

Alors j'ai fermé les yeux et j'ai souhaité très fort une rémission pour Kate, bien que mon intention ait été de demander un lecteur de CD rien qu'à moi, et j'ai éprouvé une satisfaction mesquine à n'avoir pas gagné.

Après le dîner, mon père nous a fait sortir au jardin pour une partie de tirs au but à deux contre deux, pendant que ma mère s'occupait de la vaisselle. Elle nous a rejoints lorsque Jesse et moi avions déjà marqué deux fois.

— Dites-moi que j'hallucine.

Elle n'avait pas besoin d'ajouter quoi que ce soit – nous avions tous vu Kate tomber comme n'importe quel enfant, et saigner de façon incontrôlable comme un enfant malade.

— Oh, Sara !

Mon père a augmenté l'intensité lumineuse de son sourire.

— Kate est dans mon équipe. Je ne te laisserai pas la virer.

Il s'est avancé vers ma mère et l'a embrassée si longtemps, si lentement, que j'ai commencé à avoir les joues en feu, sûre que les voisins verraient. Quand j'ai relevé la tête, les yeux de ma mère étaient d'une couleur que je ne leur avais jamais vue avant et que je ne crois pas avoir revue depuis.

— Fais-moi confiance, a-t-il dit.

Et il a envoyé le ballon à Kate. Je me souviens de la façon dont, ce jour-là, le froid mordait quand on s'asseyait par terre – les prémices de l'hiver. Je me souviens d'avoir été taclée par mon père, qui se mettait toujours en traction sur les avant-bras pour ne pas m'écraser de son poids sans pour autant me priver de sa chaleur. Je me souviens de ma mère, encourageant équitablement les deux équipes.

Et je me rappelle avoir lancé le ballon à Jesse, mais Kate s'est interposée – une expression de totale stupeur sur le visage lorsqu'il a atterri dans le creux de ses bras et que papa lui a crié de foncer vers le but. Elle a piqué un sprint, mais c'est alors que Jesse a bondi sur elle et l'a plaquée au sol, l'écrasant sous lui.

À cet instant, tout s'est arrêté. Kate est restée étendue par terre, comme écartelée, immobile. Mon père est arrivé en un éclair, poussant Jesse.

— Qu'est-ce qui t'a pris, bon Dieu ?

— J'ai oublié !

Ma mère :

— Où as-tu mal ? Tu peux te relever ?

Mais quand Kate s'est retournée, elle souriait.

— Je n'ai mal nulle part. Je me sens super bien.

Mes parents se sont regardés. Aucun des deux ne comprenait – comme moi, comme Jesse – que, qui que vous soyez, il y a toujours une part de vous-même qui souhaite être quelqu'un d'autre, et quand, l'espace d'une seconde, ce vœu se réalise, c'est un miracle.

— Il a oublié, a dit Kate à personne en particulier.

Et elle est restée étendue sur le dos, son visage rayonnant tourné vers le soleil froid et avare.

Les chambres d'hôpital ne sont jamais totalement obscures ; il y a toujours un quelconque panneau lumineux derrière le lit en cas de catastrophe, une bande réfléchissante permettant aux infirmières et aux médecins de trouver leur chemin. J'ai vu Kate une centaine de fois dans des lits semblables à celui-ci, même si les tubulures et les câbles changent. Elle paraît toujours plus petite que dans mon souvenir.

Je m'assois aussi doucement que possible. Les veines du cou et de la poitrine de Kate sont une carte routière, des routes qui ne mènent nulle part. J'imagine que je peux voir ses cellules leucémiques scélérates se propager telle une rumeur dans son organisme.

Quand elle ouvre les yeux, je manque tomber du lit ; c'est un moment tout droit sorti de *L'Exorciste*.

— Anna, dit-elle en me regardant bien en face.

Je ne l'ai pas vue aussi effrayée depuis que nous étions petites et que Jesse nous avait convaincues que le fantôme d'un vieil Indien était revenu pour réclamer les os enterrés par erreur sous notre maison.

Si vous avez une sœur et qu'elle meure, est-ce que vous cessez de dire que vous avez une sœur ? Restez-vous toujours une sœur, même si l'autre moitié de l'équation n'est plus là ?

Je grimpe sur le lit, qui est étroit mais assez grand pour nous deux. Je pose ma tête sur sa poitrine, si près de son cathéter central que je peux voir le liquide s'instiller en elle. Jesse se trompe – je ne suis pas venue voir Kate dans le but de me sentir mieux. Je suis venue parce que, sans elle, j'ai du mal à me rappeler qui je suis.

Jeudi

Toi, si tu étais raisonnable,
Quand je te dis que les étoiles envoient
[des signaux,
Chacun épouvantable,
Tu ne te tournerais pas vers moi pour me
[répondre
« La nuit est admirable. »

D. H. LAWRENCE, *Sous le chêne*

Brian

Nous ne savons jamais, au départ, si nous allons nous trouver en présence d'un brasier ou d'un dégagement de fumée. À 2 h 46 du matin, les lumières se sont allumées à l'étage. Les alarmes se sont déclenchées aussi, mais je ne peux pas dire que je les entende jamais vraiment. En dix secondes, j'étais habillé et je sortais de ma chambre à la caserne. En vingt, je passais ma tenue réglementaire, tirant sur les longues bretelles élastiques et me glissant dans la carapace de ma veste d'intervention. Il ne s'est pas écoulé plus de deux minutes avant que Caesar ne soit déjà dans les rues d'Upper Darby au volant du fourgon, avec le binôme composé de Paulie et Red – chargés respectivement de la tonne et de la prise d'eau – à l'arrière.

Après quoi, au bout d'un certain temps, la conscience est revenue par éclairs : nous avons pensé à vérifier le bon fonctionnement des appareils respiratoires ; nous avons enfilé nos gants, nous avons retransmis les appels nous informant que la maison était sur Hoddington Drive, qu'il s'agissait, semblait-il, d'un incendie, soit de niveau, soit de chambre et de contenu.

— Tourne à gauche ici, ai-je dit à Caesar. Hoddington est à huit rues seulement de chez moi.

La maison ressemblait à la gueule d'un dragon. Caesar en a fait le tour aussi vite qu'il a pu afin de me permettre de la voir sur trois côtés. Puis nous avons tous sauté au bas du fourgon et regardé la scène, quatre David contre un Goliath.

— Établissement d'une grosse lance, ai-je dit à Caesar, qui était aujourd'hui préposé à la moto-pompe.

Une femme en chemise de nuit, trois enfants pendus à sa jupe, a couru vers moi en sanglotant.

— *Mija*, hurlait-elle, le doigt pointé. ¡ *Mija* !

— *¿ Dónde está ?*

Je me suis planté devant elle de façon qu'elle ne puisse voir que mon visage.

— *¿ Cuantos años tiene ?*

Elle a indiqué une fenêtre du premier étage.

— *Tres*, a-t-elle répondu en pleurant.

— Capitaine, a crié Caesar, on est prêts !

J'ai entendu la sirène d'un second camion, qui arrivait avec les renforts.

— Red, mission : créer un exutoire à l'angle nord-est du toit ; Caesar et Paulie, mission : extinction au jet d'attaque et lutte contre les propagations. Il y a une gamine de trois ans au premier. Je vais voir si je peux la récupérer.

Ce n'était pas, comme au cinéma, une de ces scènes qui permettront au héros de gagner son oscar. Si j'entrais là-dedans et que l'escalier était détruit... si le bâtiment menaçait de s'effondrer... si la température atteignait un point où tout devenait combustible et mûr pour un embrasement généralisé, alors j'aurais reculé et donné à mes hommes l'ordre de reculer aussi. La sécurité du sauveteur passe avant celle de la victime.

Toujours.

Je suis un lâche. Parfois, quand ma journée est terminée, il m'arrive de rester pour enrouler la lance ou mettre en route la cafetière pour l'équipe suivante, plutôt que de rentrer directement chez moi. Je me suis souvent demandé comment il se fait que c'est à l'endroit où je suis généralement tiré du lit deux ou trois fois par nuit que je trouve le plus de repos. Je crois que c'est parce que, dans une caserne de pompiers, je n'ai pas à craindre qu'il y ait des urgences – il est normal qu'elles surviennent. Dès l'instant où je franchis la porte de la maison, je m'inquiète de ce qui pourrait encore arriver.

Un jour, quand elle était en deuxième année d'école primaire, Kate a dessiné un pompier avec une auréole au-dessus du casque. Elle a dit à ses camarades de classe que je ne serais pas admis ailleurs qu'au paradis, parce que si j'allais en enfer, j'éteindrais les flammes.

Ce dessin, je l'ai toujours.

Dans un bol, je casse une douzaine d'œufs et je commence à les battre frénétiquement. Le bacon grésille déjà dans la poêle ; la plaque est en train de chauffer pour les pancakes. Les pompiers mangent ensemble, ou du moins c'est ce que nous essayons de faire, mais, en règle générale, il suffit que nous posions une assiette sur la table pour que l'alarme sonne. Ce petit déjeuner sera une récompense pour mes gars, qui chassent encore sous la douche les souvenirs que la nuit dernière leur a laissés sur la peau. Derrière moi, j'entends des pas.

— Prenez une chaise, dis-je par-dessus mon épaule. C'est presque prêt.

— Oh, merci, mais non, répond une voix féminine. Je ne voudrais pas abuser.

Je me retourne, brandissant ma spatule. La présence d'une femme ici est surprenante, et celle-ci est d'autant plus remarquable qu'elle se manifeste à tout juste sept heures du matin. Elle est menue, avec une masse de cheveux indisciplinés qui m'évoque un feu de forêt. Ses mains sont couvertes de bagues en argent étincelantes.

— Capitaine Fitzgerald, je suis Julia Romano, tuteur ad hoc dans l'affaire d'Anna.

Sara m'a parlé d'elle – de cette femme que le juge entendra, le moment venu.

— Ça sent délicieusement bon, dit-elle en souriant.

Elle s'avance vers moi et me prend la spatule des mains.

— Je ne peux pas regarder quelqu'un faire la cuisine sans m'en mêler. C'est une anomalie génétique.

Je la regarde ouvrir le frigo, fourrager à l'intérieur. Elle ne trouve rien de mieux à en sortir qu'un bocal de raifort.

— J'espérais que vous auriez quelques minutes pour me parler.

— Bien sûr.

Du raifort ?

Elle en jette une grosse cuillerée sur les œufs, puis elle trouve des zestes d'orange sur le présentoir à épices, ainsi que du piment, et elle en ajoute aussi.

— Comment va Kate ?

Je verse un rond de pâte à pancakes sur la plaque et je regarde une boursouflure se former. Quand je retourne le pancake, il est d'un brun crémeux et uniforme. J'ai déjà parlé à Sara ce matin. La nuit de Kate a été calme ; pas celle de Sara. Mais ça, c'était à cause de Jesse.

Il y a un moment dans un incendie de bâtiment où vous savez que si vous ne réussissez pas à avoir la haute main sur le feu, c'est lui qui l'aura sur vous.

202

Vous remarquez qu'un morceau du plafond est sur le point de tomber, que l'escalier est dévoré par les flammes et que la moquette synthétique colle à la semelle de vos bottes. La somme des obstacles devient insurmontable et c'est là que vous décidez de battre en retraite, et vous vous forcez à vous rappeler que tout feu finit par s'éteindre, même sans votre aide.

Ces jours-ci, je lutte contre l'incendie sur six fronts. Je regarde devant moi et je vois Kate, malade. Je regarde derrière moi et je vois Anna avec son avocat. Les seuls moments où Jesse ne boit pas comme un trou, il est complètement drogué ; Sara s'accroche à des fétus de paille. Et moi je suis là, avec mon harnachement, en sécurité. Je tiens des dizaines de crochets, de fers et de barres métalliques – autant d'instruments de destruction, alors que ce dont j'ai besoin, c'est de quelque chose qui nous retienne les uns aux autres.

— Capitaine Fitzgerald... *Brian !*

La voix de Julia Romano m'arrache à mes réflexions et me propulse dans une cuisine que la fumée envahit. Elle me bouscule et retire de la plaque le pancake calciné.

— Bon Dieu !

Je jette dans l'évier le disque de charbon qui aurait dû être un pancake, et il me crépite à la figure.

— Je suis désolé.

Comme un sésame, ces trois petits mots changent aussitôt le panorama.

— Heureusement qu'on a les œufs, dit Julia Romano.

Dans une maison en flammes, votre sixième sens se déclenche. Vous ne pouvez pas voir, à cause de la fumée. Vous ne pouvez pas entendre, à cause des rugissements du feu. Vous ne pouvez pas toucher, parce que vous y laisseriez votre peau.

Devant moi, Paulie maniait la lance. Une rangée de pompiers l'assistait : une lance chargée est un gros poids mort. Nous avons monté l'escalier, encore intact, déterminés à repousser le feu par le trou que Red a pratiqué dans le toit. Comme tout ce qui se trouve emprisonné dans un espace confiné, le feu cherche d'instinct à s'échapper.

Je me suis mis à quatre pattes et j'ai commencé à avancer le long du couloir. La mère m'a dit que c'était la troisième porte sur la gauche. De l'autre côté du plafond, le feu avançait, courant vers la ventilation. Lorsque le jet d'eau a atteint les flammes, une vapeur blanche a avalé les autres pompiers.

La porte de la chambre de la petite était ouverte. Je suis entré en criant son nom. Une forme près de la fenêtre m'a attiré comme un aimant, mais elle s'est révélée n'être qu'une grosse peluche. J'ai vérifié les armoires et aussi sous le lit, mais il n'y avait personne.

Je suis ressorti dans le couloir et j'ai failli trébucher sur le tuyau, épais comme un poing. Un être humain peut penser, à la différence d'un feu. Un feu peut suivre un trajet spécifique, un enfant, pas nécessairement. Où irais-je, si j'étais terrorisé ?

Avançant rapidement, j'ai commencé par passer la tête dans toutes les pièces. L'une était rose, une chambre de bébé. Dans une autre, il y avait des petites voitures par terre et des lits superposés. La troisième était en fait un placard. La chambre des parents était à l'autre bout.

Si j'étais un enfant, je voudrais ma mère.

Contrairement aux autres chambres, il s'échappait de celle-ci une fumée épaisse, noire. Le feu avait brûlé un sillon dans le bas de la porte. Je l'ouvris, conscient que j'allais y faire pénétrer de l'air, conscient que c'était la chose à ne pas faire et que je n'avais pas d'autre choix.

Comme il fallait s'y attendre, le feu qui couvait s'est embrasé, les flammes ont rempli l'encadrement de la porte. J'ai foncé comme un taureau, et j'ai senti une pluie de braises s'abattre sur mon casque et ma veste.

J'ai crié son nom.

— Luisa !

J'ai tâtonné autour de la chambre, trouvé le placard. J'ai frappé fort et appelé de nouveau.

Le son était faible, mais indéniablement un coup me répondait.

— Nous avons eu de la chance, dis-je à Julia Romano, qui s'attendait probablement à tout sauf à m'entendre prononcer ces mots-là. La sœur de Sara s'occupe des enfants si l'hospitalisation doit durer un certain temps. Pour les périodes courtes, nous nous relayons – vous voyez, Sara reste une nuit à l'hôpital avec Kate, et moi je rentre à la maison pour être avec les autres enfants, ou vice versa. C'est plus facile maintenant. Ils sont assez grands pour s'occuper d'eux-mêmes.

Quand je dis cela, elle écrit quelque chose dans son petit carnet, et, gêné, je me tortille sur ma chaise. Anna a treize ans seulement – est-ce qu'elle est trop jeune pour rester seule dans une maison ? Les services sociaux pourraient le décréter, mais Anna est différente. Il y a des années qu'Anna a grandi.

— Vous pensez qu'Anna va bien ? demande Julia.

— Si elle allait bien, je ne pense pas qu'elle aurait intenté une action en justice.

J'hésite.

— Sara dit qu'elle a besoin d'attirer l'attention.

— Et vous, qu'en pensez-vous ?

Pour me donner du temps, je prends une bouchée d'œufs. Le raifort, finalement, s'est révélé étonnamment bon. Il exalte le goût de l'orange. Je le fais remarquer à Julia Romano.

Elle plie sa serviette à côté de son assiette.

— Vous n'avez pas répondu à ma question.

— Je ne crois pas que ce soit si simple.

Avec le plus grand soin, je pose mes couverts.

— Vous avez des frères ou des sœurs ?

— Les deux. Six frères plus âgés que moi et une sœur jumelle.

Je siffle.

— Vos parents doivent avoir une sacrée dose de patience.

Elle hausse les épaules.

— De bons catholiques. Et je ne sais pas comment ils se sont débrouillés, mais aucun de nous n'a été négligé.

— Avez-vous toujours eu ce sentiment ? N'avez-vous jamais eu l'impression, quand vous étiez enfant, qu'ils faisaient parfois du favoritisme ?

Ses traits se tendent, rien qu'un tout petit peu, et je m'en veux de la mettre sur la sellette.

— Nous savons tous que nous devons aimer nos enfants équitablement, mais ce n'est pas toujours comme ça que ça marche.

Je me mets debout.

— Vous avez encore un peu de temps ? Il y a quelqu'un que j'aimerais vous présenter.

L'hiver dernier, nous avons été appelés en pleine tempête de neige pour porter secours à un homme qui vivait au bout d'une route de campagne. L'entreprise qu'il avait chargée de déblayer le chemin l'a trouvé et a téléphoné au 911 ; apparemment, le type était sorti de sa voiture la nuit précédente, avait glissé et avait gelé sur le gravier. Le gars de l'entreprise avait failli l'écraser, pensant que c'était une congère.

Quand nous sommes arrivés, il avait passé près de huit heures dehors et n'était plus qu'un glaçon, avec un pouls imperceptible. Ses genoux étaient pliés, je me souviens, parce que, quand nous avons finalement réussi à le soulever et à le mettre sur un brancard, ils étaient là, pointés vers le ciel. Nous avons mis le chauffage à fond dans l'ambulance, nous l'avons installé et nous avons commencé à couper ses vêtements. Le temps que tous les papiers soient remplis pour le transport à l'hôpital, le type était assis et nous parlait.

Je vous raconte ça pour vous montrer qu'en dépit de ce que vous pouvez penser les miracles arrivent.

C'est un cliché, mais si je suis devenu pompier, au départ, c'est parce que je voulais sauver des gens. Alors au moment où j'ai émergé de la fournaise avec Luisa dans les bras, au moment où sa mère nous a vus et est tombée à genoux, j'ai su que j'avais fait mon boulot, et que je l'avais bien fait. Elle a fondu sur l'ambulancier de la seconde équipe qui venait de placer un cathéter dans le bras de la fillette et de la mettre sous oxygène. La petite toussait, effrayée, mais elle allait s'en sortir.

Le feu était tout sauf éteint ; les hommes se trouvaient à l'intérieur, occupés au déblai. La fumée avait posé un voile sur le ciel nocturne ; je ne parvenais pas à distinguer une seule étoile de la constellation du Scorpion. J'ai retiré mes gants et me suis passé les mains sur les yeux, qui allaient brûler pendant des heures.

— Bon travail, ai-je dit à Red, qui fermait, démontait et roulait la lance.

— Bon sauvetage, capitaine.

Il aurait mieux valu, bien sûr, que Luisa soit restée dans sa chambre, comme sa mère le croyait. Mais les enfants ne restent pas à leur place. Vous vous retournez, et ce n'est pas dans la chambre que vous la trouvez, mais cachée dans un placard ; vous vous retournez encore, et elle n'a plus trois ans, mais treize. La fonction de parent se résume à suivre nos enfants à la trace, à espérer qu'ils ne soient pas si loin devant nous que nous ne puissions plus voir dans quelle direction ils vont aller.

J'ai ôté mon casque et étiré les muscles de mon cou. J'ai contemplé la structure qui, voilà peu, était encore une maison. Soudain, j'ai senti des doigts s'enrouler autour de ma main. La femme qui habitait là me faisait face, des larmes dans les yeux. Son plus jeune enfant était encore dans ses bras, les autres étaient assis dans le fourgon sous la surveillance de Red. Sans dire un mot, elle a porté mes doigts à ses lèvres. La suie que transportait ma veste lui a laissé une traînée sur la joue.

— Je vous en prie, ai-je dit.

Sur le chemin du retour vers la caserne, j'ai demandé à Caesar de prendre le trajet le plus long, afin que nous passions par la rue où je vis. La Jeep de Jesse stationnait dans l'allée ; toutes les lumières dans la maison étaient éteintes. J'ai imaginé Anna, avec les couvertures relevées jusqu'au menton, comme d'habitude, le lit de Kate vide.

— C'est bon, capitaine ? a demandé Caesar.

Le camion avançait au ralenti, s'est presque arrêté devant ma maison.

— Ouais, c'est bon. Allez, on rentre.

Je suis devenu pompier parce que je voulais sauver des gens. Mais j'aurais dû être plus précis. J'aurais dû citer des noms.

Julia

La voiture de Brian Fitzgerald est remplie d'étoiles. Des plans encombrent le siège du passager et des cartes débordent de la boîte à gants ; la banquette arrière est tapissée de photocopies de nébuleuses et de planètes.

— Désolé, dit-il en rougissant. Je ne pensais pas avoir de la compagnie.

Je l'aide à dégager une place pour moi et, ce faisant, je ramasse une carte constituée de piqûres d'épingles.

— Qu'est-ce que c'est ?

— Un atlas du ciel.

Il hausse les épaules.

— C'est un genre de hobby.

— Une nuit, quand j'étais petite, j'ai essayé d'attribuer à chaque étoile le nom d'un des membres de ma famille. Ce qui est affolant, c'est que je n'étais pas à court de noms quand je me suis endormie.

Je secoue la tête et une douleur fulgurante me rappelle ma gueule de bois latente.

— Anna porte le nom d'une galaxie, dit Brian.

— C'est beaucoup plus sympa que de recevoir le nom d'un saint patron. Un jour, j'ai demandé à ma mère pourquoi les étoiles brillent. Elle m'a répondu que c'étaient des veilleuses, destinées à aider les anges à trouver leur chemin au paradis. Mais quand j'ai posé la question à mon père, il a commencé à me parler de gaz et j'ai tout mélangé, je me suis mis dans la tête que la nourriture que servait Dieu provoquait de fréquentes visites aux toilettes au milieu de la nuit.

Brian éclate de rire.

— Et dire que j'essayais d'expliquer la fusion atomique à mes enfants.

— Et ça a donné des résultats ?

Il réfléchit un moment.

— Ils pourraient probablement trouver la Grande Ourse les yeux fermés.

— C'est impressionnant. Pour moi, les étoiles se ressemblent toutes.

— Ce n'est pas compliqué. Vous repérez un bout de constellation, comme la ceinture d'Orion, et il est soudain beaucoup plus facile de trouver Rigel dans son pied et Betelgeuse dans son épaule.

Il hésite.

— Mais quatre-vingt-dix pour cent de l'univers sont constitués de choses qu'on ne peut même pas voir.

— Comment savez-vous qu'elles sont là ?

Il ralentit pour s'arrêter à un feu rouge.

— Le trou noir exerce un effet gravitationnel sur d'autres objets. Vous ne pouvez pas le discerner, vous ne pouvez pas le percevoir, mais vous pouvez observer quelque chose qui est attiré vers lui.

Dix secondes après le départ de Campbell la nuit dernière, Izzy est entrée dans le salon, où j'étais au bord d'une de ces bonnes grosses crises de larmes que toute femme devrait s'accorder au moins une fois dans son cycle lunaire.

— Ouais, a-t-elle dit sèchement. Je vois que c'est en effet une relation strictement professionnelle.

Je lui ai lancé un regard mauvais.

— Tu écoutais aux portes ?

— Je n'y peux rien si ton tête-à-tête avec ton Roméo a filtré à travers une cloison trop mince.

— Si tu as quelque chose à dire, dis-le.

— Moi ?

Izzy a froncé les sourcils.

— Oh, ce ne sont pas mes oignons.

— Absolument.

— D'accord. Alors je garde mes opinions pour moi.

J'ai levé les yeux au ciel.

— Vas-y, Isobel. Exprime-toi.

— Je pensais que tu n'allais jamais me le demander.

Elle s'est assise à côté de moi sur le canapé.

— Tu sais, Julia, la première fois qu'un insecte voit une belle lumière violette, il pense que c'est Dieu. La seconde, il court en direction opposée.

— Premièrement, ne me compare pas à un moustique. Deuxièmement, il volerait en direction opposée, il ne courrait pas. Troisièmement, il n'y a pas de seconde fois. L'insecte est mort.

Izzy m'a adressé un sourire sarcastique.

— Tu es une *si* brillante avocate.

— Je ne compte pas laisser Campbell m'écraser.

— Alors demande ta mutation.

— Ce n'est pas la marine.

J'ai serré un des coussins du canapé.

— Et je ne peux pas le faire, plus maintenant. Ça lui donnerait l'impression que je suis trop faible pour séparer ma vie professionnelle d'un stupide, ridicule... incident remontant à l'adolescence.

— Tu ne *peux* pas.

Izzy a secoué la tête.

— Campbell est un crétin égocentrique qui va te mastiquer et te recracher, et tu as la fâcheuse habitude de tomber amoureuse de connards que tu devrais fuir en poussant des hauts cris, et je n'ai pas envie de rester là à t'écouter te persuader toi-même que tu n'éprouves plus de sentiments pour ce type alors que tu as passé les quinze dernières années à essayer de combler le vide qu'il a laissé en toi.

Je l'ai regardée.

— Ouah !

Elle a haussé les épaules.

— Finalement, je crois que j'avais bien besoin de dire ce que j'avais sur le cœur.

— Tu détestes *tous* les hommes, ou juste Campbell ?

Izzy a paru réfléchir un moment avant d'admettre :

— Juste Campbell.

Ce que je voulais, à cet instant, c'était être seule dans mon salon, afin de pouvoir jeter des choses, comme la télécommande, ou le vase en verre, ou de préférence ma sœur. Mais je ne pouvais pas exiger qu'elle s'en aille d'un appartement où elle venait à peine de s'installer. Je me suis levée et j'ai attrapé mes clés sur la console.

— Je sors, lui ai-je annoncé. Ne m'attends pas.

Je ne suis pas trop du genre fêtarde, ce qui explique pourquoi je n'avais pas fréquenté le Shakespeare's Cat jusqu'ici, alors qu'il se situe à quatre rues seulement de mon immeuble. Le bar était obscur et bondé, et il y flottait une odeur de patchouli et de clou de girofle. Je me suis frayé un passage, j'ai grimpé sur un tabouret et j'ai souri à l'homme assis à côté de moi.

J'étais d'humeur à me faire peloter au dernier rang d'une salle de cinéma par quelqu'un qui ne connaissait pas mon prénom. Je voulais que trois mecs se disputent l'honneur de me payer un verre.

Je voulais montrer à Campbell Alexander ce qu'il avait manqué.

L'homme à côté de moi avait les yeux azur, une queue-de-cheval noire et un sourire à la Cary Grant. Il m'a fait un signe de tête poli, s'est détourné et s'est mis à embrasser à pleine bouche un monsieur aux cheveux blancs. J'ai regardé autour de moi et j'ai vu ce qui m'avait échappé en entrant : le bar était rempli d'hommes seuls, mais qui dansaient, flirtaient, se draguaient entre eux.

— Qu'est-ce que je vous sers ?

Le barman avait une crête couleur fuchsia et un anneau taurin lui traversait le nez.

— C'est un bar gay ?

— Non, c'est le mess des officiers à West Point. Vous voulez boire quelque chose ou non ?

J'ai indiqué la bouteille de tequila derrière lui, et il a attrapé un verre doseur. J'ai ouvert mon sac et tiré un billet de cinquante dollars.

— La bouteille tout entière.

J'ai froncé les sourcils.

— Je parie que Shakespeare n'avait même pas de chat.

— Qui a pissé dans votre café ? a demandé le barman.

Je l'ai dévisagé en plissant les yeux.

— Vous n'êtes pas gay.

— Bien sûr que je le suis.

— D'expérience, je peux vous affirmer que si vous étiez gay, je vous trouverais probablement attirant. Et, en fait...

J'ai regardé le couple à côté de moi, puis de nouveau le barman, en haussant les épaules. Il a pâli, puis il m'a rendu mon billet de cinquante. Je l'ai remis dans mon portefeuille.

— Qui a dit qu'on ne peut pas acheter des amis, ai-je murmuré.

Trois heures plus tard, j'étais la seule personne qui restait, sauf si vous comptez Seven, car c'est ainsi que s'appelle le barman depuis qu'il s'est rebaptisé en août dernier, après avoir décidé d'en finir avec tout ce que pouvait véhiculer le prénom de Neil. En dehors du chiffre sept, Seven n'a aucune signification particulière, et c'est justement ce qu'il voulait.

— Peut-être que je devrais m'appeler Six, ai-je suggéré quand la bouteille de tequila touchait à sa fin, et vous pourriez être Neuf.

Seven finissait d'empiler des verres propres.

— C'est terminé. Vous n'aurez plus une goutte.

— Il m'appelait « trésor », ai-je dit.

Ça a suffi à me faire fondre en larmes.

Une pierre précieuse n'est rien d'autre qu'un caillou qui a été soumis à une température et une pression considérables. Il se cache toujours des trésors extraordinaires à des endroits où personne ne songerait à les chercher.

Mais Campbell avait cherché. Et puis il m'avait quittée, me faisant comprendre que ce qu'il avait vu ne méritait ni le temps ni l'effort.

— À une époque, j'avais les cheveux roses.

— À une époque, j'avais un vrai boulot, a rétorqué Seven.

— Qu'est-ce qui s'est passé ?

Il a haussé les épaules.

— Je me suis teint les cheveux en rose. Et vous ?

— J'ai laissé pousser les miens.

Seven a essuyé les gouttes que j'avais renversées sans m'en rendre compte.

— On n'est jamais content de ce que l'on a, a-t-il dit.

Anna est assise toute seule à la table de la cuisine, devant un bol de Golden Grahams. Elle ouvre de grands yeux, surprise de me voir avec son père, mais elle ne manifeste aucune autre réaction.

— Incendie la nuit dernière ? demande-t-elle en reniflant.

— Un gros.

Brian traverse la cuisine et serre sa fille contre lui.

— Je pensais emmener Julia à l'hôpital. Tu veux venir ?

Elle baisse les yeux vers son bol.

— Je ne sais pas.

— Oh, dit Brian en lui soulevant le menton. Personne ne va t'empêcher de voir Kate.

— Personne non plus ne va être particulièrement ravi de me voir.

Le téléphone sonne, et il décroche. Il écoute un moment, puis sourit.

— C'est super. C'est vraiment super. Oui, bien sûr, je vais venir.

Il tend le téléphone à Anna.

— Maman veut te parler, dit-il avant de s'excuser pour aller se changer.

Anna hésite, saisit le combiné. Elle fait le dos rond, se crée un petit espace d'intimité.

— Allô ?

Et puis, tout doucement :

— C'est vrai ? Elle l'a vraiment dit ?

Quelques instants plus tard, elle raccroche. Elle s'assied et prend une autre cuillerée de céréales, repousse son bol.

M'asseyant en face d'elle, je demande :

— C'était ta maman ?

— Ouais. Kate est réveillée, dit Anna.

— C'est une bonne nouvelle.

— Je suppose.

Je mets mes coudes sur la table.

— Pourquoi ne serait-ce *pas* une bonne nouvelle ?

Mais Anna ne répond pas à ma question.

— Elle a demandé où j'étais.

— Ta mère ?

— Kate.

— Est-ce que tu lui as parlé de ton action en justice, Anna ?

M'ignorant, elle s'empare de la boîte de céréales et entreprend de rouler le plastique qui est à l'intérieur.

— C'est éventé, observe-t-elle. Personne ne se donne jamais la peine de chasser l'air ou de refermer la boîte correctement.

— Est-ce que *quelqu'un* a mis Kate au courant de la situation ?

Anna appuie sur le dessus du carton pour tenter d'insérer la languette dans l'encoche, sans succès...

— Je n'aime même pas les Golden Grahams.

Lorsqu'elle fait une nouvelle tentative, la boîte lui échappe des mains et son contenu se répand sur le sol.

— Merde !

Elle se met par terre sous la table et essaie tant bien que mal de ramasser les céréales.

Je m'assieds sur le sol avec Anna et je la regarde jeter des poignées de céréales dans la poubelle. Elle s'obstine à ne pas me regarder.

— On pourra toujours en acheter d'autres pour Kate avant qu'elle rentre à la maison, dis-je doucement.

Anna s'arrête et lève les yeux. Sans le voile de ce secret, elle paraît beaucoup plus jeune.

— Julia ? Et si elle me déteste ?

Je ramène une mèche des cheveux d'Anna derrière son oreille.

— Et si ce n'est pas le cas ?

— Le problème, a conclu Seven hier soir, c'est qu'on ne tombe jamais amoureux des personnes qu'il faudrait.

Je lui ai lancé un regard, suffisamment intriguée pour faire l'effort de décoller mon visage de l'endroit du bar où je l'ai posé.

— Ce n'est pas juste moi ?

— Sûrement pas !

Il rangeait une pile de verres propres.

— Réfléchissez : Roméo et Juliette ont défié le système, et regardez où ça les a menés. Superman était amoureux de Lois Lane, alors qu'il aurait formé un bien meilleur couple avec Wonder Woman. Sans parler de Charlie Brown et de la petite fille aux cheveux roux.

— Et vous, alors ?

Il a haussé les épaules.

— C'est comme je vous ai dit, ça arrive à tout le monde.

Appuyant ses coudes sur le bar, il s'est penché si près que je pouvais distinguer les racines foncées sous ses cheveux couleur magenta.

— Pour moi, c'était Linden.

— Moi aussi je romprais avec quelqu'un qui porte un nom d'arbre, ai-je dit, compatissante. Sans compter que le tilleul me donne des allergies. Garçon ou fille ?

Il a ricané.

— Je ne le dirai jamais.

— Alors, qu'est-ce qui ne vous convenait pas chez elle ?

Seven a soupiré.

— Eh bien, elle...

— Ha ! Vous avez dit elle !

Il a levé les yeux au ciel.

— Oui, détective Julia. Vous m'avez démasqué dans ce temple gay. Contente ?

— Pas particulièrement.

— J'ai renvoyé Linden en Nouvelle-Zélande quand sa carte verte est arrivée à échéance. C'était ça ou le mariage.

— Qu'est-ce qui n'allait pas ?

— Absolument rien, a avoué Seven. Elle faisait le ménage comme une malade, ne me laissait jamais laver une assiette ; elle écoutait tout ce que j'avais à dire, elle était un ouragan au lit. Elle était folle de moi, et même si ça peut vous paraître incroyable, j'étais l'homme qu'il lui fallait. C'était parfait à quatre-vingt-dix-huit pour cent.

— Et les deux pour cent restants ?

— Allez savoir.

Il a commencé à empiler les verres à l'autre bout du bar.

— Il manquait quelque chose. Je serais incapable de vous dire ce que c'était, si vous me posiez la question, mais ça ne collait pas. Et si vous considérez la relation comme une entité vivante, deux pour cent en moins, d'un ongle par exemple, c'est une chose. Mais lorsqu'il s'agit du cœur, c'est une tout autre affaire.

Il s'est tourné vers moi.

— Je n'ai pas pleuré quand elle est montée dans l'avion. Elle a vécu quatre ans avec moi, et quand elle est partie, je n'ai rien ressenti.

— Moi, j'ai eu le problème inverse. Je possédais le cœur de la relation, mais pas le corps où il pouvait s'épanouir.

— Qu'est-ce qui s'est passé ?

— Forcément, ça a cassé.

L'ironie est que Campbell s'est senti attiré par moi parce que j'étais différente de tous les autres élèves de Wheeler, et qu'il m'a attirée parce que je voulais désespérément établir des liens avec quelqu'un. Nous suscitions des commentaires, je le savais, et des regards appuyés de la part de ses amis qui cherchaient à comprendre pourquoi Campbell perdait son temps avec une fille comme moi. Sans doute pensaient-ils que je couchais facilement.

Mais nous ne faisions pas cela. Nous nous rencontrions au cimetière après les cours. Parfois, nous nous adressions l'un à l'autre sur le mode de la poésie. Un jour, nous avons essayé d'entretenir toute une conversation sans la lettre « s ». Nous nous asseyions dos à dos, chacun tentant de deviner les pensées de l'autre – en simulant la clairvoyance, alors qu'il était évident que son esprit était totalement occupé par moi, et le mien par lui.

J'adorais sentir son odeur lorsqu'il penchait la tête pour écouter ce que je disais – semblable à celle d'une tomate caressée par le soleil ou d'un savon séchant sur le capot d'une voiture. J'adorais le contact de sa main sur ma colonne vertébrale. J'adorais.

— Et si, ai-je suggéré une nuit en prenant mon souffle sur le bord de ses lèvres, on le faisait ?

Il était étendu sur le dos, observant la lune qui se balançait sur un hamac d'étoiles. Une main était rejetée au-dessus de sa tête, l'autre m'ancrait à sa poitrine.

— Faisait quoi ?

Je n'ai pas répondu, je me suis juste hissée sur un coude et je l'ai embrassé si fougueusement que le sol a cédé.

— Oh ! a dit Campbell, la voix rauque. Ça.

— Tu l'as déjà fait ?

Il s'est contenté de sourire. Je me suis dit qu'il avait probablement baisé Muffy ou Buffy ou Puffy, ou toutes les trois, dans l'abri des joueurs du terrain de base-ball de Wheeler, ou après une fête chez l'une ou l'autre, alors qu'ils exhalaient tous deux des relents de bourbon. Je me demandais pourquoi, dans ces conditions, il n'avait pas essayé de coucher avec moi. J'ai mis ça sur le compte du fait que je n'étais ni Muffy ni Buffy ni Puffy, mais juste Julia Romano, et que ce n'était pas assez bon pour lui.

— Tu ne veux pas ?

C'était l'un de ces moments où je savais que nous ne tenions pas la conversation que nous aurions dû tenir. Et comme je ne savais pas vraiment quoi dire, n'ayant jamais encore sauté ce pas qui sépare la pensée de l'acte, j'ai pressé la main contre la grosse protubérance dans son pantalon. Il s'est écarté vivement.

— Trésor, a-t-il dit, je ne veux pas que tu croies que c'est pour ça que je suis là.

Laissez-moi vous dire ceci : quand vous rencontrez une personne solitaire, ce n'est pas, quoi qu'elle vous raconte, par goût de la solitude. C'est que, ayant tenté de s'intégrer au monde, le monde continue à la décevoir.

— Alors pourquoi es-tu là ?

— Parce que tu connais toutes les paroles d'*American Pie*, a répondu Campbell. Parce que, quand tu souris, j'arrive presque à voir cette dent tordue que tu as sur le côté.

Il m'a regardée avec insistance.

— Parce que tu ne ressembles à aucune autre des personnes que j'ai rencontrées.

— Tu m'aimes ? ai-je murmuré.

— Ce n'est pas ce que je viens de dire ?

Cette fois, quand j'ai tendu la main vers les boutons de son jean, il ne s'est pas dérobé. Dans la paume de ma main, sa chaleur était telle que j'ai cru qu'il me laisserait une marque. Contrairement à moi, il savait quoi faire. Il m'a embrassée, il a glissé, a poussé, et m'a ouverte tout grand. Puis il s'est immobilisé.

— Tu ne m'as pas dit que tu étais vierge.

— Tu n'as pas demandé.

Mais il avait présumé. Il a frissonné et commencé à remuer à l'intérieur de moi, toute une symphonie de mouvements et de promesses. J'ai tendu les bras pour agripper la pierre tombale derrière moi, des mots que je pouvais voir dans ma tête. NORA DEANE 1832-1838.

— Trésor, a-t-il murmuré quand ce fut terminé. Je pensais...

— Je sais ce que tu pensais.

Je me demandais ce qui arrivait quand vous vous offriez à quelqu'un et qu'après vous avoir ouverte ce quelqu'un découvrait que vous n'étiez pas le cadeau espéré, et qu'il fallait quand même sourire et hocher la tête et dire merci.

Je tiens Campbell pour responsable de ma malchance en matière de relations affectives. C'est embarrassant à admettre, mais je n'ai fait l'amour qu'avec trois autres hommes et demi, et aucun n'a constitué un grand progrès par rapport à ma première expérience.

— Laissez-moi deviner, a dit Seven la nuit dernière. Le premier était une revanche. Le deuxième était marié.

— Comment vous le savez ?

Il a ri.

— Parce que vous êtes un vrai cliché.

J'ai agité mon Martini avec le petit doigt. C'était une illusion d'optique, le doigt paraissait coupé et tordu.

— Le troisième était du Club Med, un moniteur de planche à voile.

— Là ça devait valoir le coup, a remarqué Seven.

— Il était absolument superbe. Et il avait le sexe de la taille d'une saucisse cocktail.

— Aïe !

— En fait, on ne pouvait même pas le sentir.

Seven a rigolé.

— J'ai pensé que c'était peut-être lui, le demi.

Je suis devenue rouge pivoine.

— Non, c'était un autre mec. Je ne connais pas son nom. Je me suis, disons, réveillée avec lui couché sur moi, après une nuit comme celle-ci.

— Vous, a décrété Seven, vous êtes une catastrophe ferroviaire en matière de vie sexuelle.

Mais ça, c'est inexact. Un train qui déraille est un accident. Moi, je me jette sur la voie. Je vais même jusqu'à me ligoter sur les rails devant la locomotive emballée. Il y a en moi un côté illogique qui continue à croire que si vous voulez que Superman apparaisse, il faut d'abord qu'il y ait quelqu'un qui vaille la peine d'être sauvé.

Kate Fitzgerald est un fantôme en instance. Sa peau est diaphane, ses cheveux sont d'un blond si pâle qu'ils se fondent dans la taie d'oreiller.

— Comment tu vas, ma puce ? murmure Brian en se penchant pour l'embrasser sur le front.

— Je pense qu'il va peut-être me falloir renoncer aux championnats du monde d'athlétisme, plaisante Kate.

Devant moi, Anna trépigne à la porte de la chambre ; Sara tend la main. C'est tout l'encouragement dont Anna a besoin pour grimper sur le lit de Kate, et dans ma tête je note ce petit geste d'une mère à son enfant. Sara me remarque alors sur le seuil de la porte.

— Brian, dit-elle, qu'est-ce qu'elle fait là ?

Je voudrais que Brian explique, mais il ne paraît pas enclin à prononcer un mot. Alors je plaque un sourire sur mon visage et je fais un pas en avant.

— J'ai appris que Kate se sentait mieux aujourd'hui, alors j'ai pensé que ce serait un bon moment pour lui parler.

Kate se dresse sur ses coudes.

— Qui êtes-vous ?

Je m'attends que Sara s'interpose, mais c'est Anna qui prend la parole.

— Je ne crois pas que ce soit une très bonne idée, dit-elle alors qu'elle sait bien que c'est précisément la raison de ma présence ici. Je veux dire, Kate est encore très malade.

Il me faut un moment avant de comprendre : dans la vie d'Anna, toute personne qui parle à Kate se retrouve forcément dans son camp. Elle veut à tout prix m'empêcher de faire défection.

— Vous savez, Anna a raison, se hâte d'ajouter Sara. Kate commence à peine à se remettre.

Je pose la main sur l'épaule d'Anna.

— Ne t'inquiète pas.

Puis je me tourne vers sa mère.

— J'avais cru comprendre que vous souhaitiez cette entrevue...

Sara me coupe la parole.

— Mademoiselle Romano, pourrais-je vous dire un mot dehors ?

Nous sortons dans le couloir, et Sara attend qu'une infirmière s'éloigne avec un plateau en plastique contenant des aiguilles.

— Je sais ce que vous pensez de moi, dit-elle.

— Madame Fitzgerald...

Elle secoue la tête.

— Vous défendez Anna, et vous avez raison. J'ai exercé le droit, autrefois, et je sais ce qu'il en est. C'est votre boulot et, dans ce cadre, vous devez réussir à comprendre ce qui fait de nous ce que nous sommes.

Elle se frotte le front avec le poing.

— *Mon* boulot est de prendre soin de mes filles. L'une est extrêmement malade, et l'autre extrêmement malheureuse. Et je n'ai peut-être pas encore tout bien saisi, mais... j'ai la conviction que Kate ne guérira pas plus vite si elle apprend qu'Anna a intenté une action en justice pour empêcher toute nouvelle transplantation. Alors je vous demande de ne pas le lui dire. S'il vous plaît.

Je hoche lentement la tête et Sara tourne les talons pour regagner la chambre de Kate. Une main sur la poignée de la porte, elle hésite.

— Je les aime toutes les deux, dit-elle.

Et c'est une équation que je suis censée être capable de résoudre.

J'ai dit à Seven le barman que l'amour était criminel.

— Pas si vous avez plus de dix-huit ans, a-t-il répondu en fermant le tiroir de la caisse enregistreuse.

À ce stade, le bar est devenu un appendice, un second torse sur lequel mon premier prend appui.

— Vous *coupez* le souffle d'une personne, lui fais-je remarquer. Vous l'*étouffez* de baisers.

J'ai incliné vers lui le goulot de la bouteille vide.

— Vous lui *crevez* le cœur.

Il a essuyé le comptoir devant moi avec un torchon.

— Aucun juge n'accepterait une affaire pareille. Le plaignant serait débouté.

— Vous seriez surpris.

Seven a mis le chiffon à sécher sur la barre en laiton.

— Si vous voulez mon avis, c'est tout juste un délit.

J'ai posé la tête sur le bois frais et humide.

— Impossible, ai-je dit. Quand vous êtes dedans, c'est pour la vie.

Brian et Sara sont descendus avec Anna à la cafétéria. Je me retrouve seule avec Kate, qui est éminemment curieuse. J'imagine qu'elle peut compter sur les doigts des deux mains le nombre de fois où sa mère a accepté de bonne grâce de s'éloigner d'elle. Je lui explique que j'aide sa famille à prendre certaines décisions relatives à sa santé.

— Comité d'éthique ? devine Kate. Ou alors vous faites partie du service juridique de l'hôpital ? Vous ressemblez à une avocate.

— À quoi ressemble une avocate ?

— Un peu à un médecin qui ne veut pas vous donner le résultat de vos analyses.

J'approche une chaise.

— En tout cas, je suis contente de savoir que vous allez mieux aujourd'hui.

— Ouais. Apparemment, hier, j'étais plutôt dans le potage, dit Kate. Tellement droguée que, comparés à moi, Ozzy et Sharon Osbourne auraient pu passer pour des enfants de chœur.

— Savez-vous où vous en êtes sur le plan médical à l'heure actuelle ?

Kate fait oui de la tête.

— Après la greffe de moelle osseuse, j'ai eu ce qu'on appelle la maladie du greffon contre l'hôte, ce qui n'est pas une mauvaise chose, parce qu'elle envoie un méchant coup à la leucémie, mais elle provoque aussi des réactions bizarres de la peau et de différents organes. Les médecins m'ont donné des stéroïdes et de la cyclosporine pour en venir à bout, et ça a fonctionné mais ça a également eu pour résultat de me bousiller les reins, et c'est ce qui a provoqué l'urgence du mois. En gros, voici comment ça marche : vous réparez une fuite dans la tuyauterie, juste à temps pour en voir une autre se déclencher. Il y a toujours quelque chose qui tombe en panne, chez moi.

Elle raconte cela de façon très factuelle, comme si je lui avais posé des questions sur le temps ou sur le menu que propose l'hôpital. Je pourrais lui demander si elle a parlé aux néphrologues de greffe de rein, quels sentiments lui inspirent tous ces traitements douloureux. Mais c'est exactement ce à quoi Kate s'attend, et c'est sans doute pour cela que la question qui me vient à la bouche est d'un tout autre ordre.

— Que voulez-vous faire à l'âge adulte ?

— Personne ne me pose jamais cette question.

Elle me dévisage attentivement.

— Qu'est-ce qui vous fait croire que je vais l'atteindre ?

— Qu'est-ce qui vous fait croire que vous ne l'atteindrez pas ? N'est-ce pas dans ce but que vous subissez tout cela ?

Au moment même où je commence à penser qu'elle ne va pas me répondre, elle prend la parole.

— J'ai toujours voulu être danseuse de ballet.

Elle lève les bras, esquisse une faible arabesque.

— Vous savez ce qu'elles ont, les danseuses de ballet ?

Des troubles du comportement alimentaire.

— Le contrôle absolu. S'agissant de leur corps, elles savent exactement ce qui va arriver, et à quel moment.

Kate hausse les épaules, revenant à la réalité du moment, à cette chambre d'hôpital.

— Mais bon... dit-elle.

— Parlez-moi de votre frère.

Kate se met à rire.

— Vous n'avez pas encore eu le plaisir de le rencontrer, j'imagine.

— Pas encore.

— Vous pouvez vous faire une opinion de Jesse dans les trente secondes. Il se fourre souvent dans des mauvais plans.

— Vous voulez dire drogue, alcool ?

— Et ça ne s'arrête pas là, dit Kate.

— C'est dur à gérer pour votre famille ?

— Ben, ouais. Mais je ne pense pas vraiment qu'il le fasse exprès. C'est sa façon de se faire remarquer, vous comprenez ? Je veux dire, imaginez ce que ce serait si vous étiez un écureuil vivant dans la cage de l'éléphant, au zoo. Est-ce qu'il y a jamais quelqu'un qui vienne et qui dise : « Hé, tu as vu cet

228

écureuil ? » ? Non, parce qu'il y a quelque chose de beaucoup plus gros qui se voit en premier.

Kate laisse courir ses doigts le long des tubulures qui sortent de sa poitrine.

— Parfois, c'est du vol à l'étalage et parfois c'est se soûler. L'an dernier, c'était une fausse alerte à l'anthrax. Voilà le genre de choses que fait Jesse.

— Et Anna ?

Kate se met à faire des plis dans la couverture sur ses genoux.

— Une année, chaque fois qu'il y avait une fête, je veux dire même à Memorial Day, j'étais à l'hôpital. Ce n'était jamais prévu, mais c'est toujours ce qui arrivait. Nous avions un arbre dans ma chambre à Noël, et une chasse aux œufs de Pâques à la cafétéria, et à Halloween, nous passions réclamer des bonbons dans le service de chirurgie orthopédique. Anna avait à peu près six ans, et elle a fait une énorme scène parce qu'elle n'avait pas le droit d'apporter des cierges magiques à l'hôpital le 4 Juillet, à cause de toutes les tentes à oxygène.

Kate lève les yeux vers moi.

— Elle s'est sauvée. Pas bien loin, je crois qu'elle était dans le hall d'entrée quand quelqu'un l'a rattrapée. Elle allait se trouver une autre famille, voilà ce qu'elle m'a dit. Encore une fois, elle n'avait que six ans, et personne ne l'a prise au sérieux. Mais moi je me demandais souvent comment ce serait d'être normale. Alors je comprenais complètement qu'elle aussi se pose la question.

— Quand vous n'êtes pas malade, vous vous entendez plutôt bien, toutes les deux ?

— Nous sommes comme n'importe quelles sœurs, je suppose. On se dispute à propos de CD, on parle des garçons qu'on trouve mignons, chacune pique le meilleur vernis à ongles de l'autre.

Elle met mes fringues et je m'énerve ; je mets les siennes et elle fait des drames. À certains moments, elle est ma meilleure amie. Et à d'autres, je regrette qu'elle soit née.

Cela paraît si familier que je souris.

— J'ai une sœur jumelle. Chaque fois que je disais ça, ma mère me demandait si vraiment, en toute honnêteté, je pouvais m'imaginer enfant unique.

— Et vous le pouviez ?

Je ris.

— Oh... il y avait des jours où je pouvais parfaitement imaginer la vie sans elle.

Kate n'ébauche même pas un sourire.

— Vous voyez, dit-elle, ma sœur est celle qui a toujours dû imaginer la vie sans moi.

Sara

1996

À huit ans, Kate est un long enchevêtrement de bras et de jambes, filiforme, aussi légère qu'un rayon de soleil. Je passe la tête par la porte de sa chambre pour la troisième fois de la matinée, et je la trouve chaque fois dans une tenue différente. Celle-ci est une robe, blanche, imprimée de cerises rouges.

— Tu vas être en retard à ta propre fête d'anniversaire, lui dis-je.

S'extirpant du haut en forme de débardeur, Kate enlève la robe.

— Je ressemble à une pêche Melba.

— Il y a pire, tu sais.

— À ma place, tu porterais la jupe rose ou la rayée ?

Je regarde les deux, en tas par terre.

— La rose.

— Tu n'aimes pas la rayée ?

— Alors mets celle-là.

— Je vais porter les cerises, décide-t-elle.

Elle se retourne pour l'attraper. Sur le dos de sa cuisse, il y a un bleu de la taille d'une pièce d'un demi-dollar, une cerise dont la tache a traversé le tissu.

— Kate, qu'est-ce que tu as, là ?

En se contorsionnant, elle regarde l'endroit que j'indique.

— J'ai dû me cogner.

Depuis cinq ans, Kate est en rémission. Au début, quand la transfusion de sang de cordon ombilical a paru réussir, je m'attendais à tout moment que quelqu'un vienne me dire que c'était une erreur. Quand Kate s'est plainte d'avoir mal aux pieds, je me suis précipitée chez le Dr Chance, certaine qu'il s'agissait de la douleur osseuse annonçant une rechute, mais il s'est avéré que ses chaussures étaient devenues trop petites. Quand elle tombait, au lieu d'embrasser l'écorchure je lui demandais si son taux de plaquettes était bon.

Un bleu se forme quand il y a épanchement de sang dans les tissus sous la peau, en général – mais pas toujours – à la suite d'un coup.

Ça fait cinq longues années, est-ce que je l'ai dit ?

Anna passe la tête par la porte.

— Papa dit que la première voiture vient d'arriver et que si Kate veut descendre habillée d'un sac à farine, ça lui est égal. C'est quoi, un sac à farine ?

Kate finit de passer la robe d'été, puis retrousse l'ourlet et frotte le bleu.

— Hum, fait-elle.

En bas, il y a vingt-cinq enfants de son âge, un gâteau en forme de licorne, et des étudiants d'une université locale recrutés pour fabriquer des épées, des ours et des couronnes à partir de ballons. Kate ouvre ses cadeaux – des colliers de perles scintillantes, des coffrets de jeux créatifs, des accessoires de Barbie. Elle garde le plus gros pour la fin, celui que Brian et moi lui avons offert. À l'intérieur, dans un bocal de verre nage un poisson rouge – un carassin doré queue-de-voile.

Kate a toujours voulu un animal domestique. Mais Brian est allergique aux chats, et les chiens exigent beaucoup d'attention, ce qui a déterminé ce choix. Kate ne pourrait pas être plus heureuse. Elle le transporte avec elle pendant toute la durée de la fête. Elle l'appelle Hercule.

Après, pendant que nous rangeons, je me surprends à observer le poisson rouge. Je dois l'admettre, il est fascinant. Brillant comme un sou neuf, il nage en cercles, content de son sort.

Il ne faut pas plus de trente secondes pour prendre conscience que vous devrez annuler tous vos projets, effacer tout ce que vous aviez eu l'audace d'inscrire sur votre agenda. Il en faut soixante pour comprendre que, même si vous avez eu la bêtise de le croire, vous ne menez pas une vie ordinaire.

Une ponction de moelle osseuse de routine – prévue longtemps avant que je remarque ce bleu – a révélé la présence de promyélocytes anormaux. Puis la PCR a indiqué une translocation des chromosomes 15 et 17 de l'ADN de Kate.

Ce qui signifie que Kate est en état de rechute biologique et que les signes cliniques ne vont pas tarder à se manifester. Peut-être qu'elle ne présentera pas de blastes avant un mois. Peut-être qu'on ne trouvera pas de sang dans son urine ou dans ses selles avant un an. Mais, inévitablement, cela arrivera.

Ils prononcent ce mot, *rechute*, de la même manière que s'ils disaient *anniversaire*, ou *date limite pour la déclaration d'impôts*, une échéance qui revient de façon si routinière qu'elle fait désormais partie de votre calendrier interne, que vous le vouliez ou non.

Le Dr Chance nous a expliqué que c'est là l'un des grands débats parmi les oncologues : faut-il réparer une roue qui n'est pas abîmée, ou attendre que le chariot casse complètement ? Il recommande de mettre Kate sous ATRA – ce qui désigne l'acide réti-noïque. Celui-ci se présente sous la forme d'un comprimé de la taille de la moitié de mon pouce et nous vient de la médecine traditionnelle chinoise, qui l'utilise depuis des années. Contrairement à la chimiothérapie, qui tue tout sur son passage, l'ATRA se dirige droit sur le chromosome 17. Puisque c'est en grande partie la translocation des chromosomes 15 et 17 qui empêche les promyélo-cytes d'atteindre correctement leur maturation, l'ATRA contribue à démêler les gènes imbriqués... et à enrayer les anomalies.

Le Dr Chance dit que l'ATRA pourrait bien induire chez Kate une nouvelle rémission.

Mais, là encore, il est possible que Kate déve-loppe une résistance au produit.

— Maman ?

Jesse entre dans le salon, où il me trouve assise sur le canapé. J'y suis depuis des heures, comme incapable de m'en arracher pour accomplir les tâches qui m'attendent, parce que, à ce stade, quel est l'intérêt de préparer un déjeuner à emporter à l'école, de faire l'ourlet d'un pantalon ou même de régler une facture de chauffage ?

— Maman, répète Jesse. Tu n'as pas oublié, quand même ?

Je le regarde comme s'il me parlait chinois.

— Quoi ?

— Tu m'as dit que tu m'emmènerais acheter de nouvelles chaussures de foot après l'orthodontiste. Tu m'as *promis*.

Oui, c'est vrai. Parce que son entraînement commence dans deux jours et que la vieille paire de Jesse est trop petite. Mais maintenant je ne sais pas si j'arriverai à me traîner jusqu'au cabinet de l'orthodontiste, où la réceptionniste va faire un grand sourire à Kate et me dire, comme elle le fait toujours, combien mes enfants sont beaux. Et il y a quelque chose qui me paraît carrément obscène dans l'idée d'aller dans un magasin de sport.

— Je vais annuler le rendez-vous chez l'orthodontiste.

— Super !

Il sourit et sa bouche argentée étincelle.

— Alors on peut juste aller chercher les chaussures ?

— Ce n'est pas le bon moment.

— Mais...

— *Jesse. N'in-sis-te pas.*

— Je ne peux pas jouer si je n'ai pas de nouvelles chaussures. Et en plus tu n'es même pas occupée. Tu es juste assise là à ne rien faire.

— Ta sœur, dis-je d'un ton posé, est très gravement malade. Je suis désolée que ça vienne interférer avec ton rendez-vous chez le dentiste ou ton projet d'acheter une nouvelle paire de chaussures de foot. Mais, au regard de la situation actuelle dans son ensemble, ces contretemps sont assez insignifiants. J'aurais pensé qu'à dix ans tu serais capable de te montrer assez mûr pour prendre conscience que le monde entier ne tourne pas autour de toi.

Jesse regarde par la fenêtre dans le jardin, où Kate est assise à califourchon sur la branche d'un chêne, apprenant à Anna à grimper.

— Ouais, c'est ça, elle est malade. Pourquoi *toi* tu ne te montres pas assez mûre ? Pourquoi toi tu n'essayes pas de prendre conscience que le monde entier ne tourne pas autour d'*elle* ?

Pour la première fois de ma vie, je commence à comprendre comment un parent peut frapper un enfant : c'est en le regardant dans les yeux et en voyant un reflet de vous-même que vous auriez préféré ne pas y voir. Jesse monte en courant et claque la porte de sa chambre.

Je ferme les yeux et inspire profondément à plusieurs reprises. Et puis tout d'un coup, ça me frappe. Tout le monde ne meurt pas de vieillesse. Des gens sont écrasés par des voitures. Des gens meurent dans des accidents d'avion. Des gens s'étouffent en mangeant des cacahuètes. Rien ne nous est jamais garanti, surtout pas l'avenir.

En soupirant, je me rends à l'étage, je frappe à la chambre de mon fils. Il vient de découvrir la musique ; ses percussions filtrent à travers le bas de la porte. Quand Jesse baisse la stéréo, les notes s'écrasent brutalement.

— Quoi ?

— Je voudrais te parler. Je voudrais m'excuser.

Il y a un bruissement de l'autre côté de la porte, puis elle s'ouvre grand. La bouche de Jesse est couverte de sang, un rouge à lèvres de vampire ; des bouts de fils métalliques dépassent, comme des épingles de couturière. Je remarque la fourchette qu'il tient à la main et je comprends que c'est ce qu'il a utilisé pour arracher son appareil.

— Maintenant tu n'auras plus besoin de m'emmener nulle part, dit-il.

Deux semaines s'écoulent depuis que Kate est sous ATRA.

— Tu savais, dit Jesse un jour, tandis que je prépare son comprimé, qu'une tortue géante peut vivre cent soixante-dix-sept ans ?

Il traverse une phase « Incroyable mais vrai ».

— Une praire arctique peut vivre deux cent vingt ans.

236

Anna est assise à la table, occupée à manger du beurre de cacahuète à la petite cuiller.

— C'est quoi, une praire arctique ?

— On s'en fiche, dit Jesse. Un perroquet peut vivre quatre-vingts ans. Un chat peut vivre trente ans.

— Et Hercule ? demande Kate.

— Dans mon livre, ils disent que si on en prend bien soin, un poisson rouge peut vivre sept ans.

Jesse regarde Kate poser le comprimé sur sa langue.

— Si tu étais Hercule, dit-il, tu serais déjà morte.

Brian et moi prenons place sur nos chaises respectives dans le bureau du Dr Chance. Cinq ans ont passé, mais ces sièges nous vont comme un vieux gant de base-ball. Même les photos sur le bureau du cancérologue n'ont pas changé – sa femme coiffée du même chapeau à large bord sur une digue rocheuse à Newport ; son fils immortalisé à l'âge de six ans, exhibant une truite mouchetée – et contribuent à nous donner le sentiment que, contrairement à ce que nous croyions, nous n'avions jamais vraiment quitté les lieux.

L'ATRA a donné les résultats escomptés. Pendant un mois, Kate a été en rémission biologique. Puis les analyses ont de nouveau révélé la présence de promyélocytes dans son sang.

— Nous pouvons continuer à lui administrer le même traitement, dit le médecin, mais je pense que son récent échec nous apprend que nous ne pouvons pas en attendre davantage.

— Et une greffe de moelle osseuse ?

— C'est une mesure risquée, particulièrement pour une enfant qui ne manifeste pas encore les symptômes d'une véritable rechute clinique.

Le Dr Chance nous regarde.

— Il y a un autre traitement que nous pourrions tenter d'abord. Il s'agit d'une transfusion de lymphocytes du donneur. Parfois une transfusion de globules blancs venant d'un donneur compatible peut aider le clone originel des cellules sanguines de cordon à combattre les cellules leucémiques. Imaginez une armée de relève qui viendrait prêter main-forte aux combattants en première ligne.

— Est-ce que ça va lui apporter une rémission ? demande Brian.

Le Dr Chance secoue la tête.

— C'est une mesure transitoire. Selon toute probabilité, Kate va faire une rechute totale, mais cela nous donne le temps de consolider ses défenses avant que nous n'ayons à entreprendre un traitement plus agressif.

Je demande :

— Et combien de temps faudra-t-il pour faire venir les lymphocytes ?

Le praticien se tourne vers moi.

— Ça dépend. Dans combien de temps pensez-vous pouvoir être là avec Anna ?

Quand les portes de l'ascenseur s'ouvrent, seule une autre personne se trouve à l'intérieur : un SDF portant des lunettes de soleil bleu électrique et six sacs en plastique de supermarché remplis de chiffons.

— Fermez la porte, bon sang ! hurle-t-il aussitôt que nous entrons. Vous ne voyez pas que je suis aveugle ?

J'appuie sur le bouton pour rejoindre la sortie.

— Je peux amener Anna après l'école. Demain, elle sort à midi.

— Touchez pas à mon sac, grogne le clochard.

— Je ne l'ai pas touché, dis-je, distante et polie.

— Je pense que tu ne devrais pas, réplique Brian.

— Mais je ne suis même pas à côté de lui !

— Sara, je parlais de la transfusion de lympho-cytes. À mon avis, tu ne devrais pas amener Anna ici pour donner son sang.

Sans aucune raison apparente, l'ascenseur s'ar-rête au dixième étage, puis les portes se referment.

Le SDF se met à fourrager dans ses sacs en plas-tique.

Je rappelle à Brian :

— Quand nous avons eu Anna, nous savions qu'elle allait être donneur pour Kate.

— Une seule fois. Et Anna ne conserve aucun souvenir de ce que nous lui avons fait.

J'attends qu'il me regarde.

— Tu ne donnerais pas ton sang pour Kate ?

— Seigneur ! Sara, quelle question...

— Et moi aussi. Je donnerais la moitié de mon cœur, bon Dieu, si ça pouvait aider. Tu fais ce que tu dois faire, quand il s'agit des personnes que tu aimes, d'accord ?

Brian baisse les yeux, hoche la tête. J'ajoute :

— Qu'est-ce qui te permet de penser qu'Anna réagirait d'une autre manière ?

Les portes de l'ascenseur s'ouvrent, mais Brian et moi restons à l'intérieur, nous regardant fixement l'un l'autre. De l'arrière de la cabine, le SDF nous bouscule pour passer entre nous, serrant ses pos-sessions qui bruissent dans ses bras.

— Arrêtez de hurler ! crie-t-il alors que nous gar-dons un silence absolu. Vous ne comprenez pas que je suis sourd ?

Pour Anna, c'est un jour de fête. Sa mère et son père lui consacrent du temps, à elle seule. Elle nous tient tous les deux par la main pendant tout le trajet depuis le parking. Et peu importe si c'est pour aller à un hôpital.

Je lui ai expliqué que Kate ne se sentait pas bien et que les médecins avaient besoin de lui prendre quelque chose à elle-même pour le donner à Kate afin qu'elle aille mieux. J'ai pensé que cette information suffisait largement.

Nous attendons dans la salle d'examen en coloriant des dessins au trait de ptérodactyles et de tyrannosaures.

— Aujourd'hui, au goûter, Ethan a dit que les dinosaures étaient tous morts parce qu'ils ont attrapé froid, raconte Anna, mais personne ne l'a cru.

Brian affiche un grand sourire.

— Pourquoi sont-ils morts, à ton avis ?

— Ben, parce qu'ils étaient vieux. Ils avaient des millions d'années.

Elle lève les yeux vers lui.

— Ils faisaient des fêtes d'anniversaire, à l'époque ?

La porte s'ouvre et l'hématologue, une femme, entre.

— Bonjour, tout le monde. Maman, est-ce que vous voulez la prendre sur les genoux ?

Alors je grimpe sur la table d'examen et j'installe Anna dans mes bras. Brian est posté derrière nous, de façon à lui tenir l'épaule et le coude pour lui immobiliser le bras.

— Prête ? demande le médecin à Anna, qui continue à sourire.

Et puis elle brandit la seringue.

— Ce n'est qu'une toute petite piqûre, promet-elle.

240

Exactement les mots qu'il ne fallait pas prononcer. Anna commence à se débattre. Ses bras me fouettent le visage, le ventre. Brian ne parvient pas à la maîtriser. Par-dessus ses hurlements, il me crie :

— Je croyais que tu lui avais dit !

Le médecin, qui a quitté la pièce sans même que je le remarque, revient, escorté de plusieurs infirmières.

— Les enfants et les prises de sang ne font jamais bon ménage, dit-elle tandis que les infirmières font glisser Anna de mes genoux et la maintiennent sur le dos.

— Ne vous inquiétez pas, nous sommes des pros.

C'est du déjà-vu, exactement comme Kate le jour où l'on a diagnostiqué sa maladie. *Méfiez-vous de vos souhaits*. Anna est identique à sa sœur.

Je passe l'aspirateur dans la chambre des filles, quand la poignée de l'appareil vient heurter le bocal d'Hercule et envoie valser le poisson. Pas de verre cassé, mais il me faut un moment avant de le retrouver sous le bureau de Kate, s'agitant au point d'être presque sec.

— Tiens bon, mon pote.

Je le remets dans son bocal, que je remplis d'eau du robinet dans la salle de bains.

Il flotte à la surface. Non, dis-je en moi-même. Je t'en supplie.

Je m'assieds sur le bord du lit. Comment vais-je pouvoir annoncer à Kate que j'ai tué son poisson ? Si je retourne à l'animalerie et que j'en rachète un pour remplacer celui-ci, est-ce qu'elle s'en rendra compte ?

Soudain, Anna est près de moi, de retour du jardin d'enfants.

— Maman ? Pourquoi Hercule ne bouge pas ?

J'ouvre la bouche, un aveu fondant sur ma langue. Mais, à cet instant, le poisson rouge s'ébroue, plonge et recommence à nager.

— Tu vois, il va bien.

Quand cinq mille lymphocytes ne semblent pas suffire, le Dr Chance en réclame dix mille. Le rendez-vous d'Anna pour son deuxième don de lymphocytes tombe au milieu d'une fête au gymnase, à l'occasion de l'anniversaire d'une petite fille de sa classe. Je l'autorise à y aller un moment, puis je viens la chercher pour l'emmener à l'hôpital.

La petite fille est une princesse en sucre, avec des cheveux platine, une miniréplique de sa mère. En enlevant mes chaussures pour traverser le sol couvert de matelas, j'essaie désespérément de me souvenir de leur nom. L'enfant s'appelle... Mallory. Et la mère... Monica ? Margaret ?

Je repère Anna tout de suite, assise sur le trampoline avec un moniteur qui les fait sauter comme du pop-corn. La mère vient vers moi, arborant un sourire comme une guirlande de Noël.

— Vous devez être la maman d'Anna. Je m'appelle Mittie, dit-elle. Je suis désolée qu'elle doive partir, mais nous comprenons, bien sûr. Ça doit être extraordinaire d'avoir la chance d'aller quelque part où personne ne peut jamais aller.

À l'hôpital ?

— Eh bien, je vous souhaite de n'avoir jamais à faire la même chose.

— Oh, je sais. J'ai le vertige rien qu'en prenant l'ascenseur.

Elle se tourne vers le trampoline.

— Anna, ma chérie. Ta mère est là !

242

Anna arrive en courant sur le sol rembourré. C'est exactement ce que j'aurais voulu faire dans mon salon quand les enfants étaient petits : capitonner les murs, le plancher et le plafond pour les protéger. Mais quand bien même j'aurais enveloppé Kate dans du plastique bulle, le danger qui la menaçait était déjà sous sa peau.

Je souffle à Anna :

— Qu'est-ce qu'on dit ?

Elle remercie la mère de Mallory.

— Oh, il n'y a pas de quoi.

Elle tend à Anna un petit sachet de friandises.

— Dites à votre mari qu'il peut nous appeler à tout moment. Nous serions ravis de prendre Anna à la maison pendant que vous serez au Texas.

Anna hésite en nouant son lacet.

— Mittie, que vous a raconté Anna, exactement ?

— Qu'elle devait partir tôt pour que toute la famille puisse vous accompagner à l'aéroport. Parce que vous commencez votre entraînement à Houston et que vous ne les reverrez tous qu'après le vol.

— Le vol ?

— De la navette spatiale...

Pendant un instant, je reste interdite – qu'Anna invente une histoire aussi absurde, que cette femme puisse la croire.

— Je ne suis pas astronaute. Je ne comprends pas pour quelle raison Anna raconte ce genre de chose.

Je tire Anna par le bras pour qu'elle se lève, un lacet encore défait. Je la traîne du gymnase à la voiture avant de pouvoir prononcer un mot.

— Pourquoi lui as-tu menti ?

Anna se renfrogne.

— Pourquoi est-ce que je suis obligée de quitter la fête ?

Parce que ta sœur passe avant le gâteau et les glaces ; parce que moi je ne peux pas faire ça pour elle ; parce que je l'ai décidé.

Je suis tellement en colère que je dois m'y prendre à deux fois avant d'ouvrir les portières.

— Arrête de te conduire comme une gamine de cinq ans, lui dis-je d'un ton accusateur.

Puis je me souviens que c'est exactement ce qu'elle est.

— La chaleur était tellement élevée, dit Brian, qu'elle a fait fondre un service à thé en argent. Des crayons étaient pliés en deux.

Je lève les yeux au-dessus du journal.

— Comment cela a-t-il commencé ?

— Un chat et un chien qui se pourchassaient alors que les propriétaires s'étaient absentés en laissant une casserole sur le feu.

Avec des mouvements précautionneux, il baisse son jean, grimace de douleur.

— J'ai été brûlé au deuxième degré rien qu'en me mettant à genoux sur le toit.

Sa peau est toute rouge, couverte d'ampoules. Je le regarde appliquer de la pommade et une compresse de gaze. Il continue de parler, me racontant quelque chose à propos d'un novice surnommé Caesar, qui vient d'entrer dans leur brigade. Mais mon regard est attiré par le courrier des lecteurs.

Chère Abby,
Chaque fois que ma belle-mère vient nous rendre visite, elle insiste pour nettoyer le réfrigérateur. Mon mari dit qu'elle veut simplement se rendre utile, mais

moi je me sens jugée. Elle me gâche la vie. Que faire pour empêcher cette femme de détruire mon mariage ?

Sincèrement,
Signé : Date de péremption dépassée,
Seattle

Je me demande quel genre de vie peut bien avoir une femme dont c'est là le plus gros problème. Je l'imagine assise dans une maison idéale située en haut d'une colline, occupée à écrire ce mot à « Chère Abby » sur du papier à lettres toilé. Je me demande si elle a jamais senti un enfant bouger dans son ventre, des mains et des pieds minuscules décrivant lentement des cercles, comme si l'intérieur d'une mère était un endroit dont il fallait dresser soigneusement un levé topographique.

— À quoi es-tu si scotchée ? demande Brian en venant lire le journal par-dessus mon épaule.

Incrédule, je secoue la tête.

— Une femme dont la vie est gâchée à cause de traces laissées par des pots de confiture.

— De crème qui a tourné, ajoute Brian en rigolant.

— D'une laitue pourrie. Oh, mon Dieu ! Comment peut-elle supporter de vivre ?

Nous nous mettons tous les deux à rire, maintenant. C'est contagieux : chaque fois que nous échangeons un regard, nous rions de plus belle.

Et puis, aussi soudainement que cela nous a paru drôle, ça cesse de l'être. Nous ne vivons pas tous dans un monde où le contenu de notre réfrigérateur est le baromètre de notre bonheur individuel. Parmi nous, certains travaillent dans des bâtiments ravagés par les flammes. Certains ont des petites filles qui sont en train de mourir.

— Putain de laitue pourrie ! dis-je entre deux sanglots. Ce n'est pas juste.

Brian traverse la pièce en un éclair, il m'entoure de ses bras.

— Ça ne l'est jamais, mon ange, répond-il.

Un mois plus tard, nous retournons à l'hôpital pour un troisième don de lymphocytes. Anna et moi prenons place dans le bureau du médecin, attendant qu'on nous appelle. Au bout de quelques minutes, elle me tire par la manche.

— Maman, dit-elle.

Je la regarde. Anna balance les jambes. Elle arbore le vernis à ongles magique de Kate, qui change de couleur selon son humeur.

— Quoi ?

Elle lève vers moi un visage souriant.

— Au cas où j'oublierais de te le dire après, ce n'est pas aussi horrible que je le pensais.

Un jour, ma sœur arrive sans prévenir et, avec la permission de Brian, m'invite à passer la nuit dans une suite en terrasse du Ritz Carlton à Boston.

— Nous pouvons faire ce que tu veux, me déclare-t-elle. Musées, promenades le long du circuit historique, dîner sur le port.

Mais ce que je veux vraiment, c'est juste oublier, si bien que, trois heures plus tard, je suis assise par terre à côté d'elle, terminant notre seconde bouteille de vin à cent dollars.

Je soulève la bouteille par le col.

— J'aurais pu m'acheter une robe, à ce prix-là.

Zanne ricane.

— Dans une solderie, peut-être.

Elle a les pieds posés sur une chaise en brocart, le corps vautré sur la moquette blanche. À la télé,

Oprah Winfrey nous conseille de nous simplifier la vie.

— En plus, quand tu t'enfiles un bon pinot noir, tu n'as jamais l'air grosse.

Je la regarde, prise d'une soudaine pitié pour moi-même.

— Non. Tu ne vas pas te mettre à pleurer. Les larmes ne sont pas comprises dans le coût de la chambre.

Brusquement, ces femmes dans l'émission d'Oprah, avec leurs agendas remplis et leurs placards qui débordent, me paraissent stupides. Je me demande ce que Brian a préparé pour le dîner. Si Kate va bien.

— Je vais appeler à la maison.

Elle se hisse sur un coude.

— Tu as le droit de t'accorder une pause, tu sais. Personne n'est condamné à être martyr vingt-quatre heures sur vingt-quatre, sept jours sur sept.

Mais j'entends de travers.

— Je pense qu'à partir du moment où tu t'engages à être mère, tu n'as pas le choix, tu es de service en permanence.

— J'ai dit *martyr*, rectifie Zanne en riant. Pas *mère*.

Je souris vaguement.

— Il y a une différence ?

Elle me prend le téléphone des mains.

— Tu ne voulais pas commencer par sortir ta couronne d'épines de ta valise ? Ecoute-toi, Sara, et arrête un peu ta tragédie. D'accord, tu as tiré un lot merdique. D'accord, ta vie est terrible.

Le rouge me monte aux joues.

— Tu n'as aucune idée de ce qu'est ma vie.

— Toi non plus, dit Zanne. Tu ne vis pas, Sara. Tu attends que Kate meure.

— Je ne suis pas...

Mais je m'interromps. Le problème, c'est qu'elle a raison.

Zanne me caresse les cheveux et me laisse pleurer.

— C'est si dur, parfois !

Ce sont des mots que je n'ai jamais dits à personne, pas même à Brian.

— Du moment que ce n'est pas tout le temps, remarque Zanne. Ma chérie, Kate ne va pas mourir plus vite parce que tu auras bu encore un verre de vin, ni parce que tu as passé une nuit à l'hôtel, ni parce que tu t'es autorisée à éclater de rire à une blague débile. Alors bouge tes fesses, reviens t'asseoir, monte le son et comporte-toi comme une personne normale.

Je vois l'opulence de la chambre, notre débauche de bouteilles de vin et de fraises en chocolat.

— Zanne, dis-je en m'essuyant les yeux, ça, ce n'est pas ce que font les gens normaux.

Elle suit mon regard.

— Tu as absolument raison.

Elle ramasse la télécommande et passe d'une chaîne à l'autre jusqu'à ce qu'elle trouve le show de Jerry Springer.

— C'est mieux, ça ?

Je me mets à rire, et puis elle se met à rire, bientôt la chambre tourbillonne autour de moi et nous sommes étendues sur le dos, regardant la moulure en couronne qui borde le plafond. Je me rappelle soudain comment Zanne marchait toujours devant moi vers l'arrêt du bus. J'aurais pu courir et la rattraper, mais je ne le faisais jamais. Je voulais seulement la suivre.

Le rire s'élève comme de la vapeur, s'insinue par les fenêtres. Après trois jours de pluies torrentielles, les enfants sont ravis d'être dehors, à taper dans un ballon de foot avec Brian. Quand la vie est normale, elle est tellement normale.

Je pénètre dans la chambre de Jesse et je navigue entre les pièces de Lego et les bandes dessinées qui jonchent le sol pour aller poser ses vêtements propres sur son lit. Ensuite je vais dans celle de Kate et d'Anna, et je sépare leur linge plié.

C'est en posant les tee-shirts de Kate sur sa commode que je le vois : Hercule nage à l'envers. Je mets la main dans le bocal et je le retourne en le tenant par la queue ; il ondule un instant, puis revient flotter à la surface, ventre blanc en l'air, suffoquant.

Je me rappelle avoir entendu Jesse dire qu'avec des soins attentifs un poisson rouge peut vivre sept ans. Ça fait seulement sept mois.

Après avoir transporté l'aquarium dans ma chambre, je prends le téléphone et j'appelle les renseignements. Je demande :

— Petco.

Quand j'obtiens la communication, j'explique à l'employée ce qui arrive à Hercule.

— Vous voulez acheter un nouveau poisson ? demande-t-elle.

— Non, je veux sauver celui-ci.

— Madame, dit la fille, nous parlons bien d'un *poisson rouge*, n'est-ce pas ?

Alors j'appelle trois vétérinaires, mais aucun ne soigne les poissons. J'observe Hercule aux prises avec la mort pendant encore une minute, puis je téléphone au département d'océanographie de l'université de Rhode Island, et je demande qu'on me passe n'importe quel professeur.

Le Dr Orestes étudie spécifiquement les espèces que l'on rencontre dans les petites mares d'eau salée laissées par les marées, me dit-il. Les mollusques, les crustacés et les oursins, pas les poissons rouges. Mais je me surprends à lui parler de ma fille, qui est atteinte de LAP. D'Hercule, qui a survécu une fois, contre toute attente.

Le biologiste marin garde le silence un instant.

— Avez-vous changé son eau ?

— Ce matin.

— Est-ce qu'il a beaucoup plu chez vous, ces derniers jours ?

— Oui.

— Vous avez un puits ?

Qu'est-ce que ça vient faire là-dedans ?

— Oui...

— C'est juste une intuition, mais, avec le ruissellement, il se pourrait que votre eau ait une trop forte teneur en minéraux. Remplissez l'aquarium d'eau en bouteille, et peut-être que votre poisson reprendra vie.

Alors je vide le bocal d'Hercule, je le nettoie et je le remplis avec cinq litres d'eau de source Poland Spring. Ça dure vingt minutes, puis Hercule se met à nager. Il navigue entre les lobes de la plante artificielle. Il gobe un peu de nourriture.

Une demi-heure plus tard, Kate me voit le regarder.

— Tu n'avais pas besoin de changer son eau, je l'ai fait ce matin.

— Ah bon ? Je ne savais pas, dis-je innocemment.

Elle appuie son visage contre le bocal en verre, qui agrandit son sourire.

— Jesse prétend qu'un poisson rouge ne peut pas fixer son attention pendant plus de neuf secondes, dit Kate, mais moi je crois qu'Hercule sait parfaitement qui je suis.

Je lui touche les cheveux. Et je me demande si je n'ai pas épuisé ma réserve de miracles.

Anna

Si vous écoutez trop la pub, vous commencez à croire toutes sortes de choses : par exemple, que le miel brésilien peut servir de cire dépilatoire, que des couteaux peuvent couper le métal, que le pouvoir de la pensée positive suffit à vous emporter comme une paire d'ailes là où vous voulez aller. À cause d'une petite crise d'insomnie et de trop nombreuses doses de Tony Robbins, j'ai décidé un jour de me forcer à imaginer comment ce serait après la mort de Kate. De cette manière – ou du moins c'est ce que prétend le fameux gourou –, quand cela se produira vraiment, je serai prête.

Il est plus difficile qu'on ne le croirait de rester dans le futur, surtout quand ma sœur est là, casse-pieds comme à son habitude. Ma méthode pour gérer cette situation consiste à faire comme si Kate était déjà revenue me hanter. Quand j'ai cessé de lui adresser la parole, elle s'est dit qu'elle avait dû me faire une vacherie, ce qui était sans doute le cas, d'ailleurs. Il y avait certains jours où je n'arrêtais pas de pleurer ; d'autres où j'avais l'impression d'avoir avalé une plaque de plomb, d'autres encore où je faisais de gros efforts pour m'habiller, faire mon lit et apprendre mes mots de vocabulaire, parce que la seule façon de traverser un grand étang noir est de sauter d'une feuille de nénuphar à l'autre.

Mais il y avait aussi des moments où je laissais le voile se soulever un peu, et d'autres idées me venaient à l'esprit. Par exemple, je m'imaginais faisant des études d'océanographie à l'université de Hawaï. Ou sautant en parachute. Ou m'installant à Prague. Ou n'importe quoi d'autre parmi le million de rêves possibles. J'essaie alors de me jouer un de ces scénarios, mais ça fait la même impression que de porter des baskets de taille trente-sept alors que vous chaussez du trente-huit – vous pouvez faire quelques pas, mais vous ne tardez pas à vous asseoir pour retirer les chaussures, parce qu'elles font trop mal. Je suis convaincue d'avoir un censeur assis sur mon cerveau et armé d'un tampon rouge pour me rappeler ce à quoi je ne dois pas penser, même si c'est terriblement tentant.

C'est sans doute une bonne chose. Si j'essayais vraiment de découvrir qui je serais sans Kate, je ne suis pas sûre d'aimer la personne que je verrais.

Mes parents et moi sommes assis ensemble à une table de la cafétéria de l'hôpital, mais j'utilise le mot *ensemble* au sens le plus large. Nous sommes plutôt pareils à des astronautes, chacun portant un casque, chacun raccordé à une source d'oxygène individuelle. Ma mère a devant elle un petit récipient carré contenant des sachets de sucre. Elle les réorganise sans ménagement, d'abord le sucre blanc, puis l'édulcorant, puis les gros cristaux bruns de sucre naturel. Elle lève les yeux vers moi.

— Ma puce.

Pourquoi les termes affectueux sont-ils toujours des noms d'animaux ? *Ma poulette, mon lapin, mon chaton, ma biche.* Comme si la tendresse ne pouvait s'exprimer qu'envers des bêtes.

— Je comprends ce que tu cherches à faire, poursuit ma mère. Et je suis d'accord que ton père et moi devrions t'écouter un peu plus. Mais, Anna, nous n'avons pas besoin d'un juge pour ça.

Mon cœur est une éponge molle à la base de ma gorge.

— Tu veux dire que tu es d'accord pour qu'on arrête ?

Lorsqu'elle sourit, ça me procure la même sensation que le premier soleil tiède de mars après une éternité de neige, quand vous vous souvenez tout d'un coup de la chaleur de l'été sur vos mollets nus ou sur la raie de vos cheveux.

— C'est exactement ce que je veux dire, répond ma mère.

Plus de prises de sang. Plus de dons de granulocytes ou de lymphocytes ou de cellules souches ou de rein. Je propose :

— Si tu préfères, je peux le dire à Kate. Pour que tu n'aies pas à le faire.

— C'est bon. Une fois que nous aurons prévenu le juge DeSalvo, ce sera comme si rien ne s'était passé.

Dans ma tête, un marteau cogne.

— Mais... Kate ne va pas se demander pourquoi je ne suis plus donneur ?

Ma mère s'immobilise.

— Quand j'ai parlé d'arrêter, je faisais référence à la procédure judiciaire.

Je secoue violemment la tête, aussi bien pour lui répondre que pour déloger le nœud de mots qui s'est formé dans ma gorge.

— Mon Dieu, Anna ! dit ma mère, sous le choc. Qu'est-ce que nous t'avons fait pour mériter ça ?

— Ce n'est pas ce que vous m'avez fait.

— C'est ce que nous n'avons *pas* fait, alors ?

Je crie :

— Vous ne m'écoutez pas !

Et à ce moment précis, Vern Stackhouse s'approche de notre table. Le regard du shérif va de moi à ma mère puis à mon père.

— J'imagine que le moment est mal choisi pour vous interrompre, dit-il avec un sourire forcé. Je suis vraiment désolé, Sara, Brian.

Il tend une enveloppe à ma mère, salue d'un signe de tête et s'en va.

Elle sort le papier de l'enveloppe, le lit, puis se tourne vers moi.

— Qu'est-ce que tu lui as dit ?

— À qui ?

Mon père ramasse la feuille. Elle est pleine de termes juridiques, qui pourraient aussi bien être du chinois.

— Qu'est-ce que c'est ?

— Une requête d'ordonnance restrictive temporaire.

Elle arrache le papier des mains de mon père.

— Tu te rends compte que tu demandes qu'on me mette à la porte de chez moi et qu'on m'interdise le moindre contact avec toi ? C'est vraiment ce que tu veux ?

La mettre à la porte ? Je suis incapable de respirer.

— Je n'ai jamais demandé ça.

— Eh bien, un avocat n'aurait jamais déposé cette requête de son propre chef, Anna.

Vous savez comment, parfois – quand vous faites du vélo et que vous commencez à déraper sur du sable, ou que vous manquez une marche et que vous dégringolez dans l'escalier –, vous avez

255

quelques longues, longues secondes pour réaliser que vous allez vous faire mal, très mal ?

— Je ne sais pas ce qui s'est passé.

— Dans ce cas, comment peux-tu prétendre avoir la compétence nécessaire pour prendre des décisions te concernant ?

Ma mère se lève si brutalement que sa chaise heurte le sol de la cafétéria avec fracas.

— Si c'est ce que tu souhaites, Anna, nous pouvons commencer tout de suite.

Avant que ma mère me laisse plantée là, sa voix s'est faite épaisse et rugueuse comme de la corde.

Il y a environ trois mois, j'ai emprunté le maquillage de Kate. D'accord, « emprunté » n'est pas le mot qui convient, je l'ai volé. Je n'en possédais pas ; je n'étais pas autorisée à en mettre avant l'âge de quinze ans. Mais un miracle s'était produit, et Kate n'était pas là pour me donner la permission, et à situation exceptionnelle, mesures exceptionnelles.

Le miracle avait un mètre quatre-vingts, des cheveux blonds couleur maïs et un sourire qui m'a donné le tournis. Il s'appelait Kyle et il était arrivé de l'Idaho pour occuper la place juste derrière moi en classe. Il ne connaissait rien de moi ni de ma famille, alors quand il m'a demandé si je voulais aller au cinéma avec lui, je savais que ce n'était pas par compassion. Nous avons vu le nouveau *Spider-man*, ou tout au moins il l'a vu. Moi j'ai passé mon temps à me demander comment l'électricité pouvait franchir le minuscule espace entre mon bras et le sien.

Quand je suis rentrée à la maison, je marchais encore à quinze centimètres au-dessus du sol, et c'est pour ça que Kate a réussi à m'attraper par surprise. Elle m'a jetée sur mon lit et coincée en me bloquant les épaules.

— Espèce de voleuse, m'a-t-elle accusée. Tu t'es servie dans mon tiroir de la salle de bains.

— Tu prends mes affaires tout le temps. Tu m'as piqué mon sweat-shirt bleu, il y a deux jours.

— C'est complètement différent. Un sweat-shirt, ça se lave.

— Comment ça se fait que mes microbes ne te dérangent pas quand ils se baladent dans tes artères, mais que tu ne supportes pas de les avoir sur ton foutu brillant à lèvres Max Factor ?

J'ai poussé un peu fort et j'ai réussi à nous faire rouler, si bien qu'à présent j'avais l'avantage.

Une lueur s'est allumée dans ses yeux.

— Qui est-ce ?

— De quoi tu parles ?

— Si tu t'es maquillée, Anna, c'est qu'il y a une raison.

— Laisse-moi tranquille.

— Va te faire foutre.

Kate m'a souri. Puis, de sa main libre, elle m'a chatouillée sous le bras, me surprenant tellement que je l'ai lâchée. Une minute plus tard, nous poursuivions notre lutte au bas du lit, chacune essayant de faire crier pouce à l'autre.

— Anna, arrête tout de suite, a dit Kate, hors d'haleine. Tu vas me tuer.

Ces mots ont suffi. J'ai retiré mes mains comme si elles venaient d'être brûlées. Nous sommes restées couchées, épaule contre épaule, entre nos lits, les yeux rivés sur le plafond et la respiration haletante, faisant toutes deux comme si ses paroles n'avaient pas taillé si profondément dans le vif.

Dans la voiture, mes parents se disputent.

— Peut-être que nous devrions engager un vrai avocat, dit mon père.

Et ma mère répond :

— C'est ce que je suis.

— Mais, Sara, insiste mon père, si le problème persiste, tout ce que je dis, c'est que...

— Qu'est-ce que tu dis, Brian ? le provoque-t-elle. Qu'est-ce que tu dis vraiment ? Qu'un type en costume que tu n'as jamais rencontré est mieux placé pour comprendre Anna que ne l'est sa propre mère ?

Et après ça mon père conduit en silence pendant le reste du trajet.

En arrivant devant l'édifice qui abrite le tribunal, j'ai la stupeur de voir des caméras de télévision postées sur les marches. Je suis sûre qu'elles sont là pour quelque chose de vraiment important, alors imaginez ma surprise quand quelqu'un me fourre un micro sous le nez et qu'une journaliste aux cheveux laqués me demande pourquoi je fais un procès à mes parents. Ma mère repousse la femme.

— Ma fille n'a aucun commentaire à faire, répète-t-elle inlassablement.

Et quand un type me demande si je suis au courant que, dans l'État de Rhode Island, je suis le premier bébé à avoir été fabriqué sur mesure, pendant un instant j'ai l'impression qu'elle va le frapper.

Depuis que j'ai sept ans, je sais comment j'ai été conçue, et il n'y avait pas de quoi en faire une montagne. D'abord, mes parents me l'ont dit à une époque où l'idée qu'ils puissent avoir des rapports sexuels était infiniment plus dégoûtante que celle de ma conception dans une éprouvette. Ensuite, des milliers de personnes suivaient des traitements contre la stérilité et donnaient naissance à des septuplés, alors mon histoire n'était plus si originale. Mais un bébé sur mesure ? Ouais, *tu parles*. Si mes parents s'étaient cassé la tête à faire tout ça, on pourrait penser qu'ils se seraient assurés de réimplanter les gènes de l'obéissance, de l'humilité et de la gratitude.

Mon père est assis à côté de moi sur un banc, les mains nouées entre ses genoux. À l'intérieur, dans le cabinet du juge, ma mère et Campbell Alexander s'affrontent verbalement. Ici, dans le hall, nous restons étrangement silencieux, comme s'ils avaient emporté avec eux tous les mots possibles, sans nous en laisser un seul.

J'entends une femme jurer, et puis Julia apparaît au détour du couloir.

— Anna. Pardon d'être en retard ; j'étais bloquée par la presse. Tu vas bien ?

Je commence par faire oui du menton, puis je secoue la tête.

Julia s'accroupit devant moi.

— Tu veux que ta mère quitte la maison ?

— *Non !*

À mon grand embarras, les larmes me montent aux yeux.

— J'ai changé d'avis. Je ne veux plus faire tout ça. Plus rien.

Elle me regarde pendant un bon moment, puis hoche la tête.

— Laisse-moi aller parler au juge.

Après son départ, je me concentre sur ma respiration. Il y a tant de choses qui exigent des efforts de ma part, alors qu'avant je les faisais instinctivement – aspirer de l'oxygène, me taire, accomplir mon devoir. Le poids du regard de mon père m'oblige à me tourner.

— Tu parlais sérieusement ? demande-t-il. Quand tu disais que tu voulais tout laisser tomber ?

Je ne réponds pas. Je ne bouge pas d'un millimètre.

— Parce que si tu n'es pas encore très sûre, peut-être que ce n'est pas une si mauvaise idée d'avoir un peu d'espace pour respirer. Je veux dire, j'ai ce lit d'appoint dans ma chambre, à la caserne.

Il se frotte la nuque.

— Ce ne serait pas comme si nous déménagions, ni rien. C'est juste histoire de...

Il me regarde.

— ... respirer.

Et, ayant terminé sa phrase, c'est exactement ce que je fais.

Mon père se lève et me tend la main. Nous sortons du Garrahy Complex côte à côte. Les journalistes fondent sur nous comme des loups, mais cette fois leurs questions ne m'atteignent pas. J'ai l'impression d'avoir la poitrine remplie de paillettes et d'hélium, comme quand j'étais petite et que mon père me portait sur ses épaules, à la tombée de la nuit, quand je savais que si je levais les mains et que j'écartais les doigts comme un filet, je pourrais attraper les étoiles naissantes.

Campbell

Même si un coin particulier de l'enfer est réservé aux avocats qui font sans vergogne leur propre promotion, vous pouvez être sûr que nous sommes toujours prêts à poser pour un gros plan. Quand j'arrive au tribunal des affaires familiales, je distribue quelques phrases mordantes aux micros, comme on offre des bonbons, et je m'assure que les caméras sont braquées sur moi. Je tiens les propos adéquats sur le caractère peu orthodoxe de l'affaire, en soulignant combien elle est douloureuse, au bout du compte, pour toutes les personnes concernées. Je laisse entendre que la décision du juge risque d'affecter les droits des mineurs dans l'ensemble du pays, ainsi que la recherche sur les cellules souches. Puis je lisse la veste de mon costume Armani, tire sur la laisse de Judge, et explique qu'il faut vraiment que j'aille parler à ma cliente.

À l'intérieur, Vern Stackhouse croise mon regard et me fait un signe du pouce pour me dire que tout va bien. J'ai rencontré le shérif par hasard un peu plus tôt dans la journée et je lui ai demandé très innocemment si sa sœur, journaliste au *ProJo*, pensait venir aujourd'hui.

« Je ne peux pas vraiment dire quoi que ce soit, ai-je insinué, mais l'audience... ça va faire du bruit. »

Dans ce coin particulier de l'enfer, il y aura probablement un trône pour tous ceux d'entre nous qui cherchent à capitaliser sur leur travail bénévole.

Quelques instants plus tard, nous sommes dans le cabinet du juge.

— Maître.

Le juge DeSalvo brandit une requête d'ordonnance restrictive.

— Pouvez-vous me dire pourquoi vous avez déposé cette requête alors que j'ai explicitement évoqué cette question avec vous hier ?

— J'ai eu mon premier entretien avec le tuteur ad hoc, monsieur le juge. En la présence de Mlle Romano, Sara Fitzgerald a dit à ma cliente que cette action en justice procédait d'un malentendu qui se réglerait tout seul.

Je glisse un regard à Sara, qui ne trahit aucune émotion, si ce n'est par une crispation de la mâchoire.

— C'est une infraction directe à votre injonction, Votre Honneur. La cour s'efforce de créer les conditions nécessaires pour que la famille reste ensemble, mais je ne crois pas que cela se produise tant que Mme Fitzgerald ne sera pas capable de dissocier mentalement son rôle de parent de celui d'avocat de la partie adverse. Jusque-là, une séparation physique s'impose.

Le juge DeSalvo pianote sur son bureau.

— Madame Fitzgerald, est-il vrai que vous ayez tenu ces propos à Anna ?

— Évidemment ! explose Sara. J'essaie d'aller jusqu'au fond des choses !

L'aveu s'abat sur nous comme un chapiteau de cirque, nous laissant tous sans voix. Julia choisit ce moment pour faire irruption dans la pièce.

— Désolée d'être en retard, dit-elle, hors d'haleine.

— Mademoiselle Romano, dit le juge, avez-vous eu l'occasion de parler à Anna aujourd'hui ?

— Oui, à l'instant.

Elle me regarde, puis regarde Sara.

— Je crois qu'elle est très perturbée.

— Quel est votre avis sur la requête que Me Alexander a déposée ?

Elle fait passer une mèche de cheveux indisciplinée derrière une oreille.

— Je ne pense pas disposer d'informations suffisantes pour être en mesure d'exprimer formellement mon opinion, mais mon sentiment instinctif est que ce serait une erreur d'éloigner la mère d'Anna de chez elle.

Aussitôt, je me tends. Réagissant, le chien se dresse sur ses pattes.

— Monsieur le juge, Mme Fitzgerald vient d'admettre qu'elle a violé une injonction de la cour. Elle devrait tout au moins être signalée au barreau pour violation de l'éthique professionnelle, et...

— Maître Alexander, cette affaire va bien au-delà du respect des textes.

Le juge se tourne vers Sara.

— Madame Fitzgerald, je ne saurais trop vous recommander de prendre un avocat indépendant pour vous représenter, vous et votre mari. Je ne vais pas appliquer l'ordonnance restrictive aujourd'hui, mais je dois vous interdire encore une fois, et ce jusqu'à l'audience de la semaine prochaine, de discuter avec votre enfant du différend qui vous oppose. Si j'apprends à l'avenir que vous avez contrevenu de nouveau à cette directive, je me chargerai moi-même d'en informer le barreau et de vous éloigner personnellement de votre domicile.

Il referme le dossier d'une claque et se lève.

— Ne revenez pas me déranger avant lundi, maître Alexander.

— Il faut que je voie ma cliente, dis-je en me précipitant vers le hall, où je sais qu'Anna attend avec son père.

Comme il fallait s'y attendre, Sara Fitzgerald est sur mes talons. Sans doute déterminée à maintenir la paix, Julia suit le mouvement. Nous nous arrêtons tous trois brutalement à la vue de Vern Stackhouse, somnolant sur le banc où Anna était assise.

— Vern ?

Il se lève immédiatement et s'éclaircit la voix.

— C'est un problème lombaire, s'excuse-t-il. Ça m'oblige à m'asseoir de temps en temps pour soulager la tension.

— Savez-vous où est allée Anna Fitzgerald ?

Il indique de la tête la porte d'entrée du bâtiment.

— Elle et son papa sont partis il y a un moment.

Sara, à en juger par l'expression sur son visage, est elle aussi surprise par cette nouvelle.

— Voulez-vous que je vous reconduise à l'hôpital ? demande Julia.

Elle secoue la tête et regarde par la porte vitrée, derrière laquelle les journalistes se sont amassés.

— Existe-t-il une sortie à l'arrière ?

À côté de moi, Judge commence à pousser son museau dans ma main. Merde !

Julia dirige Sara vers l'arrière du bâtiment.

— Il faut que nous parlions, me jette-t-elle par-dessus son épaule.

J'attends qu'elle se soit éloignée. Et aussitôt, j'attrape Judge par son harnais et je l'entraîne le long d'un couloir.

— Hé !

L'instant d'après, les talons de Julia cliquettent sur le dallage derrière moi.

— J'ai *dit* que je voulais te parler !

Un moment, j'envisage sérieusement de filer par une fenêtre. Puis je m'arrête net, je me tourne et je lui adresse mon sourire le plus engageant.

— Pour être précis, tu m'as dit qu'il *fallait* que *nou*s parlions. Si tu m'avais dit que *tu voulais* me parler, je t'aurais attendue.

Judge saisit entre ses dents un coin de mon costume, mon *cher* costume Armani, et tire dessus.

— Mais, pour l'instant, je dois aller à un rendez-vous.

— Tu peux me dire ce qui te prend ? fait-elle. Tu m'as affirmé que tu avais parlé à Anna de sa mère et que nous étions tous sur la même longueur d'onde.

— En effet, et c'est vrai. Sara faisait pression sur elle, et Anna voulait qu'elle arrête. Je lui ai expliqué quelle était l'alternative.

— L'alternative ? C'est une gamine de treize ans. Tu sais combien je vois d'enfants dont l'enjeu d'un procès est différent de celui de leurs parents ? Une mère arrive et promet que son enfant va témoigner contre un pédophile, parce qu'elle veut que le coupable soit derrière les barreaux pour le restant de ses jours. Mais l'enfant se fiche bien de ce qui va arriver au coupable, pour autant qu'il n'ait jamais à se retrouver en sa présence. Ou peut-être qu'il pense que le type va avoir une seconde chance, comme celle que lui donnent ses parents quand il n'a pas été sage. Tu ne peux pas t'attendre qu'Anna réagisse comme une cliente adulte normale. Elle ne possède pas les facultés émotionnelles pour prendre des décisions indépendantes de sa situation familiale.

— C'est justement le but de toute cette action en justice, lui fais-je remarquer.

— En fait, il y a une demi-heure à peine, Anna m'a dit qu'elle avait changé d'avis à propos de toute cette action en justice.

Julia lève un sourcil.

— Tu ne le savais pas, n'est-ce pas ?

— Elle ne m'en a pas parlé.

— Parce que tu n'as pas abordé le sujet comme il fallait. Tu as discuté avec elle du moyen légal d'empêcher qu'elle ne subisse des pressions visant à lui faire retirer sa plainte. Bien sûr, elle a sauté là-dessus. Mais crois-tu vraiment qu'elle ait considéré ce que ça pourrait impliquer dans la réalité – qu'il y aurait un parent de moins à la maison pour préparer les repas ou la conduire quelque part ou l'aider dans ses devoirs, qu'elle ne pourrait pas embrasser sa mère le soir, avant d'aller se coucher, que le reste de la famille lui en voudrait certainement ? Tout ce qu'elle a entendu, quand vous avez parlé, c'étaient les mots « aucune pression ». Elle n'a jamais entendu « séparation ».

Judge commence à gémir d'impatience.

— Je dois y aller.

Elle me suit.

— Où ?

— Je te l'ai dit. *J'ai un rendez-vous*.

Le couloir est jalonné de pièces, toutes fermées à clé. Enfin, je trouve une poignée qui tourne dans ma main. J'entre, et je pousse le verrou derrière moi.

— Toilettes pour hommes, dis-je avec véhémence.

Julia secoue la poignée. Elle cogne contre le petit carré de vitre fumée de la taille d'un timbre-poste. Je sens la sueur perler sur mon front.

— Tu ne vas pas te défiler, cette fois-ci ! me crie-t-elle à travers la porte. Je t'attends encore, ici même.

— Et moi, je suis encore occupé, lui dis-je sur le même registre.

Quand Judge me fourre sa truffe sous le nez, j'enfonce mes doigts dans l'épaisse fourrure de son cou.

— Ça va, lui dis-je avant de me retourner pour me trouver face à la pièce vide.

Jesse

De temps à autre, je suis obligé de me contredire et de croire en Dieu, par exemple au moment où je rentre à la maison pour trouver cette superbe créature assise devant ma porte, créature qui se lève et veut savoir si je connais Jesse Fitzgerald.

— Qui le demande ?

— Moi.

Je lui décoche mon sourire le plus charmeur.

— Eh bien, me voici.

Laissez-moi juste revenir en arrière un instant pour vous dire qu'elle est plus âgée que moi, mais plus je la regarde et moins ça a d'importance – elle a des cheveux dans lesquels je pourrais me perdre, et une bouche si pulpeuse que j'ai du mal à en détourner les yeux pour inspecter le reste de sa personne. L'envie me démange de promener les mains sur sa peau – même à des endroits normaux – pour vérifier si elle est aussi douce qu'elle en a l'air.

— Je m'appelle Julia Romano, dit-elle. J'ai été mandatée comme tuteur ad hoc.

Les violons qui exécutaient une sonate dans mes veines s'arrêtent en grinçant.

— C'est comme un flic ?

— Non. Je suis avocate, et je travaille avec un juge pour aider votre sœur.

— Vous voulez dire Kate ?

Quelque chose dans son visage se contracte.

— Je veux dire Anna. Elle a déposé une requête afin d'être émancipée de vos parents pour toutes décisions d'ordre médical.

— Ah, ouais. Je suis au courant.

— Vraiment ?

Ça paraît la surprendre, comme si Anna avait le monopole de la bravade.

— Vous ne sauriez pas où elle se trouve ?

Je regarde la maison, sombre et vide.

— Suis-je le gardien de ma sœur ? dis-je avec emphase.

Puis je lui souris.

— Si vous avez envie de l'attendre, vous pouvez monter voir mes estampes.

À ma stupéfaction, elle accepte.

— En fait, ce n'est pas une mauvaise idée. Je voudrais vous parler.

Je m'appuie contre la porte et je croise les bras, de manière à gonfler mes biceps. Je lui adresse le sourire qui a fait fondre la moitié de la population féminine de l'université Roger Williams.

— Vous faites quoi, ce soir ?

Elle me regarde comme si je venais de lui parler chinois. Non, elle comprend probablement le chinois. En martien, plutôt. Ou en vulcanien.

— Quoi ? Vous me proposez de sortir avec vous ?

— Ce qui est sûr, c'est que je tente le coup.

— Ce qui est sûr, c'est que vous loupez votre coup, répond-elle sèchement. Je suis assez âgée pour être votre mère.

— Vous avez des yeux fantastiques.

Je dis *yeux*, alors que je pense *nichons*, mais passons.

Julia Romano choisit ce moment pour boutonner sa veste, ce qui me fait rire tout haut.

— Pourquoi ne parlons-nous pas ici ?

— Comme vous voulez.

Mais je la dirige vers mon appartement.

Considérant l'état dans lequel il est d'habitude, l'endroit n'est pas trop catastrophique. Les assiettes sales ne s'empilent dans l'évier que depuis un jour ou deux, et c'est moins dégoûtant de trouver des céréales renversées que du lait quand on rentre le soir. Un seau, un chiffon et une bonbonne de gaz traînent au milieu de la pièce. Je travaille sur un genre de fusée incendiaire. Il y a des vêtements un peu partout sur le sol, certains disposés artistiquement de façon à minimiser les effets d'une fuite dans mon alambic clandestin.

— Qu'est-ce que vous en dites ?

Je lui souris.

— Coquet, non ?

— Un modèle d'art de vivre, murmure Julia.

Elle s'assied sur le canapé, bondit, et ramasse une poignée de chips qui ont, oh, mon Dieu ! déjà laissé une tache de gras en forme de cœur sur son joli petit cul.

— Vous voulez boire quelque chose ?

Il ne sera pas dit que ma mère ne m'a jamais appris les bonnes manières. Elle jette un coup d'œil circulaire, puis secoue la tête.

— Pas pour moi.

Haussant les épaules, je sors une bière du frigo.

— Alors, il y a eu quelques retombées sur le front familial ?

— Vous ne le sauriez pas ?

— J'essaie de ne pas savoir.

— Pourquoi donc ?

— Parce que c'est ce que je fais le mieux.

Avec un sourire, je bois une longue gorgée de bière.

— Quoique. Cette explosion-là, j'aurais bien aimé la voir.

— Parlez-moi de Kate et d'Anna.

— Qu'est-ce que je dois vous dire ?

Je m'affale à côté d'elle sur le canapé, beaucoup trop près. Exprès.

— Vous vous entendez bien avec elles ?

Je me penche en avant.

— Comment, mademoiselle Romano, vous me demandez si je suis un gentil garçon ?

Voyant qu'elle ne cille même pas, je laisse tomber la comédie.

— Elles survivent. Comme tout le monde.

Cette réponse semble l'intéresser, parce qu'elle note quelque chose sur son petit bloc blanc.

— Comment c'était, de grandir dans cette famille ?

Une dizaine de réponses désinvoltes se bousculent dans ma gorge, mais celle qui en sort est totalement inattendue.

— Quand j'avais douze ans, il y a eu un moment où Kate était malade, pas même gravement malade, juste une infection dont elle ne semblait pas pouvoir se débarrasser. Alors ils ont emmené Anna à l'hôpital pour qu'elle donne ses granulocytes, ses globules blancs, quoi. Kate ne l'avait pas fait exprès, mais c'est tombé juste la veille de Noël. Nous devions tous sortir en famille, vous comprenez, et aller acheter un sapin.

Je sors un paquet de clopes de ma poche.

— Permettez ? dis-je en l'allumant sans lui donner le temps de répondre. À la dernière minute, on m'a déposé chez des voisins, et c'était nul parce qu'ils fêtaient Noël en famille et ils n'arrêtaient pas de parler de moi à voix basse comme si j'étais un cas social et sourd par-dessus le marché. Bref, j'en ai vite eu marre, alors j'ai dit que j'allais faire pipi et je me suis tiré en douce. Je suis rentré à la maison, j'ai pris une des haches de mon père et une scie, et j'ai abattu un tout jeune sapin qui était planté au milieu du jardin. Le temps que le voisin se rende compte que j'étais parti, j'avais déjà monté l'arbre sur son support dans le salon, avec les guirlandes, les décorations, et tout ce que vous voulez.

Dans ma tête, je vois encore ces lumières, rouges, bleues et jaunes, clignotant à tout-va sur un arbre déguisé comme un Eskimo à Bali.

— Alors le matin de Noël, mes parents viennent me chercher chez les voisins. Ils ont une tête épouvantable, tous les deux, mais quand ils me ramènent à la maison, il y a des cadeaux sous le sapin. Je suis tout excité et j'en trouve un avec mon nom dessus, et en fait c'est une petite voiture qui se remonte, quelque chose qui aurait convenu à un gamin de trois ans, et de toute façon je savais bien qu'elle venait de la boutique de l'hôpital. Comme tous les autres cadeaux que j'ai eus cette année-là. Allez comprendre.

J'écrase ma cigarette sur la jambe de mon jean.

— Ils n'ont jamais fait allusion au sapin. Voilà comment c'était, de grandir dans cette famille.

— Pensez-vous que ce soit pareil pour Anna ?

— Non. Ils suivent Anna sur leur écran de contrôle, parce qu'elle joue un rôle dans leur grand projet pour Kate.

— Comment vos parents décident-ils quand Anna doit aider Kate sur le plan médical ?

— À vous entendre, on croirait que ça implique tout un processus. Qu'il y a un *choix* possible.

Elle lève la tête.

— Et ce n'est pas le cas ?

J'ignore la question – parce que s'il y en a une qui est posée pour la forme, c'est bien celle-là – et je laisse mon regard errer par la fenêtre. Dans le jardin, on voit encore le tronc de ce petit sapin. Personne, dans cette famille, ne dissimule jamais ses erreurs.

Quand j'avais sept ans, je me suis mis en tête de creuser jusqu'en Chine. Ça ne pouvait pas être bien compliqué, je me suis dit, de creuser tout droit un tunnel. J'ai pris une pelle dans le garage et j'ai commencé à faire un trou juste assez large pour pouvoir me glisser dedans. Tous les soirs, je le recouvrais avec le vieux bac à sable en plastique, au cas où il pleuvrait. Pendant quatre semaines, j'y ai travaillé, malgré les pierres qui me déchiraient les bras en y laissant des blessures de guerre, et malgré les racines qui s'enroulaient autour de mes chevilles.

Ce que je n'avais pas pris en compte, c'étaient les hauts murs qui s'élevaient autour de moi et le ventre de la planète, chaud sous mes baskets. En creusant tout droit au-dessous de moi, je m'étais désespérément perdu. Dans un tunnel, vous devez pouvoir éclairer votre chemin, et c'est quelque chose que je n'ai jamais très bien su faire.

Quand j'ai crié, mon père m'a trouvé en un instant, alors que j'étais sûr que mon attente avait duré plusieurs vies. Il s'est glissé dans le trou, partagé entre les sentiments que lui inspiraient mon travail et ma stupidité.

— Mon Dieu, Jesse, ça aurait pu s'effondrer sur toi !

Et il m'a ramené dans ses bras sur la terre ferme.

C'est là que j'ai vu que mon trou n'avait pas des kilomètres de profondeur, après tout. Quand mon père s'y tenait debout, le bord ne lui arrivait qu'à la poitrine.

L'obscurité, vous savez, est une notion relative.

Brian

Il faut à Anna moins de dix minutes pour s'installer dans ma chambre à la caserne. Pendant qu'elle range ses vêtements dans un tiroir et sa brosse à côté de la mienne sur la commode, je vais à la cuisine, où Paulie orchestre le dîner. Les gars attendent tous une explication.

— Elle va rester ici avec moi un moment. Nous avons besoin de régler certains problèmes.

Caesar lève les yeux d'un magazine.

— Elle viendra avec nous ?

Je n'avais pas réfléchi à cette question. Peut-être que ça pourrait lui changer les idées, de sentir qu'elle est en apprentissage.

— Ce n'est pas impossible, tu sais.

Paulie se retourne. Ce soir, il prépare des *fajitas* au bœuf.

— Tout va bien, capitaine ?

— Ouais, Paulie, merci.

— Si quelqu'un l'embête, dit Red, il aura affaire à nous quatre maintenant.

Les autres hochent la tête. Je me demande ce qu'ils penseraient si je leur apprenais que les gens qui embêtent Anna sont Sara et moi.

Je laisse les gars terminer les préparatifs du dîner et je remonte dans ma chambre, où Anna est assise en tailleur sur le second lit jumeau.

— Salut.

Elle ne répond pas. Il me faut un moment pour remarquer qu'elle porte des écouteurs, qui lui hurlent Dieu sait quoi dans les oreilles. Elle me voit et arrête la musique, en baissant le casque, qui repose à la base de son cou comme un collier.

— Salut.

Je m'assieds sur le bord du lit et je la regarde.

— Alors. Tu, euh... veux faire quelque chose ?

— Comme quoi ?

Je hausse les épaules.

— Je ne sais pas. Jouer aux cartes ?

— Tu veux dire, genre poker ?

— Poker, bataille. N'importe.

Elle me regarde attentivement.

— *Bataille* ?

— Tu veux te natter les cheveux ?

— Papa, demande Anna, tu es sûr que ça va ?

Je me sens davantage dans mon élément quand je me précipite à l'intérieur d'un bâtiment qui s'effondre autour de moi que je ne le suis maintenant, essayant de mettre ma fille à l'aise.

— Je veux... Je veux juste que tu saches qu'ici tu peux faire ce qui te fait plaisir.

— Tu crois que je peux laisser une boîte de tampons dans la salle de bains ?

Aussitôt, je me mets à rougir, et, comme si c'était contagieux, Anna aussi. Il n'y a qu'une seule femme pompier, à temps partiel, et les sanitaires des femmes sont au rez-de-chaussée. Mais quand même.

Anna cache son visage derrière ses cheveux.

— Je ne voulais pas... Je peux tout simplement les garder...

— Non, range-les dans la salle de bains. Si quelqu'un râle, on n'a qu'à dire que c'est à moi.

— Je ne suis pas sûre qu'on te croira, papa.

Je passe un bras autour de ses épaules.

— Je ne saurai peut-être pas bien m'y prendre, au début. Je n'ai encore jamais partagé la chambre d'une fille de treize ans.

— Et moi je n'ai pas trop l'habitude de dormir avec des mecs de quarante-deux ans.

— Heureusement, sinon je me verrais obligé de les tuer.

Son sourire me fait chaud au cœur. Peut-être que cela sera moins dur que je ne le pense. Peut-être puis-je me convaincre que cet éloignement cimentera la famille, à terme, même s'il doit d'abord la faire voler en éclats.

— Papa ?

— Oui ?

— Juste pour que tu saches : personne ne joue plus à la bataille après l'entrée en maternelle.

Elle me serre très fort, comme elle le faisait quand elle était petite. À cet instant, je me souviens de la dernière fois que je l'ai portée. Nous marchions à travers champs, tous les cinq – les marguerites sauvages et les roseaux étaient plus hauts qu'elle. Je l'ai soulevée, et ensemble nous avons fendu une mer de tiges. Mais pour la première fois nous avions remarqué tous deux comme ses jambes pendaient, comme elle était trop grande désormais pour tenir assise sur ma hanche. Très vite elle a voulu que je la repose pour qu'elle puisse continuer à marcher toute seule.

Les poissons rouges ne grandissent pas plus que ne l'exige le bocal dans lequel vous les mettez. Les bonsaïs se tordent en restant des arbres miniatures. J'aurais donné n'importe quoi pour la garder petite. Ils nous dépassent beaucoup plus vite que nous ne les dépassons.

Il paraît surprenant que l'une de nos filles nous entraîne dans une crise juridique, tandis que l'autre subit les affres d'une crise médicale – mais il est vrai que nous savons depuis un certain temps que Kate est entrée dans la phase ultime de la défaillance rénale. C'est Anna, cette fois, qui est la cause de notre détresse. Et pourtant – comme toujours – on trouve le moyen de faire face au problème, de lutter sur les deux fronts. La capacité humaine à supporter les épreuves ressemble au bambou : beaucoup plus souple qu'on ne le croirait jamais à première vue.

Pendant qu'Anna préparait ses affaires cet après-midi, je suis passé à l'hôpital. Kate était sous dialyse quand j'ai pénétré dans sa chambre. Elle était endormie avec son casque stéréo sur la tête. Sara s'est levée de sa chaise, un doigt pressé contre ses lèvres – un avertissement.

Elle m'a dirigé vers le couloir.

— Comment va Kate ? ai-je demandé.

— À peu près pareil, a-t-elle répondu. Comment va Anna ?

Nous avons échangé des informations sur nos enfants comme on montre très vite une carte, sans se décider à abattre son jeu. J'ai regardé Sara en me demandant comment j'allais lui expliquer ce que j'avais fait.

— Où étiez-vous passés, tous les deux, pendant que je me battais contre le juge ? a-t-elle demandé.

Bon. Si vous pensez trop à la chaleur du feu, vous n'aurez jamais le courage de l'affronter.

— J'ai emmené Anna à la caserne.

— Tu as un problème, au travail ?

J'ai inspiré profondément avant de me jeter de la falaise qu'est devenu mon mariage.

— Non. Anna va rester quelques jours là-bas avec moi. Je crois qu'elle a besoin de passer un peu de temps toute seule.

Sara m'a regardé.

— Mais Anna ne va pas être toute seule. Elle sera avec *toi*.

Le couloir m'a semblé soudain trop éclairé et trop large.

— Est-ce que c'est une mauvaise chose ?

— Oui, a-t-elle dit. Crois-tu vraiment que céder à ses caprices va aider Anna à long terme ?

— Je ne cède pas à ses caprices, je lui offre simplement un espace où elle pourra arriver toute seule aux conclusions qui s'imposent. Ce n'était pas avec toi qu'elle attendait, assise devant le cabinet du juge, pendant que tu discutais avec lui à l'intérieur. Je me fais du souci pour elle.

— Justement, voilà en quoi nous sommes différents, a argumenté Sara. Moi, je me fais du souci pour nos deux filles.

Je l'ai regardée et, pendant une fraction de seconde, j'ai vu la femme qu'elle était autrefois – celle qui n'avait aucun mal à arborer un sourire ; celle qui se trompait toujours en racontant des histoires drôles, mais déchaînait quand même les rires ; celle qui réussissait toujours à m'embobiner, sans même chercher à le faire. Ah, te voilà, toi, me suis-je dit, et je me suis penché pour l'embrasser sur le front.

— Tu sais où nous trouver.

Sur ce je suis parti.

Peu après minuit, nous avons un appel pour une intervention avec un véhicule de réanimation. Anna se réveille au moment où les sonneries se mettent en marche et où le système automatique déclenche la lumière vive qui éclaire la pièce.

— Tu peux rester là, tu sais.

Mais elle est déjà levée et commence à mettre ses chaussures. Je lui ai donné un vieil uniforme appartenant à la collègue à temps partiel : une paire de bottes, un casque. Elle enfile la veste de protection, grimpe à l'arrière de l'ambulance et s'attache sur le siège qui est adossé à celui du conducteur, en l'occurrence Red.

Nous fonçons toutes sirènes hurlantes dans les rues d'Upper Darby jusqu'à Sunshine Gates, une maison de retraite qui est une antichambre où l'on attend l'heure du rendez-vous avec saint Pierre. Red attrape la civière tandis que moi je porte la mallette des premiers secours. Une infirmière vient à notre rencontre à l'entrée.

— Elle est tombée et a perdu connaissance pendant un moment. Et son état mental est altéré.

Elle nous conduit à l'une des chambres. À l'intérieur, une vieille femme est étendue par terre, menue et frêle comme un oiseau. Du sang suinte sur le dessus de sa tête et l'odeur qu'elle dégage indique qu'elle a perdu le contrôle de ses sphincters.

— Bonsoir, ma petite dame, dis-je en me baissant aussitôt.

Je lui prends la main, sa peau est aussi fine que du crêpe.

— Pouvez-vous serrer mes doigts ?

Et à l'infirmière :

— Comment s'appelle-t-elle ?

— Eldie Briggs. Elle a quatre-vingt-sept ans.

— Eldie, nous allons vous aider.

Je lui parle en continuant à évaluer son état. Elle a une lacération dans la région occipitale. Je vais avoir besoin de la planche dorsale.

Pendant que Red court chercher la planche dans l'ambulance, je prends le pouls – irrégulier – et la tension d'Eldie.

— Vous avez mal dans la poitrine ?

La femme gémit, mais secoue la tête, puis fait une grimace de douleur.

— Il va falloir que je vous mette une minerve, d'accord ? Vous vous êtes cogné la tête drôlement fort, on dirait.

Red revient avec la planche. Je regarde de nouveau l'infirmière.

— Savez-vous si la perte de conscience a été une conséquence de la chute, ou si elle l'a provoquée ?

Elle secoue la tête.

— Personne n'a rien vu.

— Évidemment, marmonné-je tout bas. J'ai besoin d'une couverture.

La main qui me la tend est minuscule et tremblante. Jusqu'à cet instant, j'avais complètement oublié qu'Anna était avec nous.

— Merci, ma puce, dis-je en prenant le temps de lui sourire. Tu veux m'aider ? Tu peux te mettre aux pieds de Mme Briggs ?

Elle fait oui de la tête, le visage livide, et s'accroupit. Red aligne la planche dorsale.

— Eldie, nous allons vous faire rouler... à trois...

Nous comptons, nous la déplaçons, nous la sanglons. Le mouvement fait de nouveau saigner sa plaie au cuir chevelu.

Nous chargeons la vieille dame dans l'ambulance. Red démarre en trombe vers l'hôpital, tandis que je m'active dans l'espace étroit de la cabine, branchant la bonbonne d'oxygène, apportant des soins.

— Anna, peux-tu me passer la perfusion ?

Je commence à découper les vêtements d'Eldie.

— Vous êtes toujours avec nous, madame Briggs ? Je vais vous faire une petite piqûre.

Je place son bras dans la bonne position et je cherche une veine, mais elles ressemblent à de minces traits de crayon, des ombres sur une carte. La sueur perle sur mon front.

— Je n'y arrive pas avec une aiguille de vingt. Peux-tu m'en trouver une de vingt-deux, Anna ?

Les opérations sont d'autant plus compliquées que la patiente gémit et pleure. Que l'ambulance tangue dans les virages, brinquebale en freinant, alors que je tente d'insérer une aiguille plus fine.

— Merde ! dis-je en jetant le second perfuseur par terre.

Je lui fais vite un électrocardiogramme, puis j'appelle l'hôpital par radio pour annoncer notre arrivée.

— Patiente de quatre-vingt-sept ans. Elle a fait une chute. Elle est consciente et répond aux questions. TA 136-83, pouls 130 irrégulier. Impossible de la perfuser. Lacération à l'arrière de la tête, mais hémorragie stoppée. Elle est sous oxygène. Des questions ?

Les phares d'un camion qui arrive en sens inverse me permettent de voir le visage d'Anna. Le camion tourne, le faisceau lumineux baisse, et je me rends compte que ma fille tient la main de cette dame, une inconnue.

À l'entrée des urgences de l'hôpital, nous sortons un brancard et nous le roulons par les portes automatiques. Une équipe de médecins et d'infirmières attend déjà.

— Elle est toujours consciente.

Un infirmier tapote les poignets grêles de la vieille femme.

— Pas terrible.

— Ouais, c'est pour ça que je n'ai pas pu la perfuser. J'ai dû utiliser le brassard pédiatrique pour lui prendre la tension.

Tout d'un coup, je me souviens d'Anna, qui est restée à l'entrée, l'air paniqué.

— Papa, elle va mourir, la dame ?

— Je pense qu'elle a probablement eu une attaque... mais elle va s'en sortir. Écoute, pourquoi tu ne m'attends pas là, sur une chaise ? J'en ai pour cinq minutes, maxi.

— Papa ? Ce serait génial, non, si ça se passait toujours comme ça ?

Elle ne voit pas la situation comme moi – qu'Eldie Briggs est un cauchemar pour les ambulanciers, que ses veines sont flinguées, que son état se dégrade et que le bilan de notre intervention n'a rien de réjouissant. Mais ce qu'Anna veut dire, c'est que ce dont souffre Eldie Briggs peut être soigné.

J'entre et je continue à fournir des informations à l'équipe des urgences. Environ dix minutes plus tard, je finis de remplir la fiche d'intervention et je vais chercher ma fille dans la salle d'attente, mais elle a disparu. Je trouve Red occupé à disposer un drap propre sur la civière et à fixer un oreiller sous la sangle.

— Où est Anna ?

— Je pensais qu'elle était avec toi.

Je jette un coup d'œil dans l'un des couloirs, puis dans l'autre, et je ne vois que des médecins épuisés, des auxiliaires de santé, des personnes éparpillées ici et là, buvant du café et espérant que tout aille pour le mieux.

— Je reviens tout de suite.

Comparé à la frénésie des urgences, le septième étage dort tranquillement. Au passage, les infirmières me saluent en m'appelant par mon prénom tandis que je me dirige vers la chambre de Kate et que j'ouvre tout doucement la porte.

Anna est trop grande pour se mettre sur les genoux de Sara, mais c'est pourtant là qu'elle est assise. Elle et Kate sont toutes deux endormies. Par-dessus la tête d'Anna, Sara me regarde approcher.

Je m'agenouille devant ma femme et j'écarte les cheveux d'Anna de sa figure.

— Ma chérie, il est l'heure de rentrer à la maison.

Anna se redresse lentement. Elle me laisse lui prendre la main pour l'aider à se mettre debout, la paume de Sara lui glisse le long du dos.

— Ce n'est pas la maison, dit Anna.

Mais elle me suit quand même.

Minuit passé, je me penche vers Anna et je lui chuchote quelques mots à l'oreille.

— Viens voir ça.

Elle s'assied, attrape un sweat-shirt, fourre les pieds dans ses baskets. Ensemble, nous grimpons sur le toit de la caserne.

La nuit nous tombe dessus. Les météores pleuvent comme des feux d'artifice, déchirant l'obscurité.

— Oh ! s'exclame Anna qui s'allonge afin de mieux voir.

— Ce sont les Perséides. Une pluie de météores.

— C'est dingue.

Les étoiles filantes ne sont pas du tout des étoiles. Ce sont simplement des pierres qui pénètrent dans l'atmosphère et qui prennent feu sous l'effet de la friction. Ce que nous regardons en faisant un vœu n'est en réalité qu'une traînée de débris.

Dans le quadrant supérieur gauche du ciel, un radiant crache un nouveau jet d'étincelles.

— C'est comme ça chaque nuit, pendant que nous dormons ? demande Anna.

C'est une question remarquable – est-ce qu'il se passe toutes sortes de choses extraordinaires sans que nous en soyons conscients ? Je secoue la tête. En théorie, la Terre ne croise la route de la queue d'une comète qu'une fois par an. Mais il est possible qu'un spectacle aussi éblouissant ne se produise qu'une seule fois dans une vie.

— Ce serait trop bien si une étoile atterrissait dans notre jardin, tu ne crois pas ? On la trouverait au lever du soleil et on la mettrait dans un bocal et on s'en servirait comme lampe de chevet ou de camping.

Je peux presque la voir écumer la pelouse, à la recherche d'une trace sur l'herbe brûlée.

— Tu crois que Kate peut les voir de sa fenêtre ?

— Je n'en suis pas sûr.

Je me dresse sur un coude et je la dévisage avec attention. Mais Anna garde le regard rivé sur la voûte céleste.

— Je sais que tu voudrais me demander pourquoi je fais tout ça.

— Tu n'as pas besoin de me le dire si tu ne veux pas.

Anna se couche, la tête lovée contre mon épaule. Chaque seconde, une nouvelle traînée d'argent scintille dans le ciel, décrivant des parenthèses, des points d'exclamation, des virgules – toute une grammaire faite de lumière, pour des mots trop difficiles à prononcer.

Vendredi

Doute que les astres soient des flammes,
Doute que le soleil se meuve,
Doute que le vrai soit vrai,
Mais ne doute jamais que je t'aime.

WILLIAM SHAKESPEARE, *Hamlet*
(traduction de François-Victor Hugo)

Campbell

À l'instant où je franchis le seuil de l'hôpital avec Judge à mes côtés, je sais que les ennuis commencent. Une intendante de la sécurité – imaginez Hitler en drag-queen avec une permanente ratée – croise les bras et me bloque l'entrée des ascenseurs.

— Pas de chiens ici, déclare-t-elle.

— C'est un chien guide.

— Vous n'êtes pas aveugle.

— Je souffre d'arythmie cardiaque et il a son brevet de secouriste.

Je me dirige vers le bureau du Dr Peter Bergen, un psychiatre qui se trouve être le président du comité d'éthique de l'hôpital de Providence. Je suis ici par défaut : il semblerait que je n'arrive pas à mettre la main sur ma cliente, qui pourrait ou non maintenir sa procédure judiciaire. Franchement, après l'audience d'hier, j'étais assez énervé – je voulais qu'*elle* s'adresse à *moi*. Quand j'ai vu qu'elle ne le faisait pas, je suis allé jusqu'à m'asseoir devant sa porte la nuit dernière, mais personne ne s'est montré à la maison ; ce matin, pensant qu'Anna était avec sa sœur, je suis venu à l'hôpital, uniquement pour m'entendre dire que je n'étais pas autorisé à voir Kate. Je n'arrive pas non plus à trouver Julia, alors que j'étais sûr qu'elle m'attendait encore à la sortie quand Judge et moi sommes repartis après l'incident au tribunal. J'ai demandé à sa sœur de me donner au moins son numéro de portable, mais quelque chose me dit que celui qu'elle m'a indiqué est hors service.

Alors, comme je n'ai rien de mieux à faire, je vais travailler sur cette affaire au cas où, par le plus grand des hasards, elle existerait encore.

La secrétaire de Bergen me fait penser au genre de femme dont la taille de soutien-gorge est supérieure au QI.

— Oh, un petit toutou ! minaude-t-elle, tendant la main pour caresser Judge.

— Non, s'il vous plaît.

Je commence à lui sortir une de mes explications toutes faites, mais pourquoi perdre mon temps avec elle ? Je me dirige plutôt vers la porte du fond. Là, je trouve un petit bonhomme trapu qui porte sur ses boucles grisonnantes un bandana imprimé de la bannière étoilée, en tenue de yoga et qui fait du tai-chi.

— Occupé, grogne Bergen.

— C'est quelque chose que nous avons en commun, docteur. Je suis Campbell Alexander, l'avocat qui vous a demandé le dossier de la petite Fitzgerald.

Les bras tendus en avant, le psychiatre expire.

— Je l'ai envoyé.

— Vous m'avez envoyé le dossier de Kate Fitzgerald. C'est celui d'Anna Fitzgerald dont j'ai besoin.

— Vous savez, répond-il, ce n'est pas vraiment le bon moment pour moi...

— Je ne veux surtout pas interrompre votre gymnastique.

Je m'assieds, et Judge se couche à mes pieds.

— Je disais donc... Anna Fitzgerald. Avez-vous des notes du comité d'éthique la concernant ?

— Le comité d'éthique ne s'est jamais réuni pour débattre du cas d'Anna Fitzgerald. C'est sa sœur qui est la patiente.

Je l'observe tandis qu'il étire son dos puis le fléchit.

— Avez-vous une idée du nombre de fois où Anna a été admise dans cet établissement, que ce soit en consultation de jour ou en hospitalisation ?

— Non, dit Bergen.

— J'en recense huit.

— Mais ces procédures ne seraient pas nécessairement soumises au comité d'éthique. Quand les médecins sont d'accord avec ce que veulent les patients, et vice versa, il n'y a pas de conflit. Pas de raison pour que nous en entendions même parler.

Le Dr Bergen baisse le pied qu'il avait levé en l'air, et attrape une serviette pour s'éponger les aisselles.

— Nous avons tous des boulots à plein temps, monsieur Alexander. Nous sommes psychiatres, infirmiers, médecins, scientifiques et aumôniers. Nous ne cherchons pas les problèmes.

Julia et moi étions appuyés contre mon casier au vestiaire, en grande discussion à propos de la Vierge Marie, et je tripotais sa médaille miraculeuse – bon, à vrai dire, c'est sa clavicule que je voulais caresser, et la médaille s'est interposée.

— Et si, ai-je dit, elle n'était qu'une gamine qui était tombée enceinte et qui avait trouvé un moyen ingénieux de s'en sortir ?

Julia s'est quasiment étouffée.

— Je pense qu'on pourrait te virer de l'Église épiscopale pour ce que tu viens de dire, Campbell.

— Réfléchis. Tu as treize ans, ou l'âge auquel on faisait l'amour, à l'époque, et tu t'es fait culbuter dans

la paille par Joseph, et avant que tu saches ce qui t'arrive, ton test de grossesse est positif. Tu as le choix entre affronter la colère de ton père et te fabriquer une bonne excuse. Qui va mettre ta parole en doute si tu affirmes que c'est Dieu qui t'a engrossée ? Tu ne crois pas que le père de Marie s'est dit : « Je pourrais la priver de sortie... mais si ça provoque un fléau ? » ?

Et puis j'ai ouvert mon casier, et il en est tombé une centaine de préservatifs. Plusieurs garçons de mon club de voile sont sortis de leur cachette en riant comme des hyènes.

— On pensait que tu avais besoin de réserves, a dit l'un d'eux.

Bon, qu'est-ce que je pouvais faire ? J'ai souri.

Avant que je n'aie le temps de faire ouf, Julia s'était sauvée. Pour une fille, elle courait vachement vite. Quand j'ai enfin réussi à la rattraper, l'école n'était plus qu'une tache loin derrière nous.

— Trésor, ai-je dit.

Mais je ne savais pas quoi ajouter. Ce n'était pas la première fois que je faisais pleurer une fille, mais c'était la première fois que j'étais malheureux de l'avoir fait.

— J'aurais dû les tabasser tous ? C'est ça que tu voulais ?

Elle m'a attaqué.

— Qu'est-ce que tu leur racontes sur nous quand vous êtes dans le vestiaire ?

— Je ne leur raconte rien du tout.

— Qu'est-ce que tu dis à tes parents en parlant de moi ?

— Je ne leur ai pas parlé de toi, ai-je reconnu.

— Va te faire foutre, a-t-elle répondu.

Et elle s'est remise à courir.

Les portes de l'ascenseur s'ouvrent au deuxième étage, et Julia Romano apparaît. Nous nous dévisageons un moment, puis Judge commence à remuer la queue.

— Ça descend ?

Elle entre et appuie sur le bouton du rez-de-chaussée, déjà allumé. Mais ça l'oblige à se pencher devant moi, de sorte que je peux respirer l'odeur de ses cheveux – vanille et cannelle.

— Qu'est-ce que tu es venu faire ici ? demande-t-elle.

— Perdre toute estime pour le système de santé américain. Et toi ?

— Rencontrer le cancérologue de Kate, le Dr Chance.

— Dois-je en déduire que la procédure est maintenue ?

Julia secoue la tête.

— Je n'en sais rien. Personne dans cette famille ne me rappelle, mis à part Jesse, mais c'est strictement hormonal.

— Tu as pu...

— Voir Kate ? Ouais. Ils ne m'ont pas laissée entrer dans sa chambre. Une histoire de dialyse.

— On m'a dit la même chose.

— Bon, si tu lui parles...

— Écoute, je dois partir du principe que nous avons une audience dans trois jours à moins qu'Anna n'en décide autrement. Si tel est le cas, toi et moi devons vraiment nous asseoir et essayer de comprendre ce qu'il se passe dans la vie de cette gamine. Veux-tu que nous allions prendre un café ?

— Non, dit Julia en s'éloignant.

— Arrête.

Quand je lui saisis le bras, elle se raidit.

— Je sais que la situation est inconfortable pour toi. Elle l'est pour moi aussi. Mais ce n'est pas parce que ni toi ni moi ne sommes capables d'être adultes qu'Anna devrait être privée de la chance de le devenir.

Cela accompagné d'un regard particulièrement penaud.

Julia croise les bras.

— Tu ne veux pas la noter, celle-là, pour pouvoir t'en resservir ?

J'éclate de rire.

— Bon Dieu ! tu es dure...

— Oh, va te faire voir, Campbell. Pour être onctueux à ce point, tu t'enduis probablement les lèvres d'huile tous les matins.

Cela éveille en moi toutes sortes d'images, mais qui mettent en scène des parties de son corps à *elle*.

— Tu as raison, dit-elle alors.

— *Ça*, pour le coup, je veux le noter...

Cette fois, quand elle s'éloigne, Judge et moi la suivons. Elle sort de l'hôpital et prend une petite rue, une allée, et passe devant une résidence avant que nous ne retrouvions le soleil sur Mineral Spring Avenue, à North Providence. À ce stade, je me félicite d'avoir la main solidement arrimée à la laisse d'un chien doté d'une solide mâchoire.

— Chance m'a appris qu'il n'y avait plus rien à faire pour Kate, m'informe Julia.

— Tu veux dire hormis la greffe de rein.

— Non. Voilà ce qui est incroyable.

Elle s'arrête de marcher, se plante en face de moi.

— Le Dr Chance ne pense pas que Kate soit suffisamment résistante.

— Et Sara Fitzgerald qui pousse à la roue.

— Quand tu y réfléchis, Campbell, tu ne peux pas lui reprocher sa logique. Si Kate meurt de toute façon sans la greffe, pourquoi ne pas la tenter ?

J'esquive délicatement un SDF et sa collection de bouteilles.

— Parce que la greffe implique que sa benjamine subisse une très grosse intervention chirurgicale, lui fais-je remarquer. Et mettre en danger la santé d'Anna pour une opération dont elle n'a pas besoin semble un peu léger.

Julia s'arrête soudain devant une petite baraque avec une enseigne peinte à la main, *Luigi Ravioli*. On dirait un de ces endroits faiblement éclairés pour que l'on ne remarque pas les rats.

— Il n'y aurait pas un café Starbucks dans le coin ?

Au moment même où je formule ma question, un gigantesque homme chauve en tablier blanc ouvre la porte, manquant de renverser Julia.

— Isobella ! s'exclame-t-il en l'embrassant sur les deux joues.

— Non, oncle Luigi, moi c'est Julia.

— Julia ?

Il recule et fronce les sourcils.

— Tu es sûre ? Tu devrais te faire couper les cheveux ou quelque chose, tu exagères.

— Tu n'arrêtais pas de me faire des remarques quand j'avais les cheveux courts.

— On te faisait des remarques parce qu'ils étaient roses.

Il me regarde.

— Z'avez faim ?

— Nous voulions juste du café, et une table tranquille.

Il sourit de toutes ses dents.

— Une table tranquille ?

Julia soupire.

— Non, pas comme tu crois.

— D'accord, d'accord, tout est top secret. Entrez, je vais vous mettre dans la salle du fond.

Son regard se porte sur Judge.

— Le chien reste là.

Je rétorque :

— Le chien reste avec moi

— Pas dans mon restaurant, insiste Luigi.

— C'est un chien guide. Il ne peut pas rester dehors.

Luigi se penche vers moi, à quelques centimètres de mon visage.

— Vous êtes aveugle ?

— Daltonien. Il me signale quand les feux changent de couleur.

Les coins de la bouche de l'oncle Luigi retombent.

— Qu'est-ce qu'ils ont tous à faire les malins, aujourd'hui ? dit-il avant de nous montrer le chemin.

Pendant des semaines, ma mère a essayé de deviner l'identité de ma petite amie.

— *C'est Bitsy, n'est-ce pas ? Celle que nous avons rencontrée au yacht-club ? Non, attends, ce ne serait pas plutôt la fille de Sheila, la rousse ?*

Je n'arrêtais pas de lui répéter que ce n'était personne qu'elle connaissait, alors que ce que je voulais vraiment dire, c'est que Julia n'était pas quelqu'un qu'elle pourrait reconnaître.

— Je sais ce qui est le mieux pour Anna, me dit Julia, mais je ne suis pas sûre qu'elle soit assez mûre pour en décider toute seule.

Je me sers un autre *antipasto*.

— Si tu estimes qu'elle a raison d'engager cette procédure, alors où est le conflit ?

— L'engagement moral, répond Julia sèchement. Est-ce que tu veux que je t'en donne la définition ?

— Tu sais, c'est impoli de sortir ses griffes à table.

— En ce moment, chaque fois qu'Anna affronte sa mère, elle fait machine arrière. Chaque fois que quelque chose arrive à Kate, elle fait machine arrière. Et en dépit de ce dont elle se croit capable, elle n'a jamais pris auparavant une décision d'une telle ampleur, compte tenu des conséquences pour sa sœur.

— Et si je te disais que d'ici au jour de l'audience, elle sera apte à prendre cette décision ?

Julia lève les yeux vers moi.

— Pourquoi en es-tu si sûr ?

— Je suis toujours sûr de moi.

Elle pique une olive sur le plateau qui est entre nous.

— Ouais, dit-elle doucement. Je me souviens de ça.

Même si Julia devait bien se douter de quelque chose, je ne lui ai pas parlé de mes parents, de ma maison. Sur la route de Newport, dans ma Jeep, j'ai tourné dans l'allée d'un énorme manoir en brique.

— *Campbell, a dit Julia, c'est une blague.*

J'ai fait le tour de la plate-bande centrale et j'ai repris l'allée en sens inverse.

— *Ouais, j'avoue.*

De sorte que, quand j'ai pris la direction de la grande maison georgienne deux allées plus loin, avec ses rangées de bouleaux et ses pelouses descendant en pente douce jusqu'à la baie, cela ne lui a pas paru

aussi impressionnant. Tout au moins était-elle plus
petite que la précédente.

Julia a secoué la tête.

— *Quand tes parents me verront, ils prendront un*
pied-de-biche pour nous séparer.

— *Ils vont t'adorer, lui ai-je promis, mentant à*
Julia pour la première fois mais pas la dernière.

Julia disparaît sous la table avec un plat de pâtes.

— Tiens, Judge, pour toi, dit-elle. Alors, qu'est-ce
que c'est que ce chien ?

— Il assure la traduction pour mes clients
hispanophones.

— Vraiment.

Je lui décoche un grand sourire.

— Vraiment.

Elle se penche, plissant les yeux.

— Tu sais, j'ai six frères. Je connais le mode de
fonctionnement des mecs.

— Je t'écoute.

— Pour que je te dévoile mes tactiques secrètes ?
Sûrement pas.

Elle secoue la tête.

— Peut-être qu'Anna t'a engagé parce que tu es
aussi évasif qu'elle.

— Elle m'a engagé parce qu'elle a vu mon nom
dans le journal. Un point c'est tout.

— Mais pourquoi est-ce que *toi*, tu as accepté de
la défendre ? Ce n'est pas ton type d'affaires.

— Comment sais-tu quel est mon type d'affaires ?

J'ai dit cela d'un ton léger, celui de la plaisanterie,
mais Julia devient muette, et j'ai ma réponse : pendant toutes ces années, elle a suivi ma carrière.

Un peu comme moi j'ai suivi la sienne.

Je m'éclaircis la gorge, mal à l'aise, et je montre du doigt son visage.

— Tu as de la sauce... là.

Elle prend sa serviette et s'essuie le coin de la bouche, mais passe complètement à côté de la sauce.

— Ça y est ? demande-t-elle.

Avec ma serviette, je me penche et je nettoie la petite trace, mais ensuite je ne retire pas la main, je la laisse posée sur sa joue. Nous nous regardons les yeux dans les yeux, et à cet instant, nous redevenons jeunes et nous apprenons à lire le corps de l'autre.

— Campbell, dit Julia, ne me fais pas ça.

— Ça quoi ?

— Ne me pousse pas deux fois du haut de la même falaise.

Quand mon portable sonne dans la poche de ma veste, nous sursautons tous les deux. Julia renverse par inadvertance son verre de chianti pendant que je réponds.

— Non. Du calme, du calme. Où êtes-vous ? C'est bon, j'arrive.

Julia s'arrête d'éponger la table au moment où je raccroche.

— Il faut que j'y aille.

— Tout va bien ?

— C'était Anna. Elle est au poste de police d'Upper Darby.

Sur le chemin du retour vers Providence, j'ai essayé d'imaginer au moins une mort atroce par kilomètre pour mes parents. Matraqués, scalpés. Écorchés vifs et saupoudrés de sel. Marinés dans du gin, mais je me demande si ce ne serait pas un nirvana plutôt qu'une torture.

Il est possible qu'ils m'aient vu me faufiler dans la chambre d'amis, descendre avec Julia par l'escalier de service et passer par la porte de derrière. Il est possible qu'ils aient pu distinguer nos silhouettes tandis que nous ôtions nos vêtements et pataugions dans la baie. Peut-être qu'ils nous ont observés lorsqu'elle a enroulé ses jambes autour de moi, que je l'ai déposée sur un lit de sweat-shirts et de flanelle.

Le prétexte, servi le lendemain matin avec les œufs brouillés, était une invitation à une réception au Club le soir même – tenue de gala, strictement réservée à la famille. Une invitation qui, bien entendu, ne s'étendait pas à Julia.

Il faisait si chaud quand nous sommes arrivés devant sa maison qu'un garçon ingénieux avait ouvert une bouche d'incendie, et les gamins sautaient dans le jet comme du pop-corn.

— Julia, je n'aurais jamais dû te traîner jusqu'à chez moi pour te présenter à mes parents.

— Il y a beaucoup de choses que tu ne devrais pas faire, a-t-elle reconnu. Et la plupart me concernent.

— Je t'appelle avant la remise des diplômes, lui ai-je dit.

Elle m'a embrassé et est sortie de la voiture.

Mais je n'ai pas appelé. Et je n'ai pas cherché à la voir lors de la remise des diplômes. Et elle croit savoir pourquoi, mais elle se trompe.

Ce qu'il y a de curieux à Rhode Island, c'est que toute notion de feng shui en est absente. Je veux dire par là qu'il y a un Little Compton, mais pas de Big Compton, un Upper Darby, mais pas de Lower Darby. Beaucoup d'endroits sont définis en fonction d'autres choses, qui n'existent pas vraiment.

Julia me suit dans sa propre voiture. Judge et moi avons probablement battu un record de vitesse, parce que cinq minutes à peine semblent s'être écoulées entre le coup de téléphone et le moment où nous entrons dans le poste de police pour trouver Anna, hystérique, à côté de l'agent à l'accueil. Elle se jette sur moi, complètement affolée.

— Vous devez m'aider ! crie-t-elle. Jesse s'est fait arrêter.

— Quoi ?

Je regarde Anna, qui m'a arraché à un très bon repas, sans parler d'une conversation que j'aurais bien voulu poursuivre jusqu'au bout.

— En quoi est-ce mon problème ?

— Parce que j'ai besoin de vous pour le sortir de là, explique Anna très lentement, comme si j'étais un demeuré. Vous êtes avocat.

— Je ne suis pas *son* avocat.

— Mais vous pourriez l'être, non ?

— Pourquoi n'appelez-vous pas votre mère, elle a pris en charge de nouveaux clients.

Julia me tape le bras.

— Tais-toi.

Elle se tourne vers Anna.

— Qu'est-il arrivé ?

— Jesse a volé une voiture et il s'est fait prendre.

— J'ai besoin d'un peu plus de précisions, dis-je, regrettant déjà mes paroles.

— C'est un Humvee, je crois. Un gros 4 x 4 jaune.

Il n'existe qu'un seul gros Humvee jaune dans tout l'Etat, et il appartient au juge Newbell. Une migraine commence à poindre entre mes globes oculaires.

— Votre frère a volé la voiture d'un juge et vous voulez que je le tire d'affaire ?

Anna cligne des yeux.

— Ben, ouais.

Bon Dieu !

— Je vais parler à l'officier.

Laissant Anna entre les mains de Julia, je vais vers le fonctionnaire de police qui – je le jure – rit déjà à mes dépens. Je déclare en soupirant :

— Je représente Jesse Fitzgerald.

— Je suis désolé de l'apprendre.

— C'était celui du juge Newbell, n'est-ce pas ?

L'officier sourit.

— Ouais.

J'inspire un grand coup.

— Le gosse n'a pas de casier judiciaire.

— Uniquement parce qu'il vient d'atteindre sa majorité. Mais, comme jeune délinquant, il a un casier long comme le bras.

— Écoutez, sa famille traverse une lourde épreuve en ce moment. L'une des sœurs du garçon est à l'article de la mort, l'autre attaque ses parents en justice. Vous ne pourriez pas nous accorder une chance, exceptionnellement ?

L'officier regarde vers Anna.

— Je vais en toucher un mot au procureur, mais vous feriez bien de plaider la cause du gamin, parce que, à mon avis, il vaut mieux que le juge Newbell ne vienne pas témoigner.

Après quelques négociations, je reviens vers Anna, qui bondit dès qu'elle me voit.

— Vous avez pu arranger ça ?

— Oui, mais c'est la dernière fois. Et je n'en ai pas terminé avec vous.

Je me dirige au pas de charge vers l'arrière du poste de police, où se trouvent les cellules de détention. Jesse Fitzgerald est couché sur le dos sur la banquette métallique, un bras replié sur les yeux. Pendant un instant, je l'observe depuis l'extérieur de la cellule.

— Vous savez, vous êtes le meilleur argument que j'aie jamais vu en faveur de la sélection naturelle.

Il s'assied.

— Vous êtes qui, vous ?

— Votre marraine, la bonne fée. Espèce de petit con, vous vous rendez compte que vous avez volé le Humvee d'un juge ?

— Comment voulez-vous que je sache à qui il appartenait ?

— Peut-être parce qu'il portait le macaron distinctif des magistrats ? Quant à moi, je suis avocat. Votre sœur m'a demandé de vous représenter. J'ai eu la faiblesse d'accepter.

— Sans blague ? Alors vous pouvez me sortir de là ?

— Ils vont vous accorder la liberté conditionnelle. Vous devez leur remettre votre permis de conduire et vous engager à rester chez vous, ce qui est déjà le cas, donc ça ne devrait pas vous poser de problème.

Jesse réfléchit à la proposition.

— Je dois leur laisser ma voiture ?

— Non.

On peut quasiment voir les vitesses s'enclencher. Un garçon comme Jesse se fiche complètement du bout de papier qui lui permet de conduire, pour autant qu'il a un véhicule.

— C'est cool, alors, dit-il.

Je fais signe à un agent posté à côté, qui ouvre la cellule pour laisser sortir Jesse. Nous marchons côte à côte jusqu'à l'entrée. Il est aussi grand que moi, mais encore mal dégrossi. Son visage s'éclaire soudain, et pendant un moment je le crois capable de se racheter, d'éprouver peut-être assez de sentiments envers Anna pour lui servir d'allié.

Mais il ignore sa sœur et s'approche de Julia.

— Salut, dit-il. Vous vous faisiez du souci pour moi ?

À cet instant, je voudrais le remettre derrière les barreaux. *Après* l'avoir tué.

— Dégagez, soupire Julia. Viens, Anna. Allons nous trouver quelque chose à manger.

Jesse lève les yeux.

— Excellent. Je crève de faim.

— Pas vous, lui dis-je. Je vous emmène au tribunal.

Le jour du diplôme de fin d'études à Wheeler, les sauterelles sont arrivées. Elles se sont abattues comme un gros orage d'été, fouettant les branches des arbres et s'écrasant comme des grêlons sur le sol. Toute la journée, les météorologues se sont livrés à des études sur le terrain pour essayer d'expliquer le phénomène. Ils ont évoqué les plaies de la Bible, El Niño et la sécheresse prolongée. Ils ont recommandé d'utiliser des parapluies, de porter des chapeaux à large bord, de rester à l'intérieur.

La cérémonie de remise des diplômes, cependant, a eu lieu sous une vaste tente. Le discours de l'orateur était ponctué par les sauts dans le vide des insectes suicidaires. Les sauterelles glissaient le long des pans de toile pour tomber sur les genoux des spectateurs.

Je ne voulais pas y aller, mais mes parents m'y ont obligé. Julia m'a trouvé au moment où je mettais ma toque. Elle m'a entouré la taille de ses bras. Elle a essayé de m'embrasser.

— Salut, a-t-elle dit. De quel côté de la planète es-tu tombé ?

Je me souviens d'avoir pensé que dans nos robes blanches nous avions l'air de fantômes. Je l'ai repoussée.

— Ne me fais pas ça. D'accord ? Ne me fais pas ça.

Sur toutes les photos que mes parents ont prises, je souriais comme si la terre était l'endroit où j'avais vraiment envie de vivre, tandis que tout autour de moi les insectes pleuvaient, gros comme le poing.

Ce qui est éthique pour un avocat est très différent de ce qui l'est pour le reste du monde. De fait, nous avons un code écrit – les Règles de responsabilité professionnelle – que nous devons assimiler et suivre afin de pouvoir exercer. Mais ces principes mêmes exigent que nous fassions des choses que la plupart des gens considèrent comme étant immorales. Par exemple, si vous entrez dans mon cabinet en disant « J'ai tué le bébé Lindbergh », je vais peut-être vous demander où est le corps. « Sous le sol de ma chambre à coucher, me dites-vous, un mètre cinquante au-dessous des fondations de la maison. » Si je fais mon boulot correctement, je ne dois révéler à personne où se trouve le bébé. Dans le cas contraire, je risque la radiation du barreau.

Tout cela signifie que je suis formé à penser que la morale et l'éthique ne vont pas nécessairement de pair.

— Bruce, dis-je au procureur, mon client va nous fournir des informations. Et si vous pouviez nous faire sauter quelques-unes de ces infractions, je vous jure que mon client ne s'approchera jamais plus à moins de cent cinquante mètres du juge ou de sa voiture.

Je me demande combien de personnes dans ce pays savent que le système judiciaire a beaucoup plus en commun avec le poker qu'avec la justice.

Bruce est un type sympa. En plus, je sais qu'il vient de se voir confier une affaire de double meurtre, et il n'a pas envie de perdre son temps avec la condamnation de Jesse Fitzgerald.

— Vous savez, Campbell, il s'agit du Humvee du juge Newbell, dit-il.

— Oui, je suis au courant.

Je réponds avec gravité, alors que je pense que quiconque est assez m'as-tu-vu pour conduire un Humvee mérite presque de se le faire piquer.

— Laissez-moi parler au juge, soupire Bruce. Je vais probablement me faire étriper, mais je vais lui dire que les flics ne sont pas contre l'idée de donner une chance au gosse.

Vingt minutes plus tard, nous avons signé tous les formulaires et Jesse est debout à côté de moi dans le prétoire. Vingt-cinq minutes plus tard, il est remis en liberté conditionnelle et nous sortons sur les marches du bâtiment.

C'est une de ces journées d'été qui vous font remonter des souvenirs dans la gorge. Un jour comme celui-ci, j'aurais fait de la voile avec mon père.

Jesse rejette la tête en arrière.

— Nous avions l'habitude d'attraper des têtards, dit-il de but en blanc. De les prendre avec un seau et de regarder leur queue devenir des pattes. Pas un seul, je le jure, n'est jamais devenu grenouille.

Il se tourne vers moi et sort un paquet de cigarettes de sa poche de poitrine.

— Vous en voulez une ?

Je n'ai pas fumé depuis le début de mes études de droit. Mais je me vois soudain prendre une cigarette et l'allumer. La langue pendante, Judge observe le cours de la vie. A côté de moi, Jesse gratte une allumette.

— Merci, dit-il, de ce que vous faites pour Anna.

Une voiture passe ; sa radio diffuse une de ces chansons que les stations ne programment jamais l'hiver. Un jet de fumée bleue s'échappe de la bouche de Jesse. Je me demande s'il a jamais fait de la voile. S'il y a un souvenir qu'il a conservé précieusement pendant toutes ces années – s'asseoir sur la pelouse et sentir l'herbe fraîchir après le coucher du soleil, tenir une fusée, le 4 Juillet, jusqu'à ce qu'elle lui brûle les doigts. Nous possédons tous quelque chose.

Elle a laissé une lettre sous l'essuie-glace de ma Jeep dix-sept jours après la remise des diplômes. Avant même de l'ouvrir, je me suis demandé comment Julia était arrivée jusqu'à Newport, comment elle était rentrée. J'ai emporté la lettre pour la lire sur les rochers de la baie, et après l'avoir lue, je l'ai portée à mon nez et je l'ai reniflée, au cas où j'y retrouverais son odeur.

Je n'étais pas autorisé à conduire, mais cela n'avait pas vraiment d'importance. Nous nous sommes retrouvés au cimetière, comme elle le demandait dans son billet.

Julia était assise contre la pierre tombale, les bras autour de ses genoux. Elle a levé les yeux quand elle m'a vu.

— Je voulais que tu sois différent.

— Julia, ça n'a rien à voir avec toi.

— Ah non ?

Elle s'est levée.

— Je n'ai pas de fidéicommis, Campbell. Mon père ne possède pas de yacht. Si tu croisais les doigts en espérant que je deviendrais Cendrillon un jour ou l'autre, tu avais tout faux.

— Je n'attache aucune importance à tout ça.

— Tu parles, que tu n'y attaches pas d'importance.

Elle a plissé les yeux.

— Qu'est-ce que tu croyais, que ce serait amusant de te frotter au petit peuple ? Tu l'as fait pour emmer-

der tes parents ? Et maintenant tu te débarrasses de moi comme d'une merde dans laquelle tu aurais marché malencontreusement ?

Elle m'a frappé en travers de la poitrine.

— Je n'ai pas besoin de toi. Je n'ai jamais eu besoin de toi.

— Eh bien, moi, j'avais sacrément besoin de toi ! lui ai-je crié.

Quand elle s'est retournée, je l'ai prise par les épaules et je l'ai embrassée. Tout ce que je ne parvenais pas à lui dire, je l'ai déversé en elle.

Il y a certaines choses que nous faisons parce que nous nous persuadons que ce serait mieux pour toutes les personnes concernées. Nous nous disons que nous prenons la bonne décision, la décision altruiste. C'est beaucoup plus facile que d'être honnête envers soi-même.

J'ai repoussé Julia. Dévalé la colline du cimetière. Sans me retourner.

Anna est assise devant, à la place du passager, ce qui ne plaît pas du tout à Judge. Dépité, il passe la tête entre nous, et la laisse pendre en haletant comme une vieille locomotive.

— Ce qui s'est passé aujourd'hui ne laisse rien présager de bon pour les jours à venir, lui dis-je.

— De quoi parlez-vous ?

— Si vous voulez prendre les bonnes décisions, Anna, il faut commencer dès maintenant. Sans compter sur les autres pour réparer les dégâts.

Elle se renfrogne.

— Tout ça parce que je vous ai appelé pour aider mon frère ? Je croyais que vous étiez mon *ami*.

— Je vous ai déjà dit que je ne suis pas votre ami ; je suis votre avocat. La différence est fondamentale.

— Très bien.

Elle essaie de déverrouiller la portière.

— Je vais retourner à la police pour leur demander d'arrêter de nouveau Jesse.

Elle parvient presque à ouvrir la portière, alors que nous roulons sur une autoroute.

J'attrape la poignée et claque la portière.

— Vous êtes folle ?

— Je ne sais pas, répond-elle. Je vous demanderais bien votre avis sur la question, mais ça ne fait probablement pas partie de vos attributions.

D'un grand coup de volant, je me range sur la bande d'arrêt d'urgence.

— Vous voulez que je vous donne mon avis ? La raison pour laquelle personne ne vous demande le vôtre, c'est que vous en changez si souvent qu'on ne sait plus *quoi* penser. Moi, par exemple. Je ne sais même pas si nous déposons une requête auprès du juge pour obtenir votre émancipation en matière de décisions d'ordre médical.

— Pourquoi nous ne le ferions pas ?

— Demandez à votre mère. Demandez à Julia. Chaque fois que je me retourne, quelqu'un m'apprend que vous ne voulez plus le faire.

Mon regard se porte sur l'accoudoir, où repose sa main – vernis violet à paillettes, ongles rongés jusqu'au sang.

— Si vous voulez que la cour vous traite en adulte, il serait temps que vous commenciez à vous comporter comme telle. Je ne peux me battre pour vous, Anna, que si vous prouvez à tout le monde que vous êtes capable de vous battre quand je ne suis plus à vos côtés.

Je reprends la route et je regarde Anna à la dérobée, mais elle est assise avec les mains coincées entre ses cuisses, le visage fermé.

— Nous sommes presque arrivés devant chez vous, dis-je sèchement. Maintenant vous allez pouvoir sortir et me claquer la portière à la figure.

— On ne va pas à la maison. Il faut que j'aille à la caserne. Je me suis installée là avec papa pour quelque temps.

— Je ne sais pas si c'est un effet de mon imagination ou si j'ai bien passé deux heures au tribunal des affaires familiales hier à discuter précisément de ce point ? Et je croyais que vous aviez dit à Julia que vous ne vouliez pas être séparée de votre mère ? C'est exactement de cela que je parle, Anna, lui dis-je en me cognant violemment la tête contre le volant. Qu'est-ce que vous voulez vraiment, bon Dieu ?

Quand elle explose, c'est remarquable.

— Vous voulez savoir ce que je veux vraiment ? J'en ai marre de servir de cobaye. J'en ai marre que personne ne me demande comment je supporte tout ça. Ça me rend malade, putain ! Mais jamais assez malade pour cette famille.

Elle ouvre la portière alors que la voiture est encore en mouvement, et se met à détaler en direction de la caserne des pompiers, qui se trouve à une centaine de mètres.

Bon. Tout au fond d'elle-même, ma petite cliente possède la faculté de se faire entendre. Ce qui signifie qu'à la barre elle tiendra le coup mieux que je ne le pensais.

Et dans la foulée, il me vient une réflexion : si Anna est bel et bien capable de témoigner, les propos qu'elle vient de tenir donnent l'impression d'un manque de compassion. De maturité, même. En d'autres termes, il est peu probable qu'elle parvienne à convaincre le juge de statuer en sa faveur.

Brian

Il faut que vous le sachiez, le feu et l'espoir vont de pair. À en croire les Grecs, Zeus chargea Prométhée et Epiméthée de créer la vie sur terre. Epiméthée créa les animaux, distribuant des bonus comme la rapidité et la force, la fourrure et les ailes. Le temps que Prométhée fabrique l'homme, les qualités les plus enviables étaient épuisées. À défaut d'autre chose, il les fit marcher debout, et il leur donna le feu.

Zeus, mécontent, le leur retira. Mais Prométhée vit son œuvre transie et incapable de cuisiner. Il alluma une torche grâce au soleil et l'offrit de nouveau à l'homme. Pour punir Prométhée, Zeus l'enchaîna à un rocher, où un aigle se nourrit de son foie. Pour punir l'homme, Zeus créa la première femme – Pandore –, à qui il fit cadeau d'une boîte qu'il lui était interdit d'ouvrir.

La curiosité l'emporta, et un jour Pandore ouvrit la boîte. Il en sortit toutes sortes de fléaux, de maux et de vices. Elle parvint à refermer le couvercle avant que l'espoir ne s'en échappe. C'est la seule arme qui nous reste pour combattre les autres.

Demandez à n'importe quel pompier, il vous dira que c'est vrai. Diable ! Demandez à n'importe quel père.

— Montez un moment, dis-je à Campbell Alexander lorsqu'il arrive avec Anna. Il y a du café frais.

Il me suit dans l'escalier, son berger allemand sur les talons. Je remplis deux tasses.

— À quoi sert le chien ?

— C'est un aimant pour attirer les filles, dit l'avocat. Vous avez du lait ?

Je lui passe le lait que je prends dans le réfrigérateur, puis je m'assieds avec ma tasse. C'est tranquille ici, à l'étage ; les gars sont en bas, occupés à laver les camions et à accomplir leurs tâches quotidiennes d'entretien.

— Alors, dit Alexander en prenant une petite gorgée de café. Anna me dit que vous vous êtes installés ici tous les deux.

— Oui. Je pensais bien que vous voudriez me poser quelques questions à ce sujet.

— Vous savez que votre femme est l'avocate de la partie adverse, dit-il avec circonspection.

Je le regarde droit dans les yeux.

— Je suppose que vous voulez dire que je ne devrais pas être assis là à vous parler.

— Ce n'est un problème que si votre femme vous représente.

— Je n'ai jamais demandé à Sara de me représenter.

Alexander fronce les sourcils.

— Je ne suis pas sûr qu'elle en soit consciente.

— Écoutez, vous considérez peut-être que c'est un problème d'une extrême gravité, mais je me permettrai de vous faire remarquer que nous devons faire face en même temps à un autre problème d'une extrême gravité. Notre fille aînée est hospitalisée et.... voilà, Sara se bat sur les deux fronts à la fois.

310

— Je sais. Et je suis désolé pour Kate, monsieur Fitzgerald, dit-il.

— Appelez-moi Brian.

J'entoure ma tasse de mes deux mains.

— Et je voudrais vous parler... sans que Sara soit dans les parages.

Il s'appuie contre le dossier de la chaise pliante.

— Et si nous parlions maintenant ?

Ce n'est pas le bon moment, mais ce ne le sera jamais.

— D'accord.

J'inspire profondément.

— Je pense qu'Anna a raison.

Au début, je ne suis pas sûr que Campbell Alexander m'ait entendu. Puis il demande :

— Êtes-vous disposé à répéter cela devant le juge à l'audience ?

Je baisse les yeux vers mon café.

— Je crois qu'il le faut.

Le temps que Paulie et moi arrivions avec l'ambulance, ce matin, le garçon avait déjà mis sa petite amie sous la douche. Elle était assise dans le bac, les jambes écartées de part et d'autre de la grille d'évacuation, tout habillée. Ses cheveux collés sur son visage ne m'empêchaient pas de voir qu'elle était inconsciente.

Paulie est entré dans la cabine de douche et a commencé à soulever la fille.

— Elle s'appelle Magda, a dit le garçon. Elle va s'en sortir ?

— Est-elle diabétique ?

— Qu'est-ce que ça peut faire ?

Seigneur !

— Je veux savoir ce que vous avez pris, ai-je exigé.

— On s'est juste un peu soûlés, a prétendu le garçon. À la tequila.

Il ne devait pas avoir plus de dix-sept ans, mais il était assez âgé pour avoir eu vent du mythe selon lequel une douche peut ranimer quelqu'un qui a fait une overdose d'héroïne.

— Laissez-moi vous expliquer quelque chose. Mon collègue et moi, nous voulons aider Magda, lui sauver la vie. Mais si vous me dites qu'elle a consommé de l'alcool et qu'en réalité c'était de la drogue, ce que nous allons lui administrer pourrait avoir des effets secondaires qui risquent d'aggraver son état. Vous comprenez ça ?

À l'extérieur de la cabine de douche, Paulie avait réussi à débarrasser Magda de sa chemise. Des traces de piqûres jalonnaient les bras de la jeune fille.

— Si c'est de la tequila, elle l'a prise en intraveineuse. On lui prépare un cocktail coma ?

J'ai sorti le Narcan de la mallette et j'ai passé à Paulie le matériel de perfusion.

— Alors, a dit le garçon, vous n'allez pas prévenir, euh... les flics, quand même ?

D'un geste rapide, je l'ai attrapé par le col de chemise et je l'ai plaqué contre le mur.

— Vous êtes con ou quoi ?

— C'est que mes parents me tueraient.

— Vous vous en foutiez de savoir si vous risquiez de vous tuer. Ou de la tuer.

Je lui ai tenu la tête pour l'obliger à regarder en direction de la fille, qui vomissait par terre.

— Vous croyez que la vie est quelque chose que l'on peut jeter comme un déchet ? Vous croyez que l'overdose vous laisse une seconde chance ?

Je lui vociférais à la figure. J'ai senti une main sur mon épaule – Paulie.

— Calme-toi, Fitz, a-t-il dit tout bas.

Lentement, j'ai pris conscience que le garçon tremblait devant moi, qu'il n'avait rien à voir avec la raison pour laquelle je gueulais. Je me suis éloigné pour mettre de l'ordre dans mes idées. Paulie a fini de s'occuper de la fille et est venu vers moi.

— Tu sais, si c'est trop lourd pour toi, on peut assurer à ta place. Le commandant te donnera tout le temps libre que tu voudras.

— J'ai besoin de travailler.

Par-dessus son épaule, je pouvais voir la fille qui reprenait des couleurs, le garçon qui sanglotait dans ses mains à côté d'elle. J'ai regardé Paulie dans les yeux.

— Quand je ne suis pas ici, ai-je expliqué, il faut que je sois là-bas.

L'avocat et moi terminons notre café. Je propose :

— Je vous ressers une tasse ?

— Il vaudrait mieux pas. Il faut que je retourne au bureau.

Nous échangeons un signe de tête, mais il n'y a plus grand-chose à dire.

— Ne vous inquiétez pas pour Anna. Je ferai en sorte qu'elle obtienne ce qu'elle veut.

— Ce serait peut-être une bonne idée de passer chez vous également, dit Alexander. Je viens d'obtenir que votre fils soit relâché sous condition ; il a volé le Humvee d'un juge.

Il dépose sa tasse à café dans l'évier et part en me laissant cette information, sachant que tôt ou tard elle me forcera à me mettre à genoux.

Sara

1997

Quel que soit le nombre de fois que vous alliez aux urgences, cela ne devient jamais une routine. Dans ses bras, Brian porte notre fille, qui a le visage en sang. L'infirmière chargée de l'orientation des patients nous accueille, dirige les autres enfants vers une aire d'attente. Un interne, très affairé, entre dans la salle d'examen.

— Qu'est-il arrivé ?

— Elle est passée par-dessus le guidon de son vélo et a atterri sur du béton. Rien n'indique qu'il y ait traumatisme crânien, mais elle a une lacération d'environ quatre centimètres sur le cuir chevelu, à la naissance des cheveux.

Le médecin l'allonge avec douceur sur la table, enfile des gants et lui examine le front.

— Vous êtes médecin ou infirmière ?

J'essaie de sourire.

— Simplement habituée à ce genre de choses.

Il faut faire quatre-vingt-deux points pour suturer la plaie. Après, arborant un gros pansement de gaze d'un blanc éclatant et dopée au Tylenol pédiatrique, elle marche avec moi vers la salle d'attente en me tenant par la main.

Jesse demande combien de points elle a eus. Brian lui assure qu'elle a été aussi courageuse qu'un pompier. Kate regarde le bandage d'Anna.

— Je préfère quand c'est moi qui reste assise ici, dit-elle.

Ça commence quand Kate hurle dans la salle de bains. Je cours jusqu'à l'étage et je force la porte pour trouver ma fille de neuf ans debout devant la cuvette des toilettes éclaboussée de sang. Du sang lui coule aussi le long des jambes, et sa culotte est trempée. C'est ainsi que s'annonce la leucémie aiguë promyélocytaire : une hémorragie qui revêt toutes sortes de masques et de déguisements. Kate a déjà eu des saignements rectaux, mais elle était toute petite et ne peut pas s'en souvenir.

— Ce n'est rien, dis-je calmement.

Je prends un gant de toilette imbibé d'eau chaude pour la laver et je trouve une serviette hygiénique pour ses sous-vêtements. Je la regarde ajuster la serviette entre ses jambes. C'est ce moment que j'aurais partagé avec elle lors de ses premières règles ; vivra-t-elle jusque-là ?

— Maman, dit Kate, c'est revenu.

— Rechute clinique.

Le Dr Chance enlève ses lunettes et appuie les pouces contre le coin de ses yeux.

— Je crois qu'une greffe de moelle osseuse s'impose.

Le Culbuto gonflable que je possédais quand j'avais l'âge d'Anna me revient soudain en mémoire. Sa base était remplie de sable ; chaque fois que je lui assénais un coup, il se redressait aussitôt.

— Mais il y a quelques mois, rétorque Brian, vous nous avez dit que c'était dangereux.

— C'est vrai. Cinquante pour cent des receveurs guérissent. L'autre moitié ne survit pas à la chimio et à la radiothérapie qui précèdent la greffe. Certains meurent à cause des complications qui surviennent à la suite de la transplantation.

Brian me regarde, puis formule la question qui nous terrifie :

— Alors pourquoi faire prendre le risque à Kate ?

— Parce qu'autrement, explique le médecin, elle va mourir.

La première fois que j'appelle la compagnie d'assurances, le standard raccroche par erreur. La deuxième fois, j'attends vingt-deux minutes au son d'une musique en conserve, avant d'être mise en relation avec une personne du service clients.

— Quel est votre numéro de police ?

Je lui indique celui qui est attribué à tous les employés municipaux, ainsi que le numéro de sécurité sociale de Brian.

— En quoi puis-je vous aider ?

— J'ai parlé à quelqu'un, il y a une semaine. Ma fille souffre de leucémie et elle a besoin d'une greffe de moelle osseuse. L'hôpital nous a dit que notre compagnie d'assurances devait nous signer un accord de prise en charge.

Une transplantation médullaire coûte au bas mot cent mille dollars. Inutile de dire que nous ne disposons pas d'une telle somme. Mais ce n'est pas nécessairement parce que le médecin a recommandé cette greffe que la compagnie d'assurances va accepter d'en couvrir les frais.

— Ce type d'intervention exige une étude...

— Oui, je sais. C'est là que nous en étions la semaine dernière. Je vous rappelle parce que je n'avais toujours pas de nouvelles de votre part.

Elle me met en attente, le temps de chercher mon dossier. J'entends un clic discret, puis la voix métallique d'un enregistrement. *Toutes les lignes de votre correspondant sont occupées, veuillez rappeler ultérieurement...*

— Merde !

Je raccroche brutalement. Anna, aux aguets, passe la tête par la porte.

— Tu as dit un gros mot.

— Je sais.

Je soulève le récepteur et presse le bouton de rappel. Touche après touche, je suis le parcours que m'indique le menu vocal. Finalement, j'entre en contact avec une personne vivante.

— J'ai été coupée. Une fois de plus.

Il faut encore cinq minutes à mon interlocutrice pour noter les mêmes numéros, noms et renseignements que j'ai déjà donnés à ses prédécesseurs.

— En fait, nous avons étudié le cas de votre fille, dit la femme. Malheureusement, aujourd'hui, nous n'estimons pas que cette intervention lui serait bénéfique.

Je sens la chaleur me monter au visage.

— Mais mourir, oui ?

En prévision de la récolte de moelle osseuse, je dois faire à Anna des injections de facteur de croissance, exactement comme je l'ai fait pour Kate après sa première transfusion de sang de cordon. Le but est de stimuler la production de cellules souches, de sorte que la moelle en contienne de grandes quantités pour Kate.

C'est ce que nous avons expliqué à Anna aussi, mais pour elle cela se résume au fait que, deux fois par jour, sa mère doit lui faire une piqûre.

Nous utilisons un anesthésique local, une crème censée lui éviter de sentir l'aiguille, mais ça ne l'empêche pas de hurler quand même. Je me demande si c'est aussi douloureux que d'entendre son enfant de six ans vous dire en vous regardant bien en face qu'elle vous déteste.

— Madame Fitzgerald, dit la responsable du service clientèle de la compagnie d'assurances. Nous comprenons ce que vous endurez. Vraiment.

— Quelque part, j'ai beaucoup de mal à le croire. Je doute que vous ayez une fille dans une situation de vie ou de mort, et que votre commission consultative considère autre chose que le coût d'une greffe.

Je m'étais promis de garder mon calme, mais, trente secondes après le début de cette conversation téléphonique, j'ai déjà perdu la bataille.

— AmeriLife couvrira les frais à hauteur de quatre-vingt-dix pour cent de ce qui est considéré comme raisonnable et habituel pour une infusion de lymphocytes du donneur. Cependant, si vous décidez malgré tout d'opter pour la transplantation médullaire, nous sommes disposés à prendre en charge dix pour cent de son coût.

Je respire profondément.

— Les médecins de votre commission consultative qui ont fait cette recommandation – quelle est leur spécialité ?

— Je ne...

— Quelle qu'elle soit, ça ne peut pas être la leucémie aiguë promyélocytaire, n'est-ce pas ? Parce que même un cancérologue arrivé dernier de sa promotion en faculté de médecine dans un coin reculé du tiers-monde pourrait probablement vous dire que l'infusion des lymphocytes du donneur ne va pas la guérir. Que d'ici à trois mois, nous aurons de nouveau la même discussion. En plus, si vous demandiez à un médecin qui connaisse un tant soit peu la forme particulière de leucémie dont souffre ma fille, il vous dirait que refaire un traitement qui a déjà été tenté a tous les risques de ne pas donner de résultats chez les patients atteints de LAP, parce qu'ils développent une résistance. Ce qui signifie qu'AmeriLife est d'accord pour jeter de l'argent par les fenêtres, mais pas pour le seul traitement qui pourrait avoir une chance de sauver la vie de mon enfant.

À l'autre bout du fil, il se forme une grosse bulle de silence.

— Madame Fitzgerald, dit la responsable, je crois savoir que si vous commencez par suivre ce protocole, la compagnie d'assurances acceptera de prendre en charge la transplantation médullaire.

— Sauf que ma fille pourrait n'être déjà plus là pour en bénéficier. Il ne s'agit pas d'une voiture, pour laquelle nous pourrions d'abord essayer une pièce de rechange d'occasion et puis, si ça ne fonctionnait pas, en commander une neuve. Nous parlons d'un être humain. Un être humain. Est-ce que vous autres robots avez la moindre idée de ce que c'est ?

Cette fois, je suis préparée à entendre le clic m'annonçant que la communication a été coupée.

Zanne arrive la veille au soir du jour où Kate doit entrer à l'hôpital pour commencer son conditionnement préalable à la greffe. Elle laisse Jesse l'aider à installer son bureau portable, prend un appel d'Australie, puis entre dans la cuisine afin que Brian et moi puissions la mettre au courant des impératifs quotidiens.

— Anna va à la gym le mardi après-midi. A quinze heures. Et le camion de livraison de fioul doit passer dans la semaine.

— Il faut mettre les poubelles sur le trottoir le mercredi, ajoute Brian.

— N'accompagne pas Jesse jusqu'à l'intérieur de l'école. Apparemment c'est la honte, quand on est en sixième.

Elle hoche la tête, écoute et prend des notes, puis dit qu'elle a quelques questions.

— Le poisson...

— ... doit être nourri deux fois par jour. Jesse peut le faire, si tu le lui rappelles.

— Y a-t-il une heure officielle pour aller dormir ? demande Zanne.

— Ouais. Tu préfères que je t'indique la vraie, ou celle que tu peux utiliser lorsque tu veux accorder une rallonge de temps à titre exceptionnel ?

— Pour Anna, c'est huit heures, dit Brian, dix heures pour Jesse. Autre chose ?

— Oui.

Zanne met la main dans sa poche et en sort un chèque à notre nom, d'un montant de cent mille dollars.

— Suzanne, dis-je, éberluée. Nous ne pouvons pas l'accepter.

— Je sais combien ça coûte. Vous n'en avez pas les moyens. Moi, si. Alors laissez-moi le faire.

Brian ramasse le chèque et le lui rend.

— Merci. Mais ça y est, les frais sont couverts.

Je tombe des nues.

— Comment ça ?

— Les collègues à la caserne ont envoyé un appel aux armes, dans tout le pays. Les pompiers se sont mobilisés et ont envoyé leurs dons.

Brian me regarde.

— Je l'ai appris hier.

— Vraiment ?

Je me sens soulagée d'un grand poids. Il hausse les épaules.

— Ce sont mes frères, explique-t-il.

Je me tourne vers Zanne et je la serre dans mes bras.

— Merci. Ne serait-ce que d'y avoir pensé.

— C'est là si vous en avez besoin.

Mais nous n'en avons pas besoin. Ça, au moins, nous sommes en mesure de le faire.

— Kate ! crié-je le lendemain matin. Il est l'heure de partir !

Anna est recroquevillée sur les genoux de Zanne, sur le canapé. Elle sort son pouce de la bouche mais ne dit pas au revoir.

— Kate ! On s'en va !

Jesse lance un sourire sarcastique par-dessus la manette de sa Nintendo.

— Comme si vous alliez partir sans elle.

— *Elle* ne le sait pas. Kate !

En soupirant, je monte vers sa chambre.

La porte est fermée. D'un petit coup, je la pousse et je trouve Kate qui finit de faire son lit. Le couvre-lit est tendu au point qu'une pièce de dix cents rebondirait dessus, les oreillers ont été battus et centrés. Ses peluches, devenues des reliques, sont disposées par taille, de la plus grande à la plus petite, sur le rebord de la fenêtre. Même ses chaussures sont soigneusement alignées dans le placard, et le désordre sur le bureau a disparu.

— Bon.

Je ne lui ai même pas demandé de ranger.

— À l'évidence, je me suis trompée de chambre.

Elle se retourne.

— C'est au cas où je ne reviendrais pas, dit-elle.

Quand je suis devenue mère pour la première fois, je passais mon temps, la nuit dans mon lit, à imaginer une succession de maux : la piqûre de méduse, le goût d'une baie vénéneuse, le sourire dangereux d'un inconnu, le plongeon dans une piscine peu profonde. Il y a tant de façons pour un enfant de se faire mal qu'il paraît presque impossible qu'une seule personne puisse assurer sa sécurité. À mesure que mes enfants grandissaient, les risques changeaient : la colle qu'on inhale, les allumettes, les petites pilules roses achetées derrière les gradins du collège. Une nuit blanche ne suffit pas à recenser toutes les manières de perdre les êtres aimés.

Il me semble, maintenant que ce n'est plus une simple hypothèse, qu'un parent peut réagir selon deux modes lorsqu'il apprend que son enfant est atteint d'une maladie mortelle. Soit il se liquéfie, soit il encaisse le coup et se force à relever la tête pour prendre d'autres claques. En cela, je ressemble probablement beaucoup aux patients.

Kate est à demi consciente sur son lit, les tubulures de son cathéter central jaillissant de sa poitrine comme une fontaine. La chimio l'a fait vomir trente-deux fois, lui a rempli la bouche d'aphtes et provoqué des sécrétions tellement abondantes qu'on la croirait atteinte de mucoviscidose.

Elle se tourne vers moi et essaie de parler, mais elle tousse, et le catarrhe l'étouffe.

— Crève, crache-t-elle.

Je lève le tuyau de l'aspirateur auquel elle est agrippée, et je lui nettoie la bouche et la gorge.

— Je le ferai pendant que tu te reposes.

Et voilà comment j'en viens à respirer à sa place.

Un service de cancérologie est un champ de bataille, régi par une hiérarchie bien définie. Les patients, ce sont eux qui montent la garde. Les médecins entrent et sortent en coup de vent, comme des héros conquérants, mais ils doivent lire le dossier de votre enfant pour se rappeler où ils en étaient restés lors de leur précédente visite. Ce sont les infirmières qui occupent le rang de sergents aguerris – elles sont là quand votre petite grelotte sous l'effet d'une fièvre si forte qu'il faut la baigner dans de la glace ; ce sont elles qui vous apprennent comment drainer un cathéter veineux central, ou vous indiquent l'étage où il pourrait rester des bâtonnets glacés à voler, ou vous disent quels sont les teinturiers capables de nettoyer les taches de sang et de chimiothérapie sur les vêtements. Les infirmières montrent à votre fille comment faire des fleurs avec les mouchoirs en papier pour décorer le pied à perfusion et connaissent le nom de son morse en peluche. Les médecins établissent peut-être les plans d'attaque, mais ce sont les infirmières qui rendent le conflit supportable.

Vous les connaissez comme elles vous connaissent, parce qu'elles viennent prendre la place des amies que vous aviez dans une vie antérieure, celle qui a précédé le diagnostic. La fille de Donna, par exemple, fait des études pour être vétérinaire. Ludmilla, qui assure les gardes de nuit, a accroché à son stéthoscope, comme des breloques, des photos plastifiées de Sanibel Island, parce que c'est là-bas, sur cette île de Floride, qu'elle veut partir à la retraite. Je ne parle que des infirmières, mais il y a aussi Willie, le seul homme de l'équipe, qui a une faiblesse pour le chocolat et une femme enceinte de triplés.

Un soir, au cours du conditionnement de Kate, alors que je veille depuis si longtemps que mon corps a oublié comment s'abandonner au sommeil, j'allume la télé pendant que ma fille dort. Je coupe le son pour ne pas la déranger. Un homme déambule à travers la demeure palatiale d'un personnage riche et célèbre. On y voit des bidets plaqués or et des lits de teck sculptés à la main et des courts de tennis en terre battue rouge et onze paons qui se promènent. C'est un monde que je ne peux même pas concevoir, une vie que je n'imaginerais jamais pour moi-même.

Un peu comme celle-ci, avant.

Je ne peux pas vraiment me souvenir de ce que j'éprouvais en entendant une histoire de mère atteinte d'un cancer du sein ou de bébé né avec une cardiopathie congénitale ou toute autre maladie grave, et en me sentant coupée en deux : moitié compatissante, moitié reconnaissante que ma propre famille soit en bonne santé. Maintenant, pour tous les autres, cette histoire est devenue la nôtre.

Je me rends compte que je pleure seulement quand Donna s'agenouille devant moi et m'enlève la télécommande des mains.

— Sara, dit l'infirmière, je peux vous apporter quelque chose ?

Je secoue la tête, gênée d'avoir craqué, et plus encore de m'être fait surprendre.

— Je vais bien.

— Ouais, et moi je suis Hillary Clinton, répond-elle.

Elle m'attrape la main, me force à me lever et me tire vers la porte.

— Kate...

— ... ne va même pas remarquer votre absence, termine Donna.

Dans la petite cuisine où il y a du café vingt-quatre heures sur vingt-quatre, elle nous prépare deux tasses.

— Je suis désolée.

— De quoi ? De ne pas être en granit ?

— C'est que ça n'a jamais de fin.

Donna hoche la tête, et parce qu'elle comprend totalement, je me laisse aller à parler. Et à parler. Et quand j'ai déversé tous mes secrets, je respire profondément et je prends conscience que j'ai parlé sans discontinuer pendant une heure.

— Oh, mon Dieu, je ne peux pas croire que je vous aie fait perdre tout ce temps !

— Ce n'était pas du temps perdu, réplique Donna. Et en plus, ça fait une demi-heure que je ne suis plus de garde.

Mes joues s'enflamment.

— Sauvez-vous. Je suis sûre que vous préféreriez de beaucoup être ailleurs.

Mais, au lieu de partir, Donna m'enveloppe de ses bras généreux.

— Ma pauvre chérie, dit-elle, est-ce que nous ne sommes pas toutes dans ce cas-là ?

La porte de la salle de chirurgie ambulatoire s'ouvre sur une petite pièce remplie d'instruments en métal rutilant – une bouche garnie d'un appareil dentaire. Les médecins et les infirmières sont en tenue opératoire, masqués, et reconnaissables seulement à leurs yeux. Anna me tire jusqu'à ce que je me mette à genoux à côté d'elle.

— Et si j'ai changé d'avis ? dit-elle.

Je pose mes mains sur ses épaules.

— Tu n'es pas obligée de le faire si tu ne veux pas, mais je sais que Kate compte sur toi. Et papa et moi aussi.

Elle hoche la tête une fois, puis glisse sa main dans la mienne.

— Ne lâche pas, me prie-t-elle.

Une infirmière la dirige vers la table.

— Attends de voir ce que nous te réservons, Anna.

Elle la recouvre d'une couverture chauffante. L'anesthésiste passe une compresse de gaze teintée de rouge autour du masque à oxygène.

— T'es-tu jamais endormie dans un champ de fraisiers ?

Ils jalonnent le corps d'Anna de coussinets enduits de gel, qui seront reliés à des appareils de monitoring pour surveiller son cœur et sa respiration. Ils officient alors qu'elle est couchée sur le dos, mais je sais qu'ils la retourneront pour ponctionner la moelle de ses os iliaques.

L'anesthésiste montre à Anna un mécanisme en accordéon.

— Tu crois que tu peux gonfler ce ballon ? demande-t-il en plaçant le masque sur le visage d'Anna.

Pendant tout ce temps, elle n'a pas desserré la main. Finalement, son étreinte se relâche. Elle résiste à la dernière minute, le corps déjà endormi mais s'efforçant de redresser les épaules.

— C'est simplement l'effet normal du produit, explique l'infirmière. Vous pouvez lui donner un baiser, maintenant.

Ce que je fais, à travers mon masque. Je murmure aussi un remerciement. Je pousse les portes battantes et j'enlève mon bonnet et mes chaussons en papier. À travers le petit hublot, je les regarde rouler Anna sur le côté et prendre une aiguille d'une longueur impossible sur un plateau stérile.

Puis je monte, pour attendre auprès de Kate.

Brian passe la tête dans la chambre de Kate.

— Sara, dit-il, épuisé, Anna te réclame.

Mais je ne peux pas être à deux endroits à la fois. Je tiens la petite cuvette rose sous le menton de Kate, qui vomit encore une fois. À côté de moi, Donna aide la petite à s'allonger contre son oreiller.

— Je suis un peu occupée pour l'instant.

— Anna te réclame, répète Brian sans un mot de plus.

Le regard de Donna va de lui à moi.

— On va se débrouiller jusqu'à ce que vous reveniez, m'assure-t-elle.

Et au bout d'un moment, je cède. Anna est à l'étage du service pédiatrique, qui ne comporte pas ces chambres stériles nécessaires à l'isolement protecteur des malades. Je l'entends pleurer avant même que je n'entre dans la pièce.

— Maman, sanglote-t-elle. Ça fait mal.

Je m'assieds sur le bord du lit et je la prends dans mes bras.

— Je sais, mon cœur.

— Tu peux rester avec moi ?

Je secoue la tête.

— Kate est malade. Je vais devoir y retourner.

Anna s'écarte de moi.

— Mais je suis à l'hôpital, proteste-t-elle. Je suis à l'hôpital !

Par-dessus sa tête, je jette un regard à Brian.

— Qu'est-ce qu'ils lui donnent pour soulager la douleur ?

— Pas grand-chose. L'infirmière dit qu'ils évitent d'administrer trop d'antalgiques aux enfants.

— C'est ridicule.

Quand je me lève, Anna geint et essaie de s'accrocher à moi.

— Je reviens tout de suite, ma chérie.

J'accoste la première infirmière que je rencontre. Contrairement au personnel soignant du service de cancérologie, les infirmières de ce service me sont inconnues.

— Nous lui avons donné du Tylenol il y a une heure, explique la femme. Je sais qu'elle a un peu mal...

— Roxicet. Tylenol à la codéine. Naproxen. Et si le médecin n'a prescrit aucun de ces antalgiques, appelez-le et demandez-lui de bien vouloir le faire.

L'infirmière se hérisse.

— Permettez-moi de vous dire, madame Fitzgerald, que je fais ça tous les jours, et...

— *Moi aussi*.

Je retourne dans la chambre d'Anna, armée d'une dose pédiatrique de Roxicet, qui va soit la soulager de ses douleurs, soit l'assommer de sorte qu'elle ne les sente plus. J'entre au moment où Brian se débat de ses grandes mains avec un mousqueton lilliputien pour accrocher une chaîne avec un médaillon au cou d'Anna.

— J'ai pensé que tu méritais un cadeau, puisque tu en fais un à ta sœur, dit-il.

Bien sûr qu'Anna mérite qu'on la congratule pour avoir fait don de sa moelle à Kate. Bien sûr qu'elle a droit à la reconnaissance. Mais franchement, l'idée de récompenser quelqu'un pour sa souffrance ne m'a jamais effleurée. Nous souffrons tous depuis si longtemps.

Tous deux lèvent les yeux vers moi lorsque je franchis la porte.

— Regarde ce que papa m'a acheté ! s'exclame Anna.

Je lève le petit verre doseur en plastique, un maigre lot de consolation.

Peu après dix heures, Brian emmène Anna voir Kate. Elle se déplace lentement, comme une vieille femme, en prenant appui sur lui. Les infirmières l'aident à mettre le masque, la tunique, les gants et les chaussons afin qu'elle soit autorisée à entrer dans la pièce – une entorse compassionnelle au protocole, qui interdit normalement aux enfants les visites aux malades en chambre stérile.

Le Dr Chance est debout à côté du pied de perfusion, tenant la poche de moelle. Je tourne Anna de sorte qu'elle puisse la voir.

— Ça, c'est ce que tu nous as donné.

Anna fait la grimace.

— C'est dégoûtant. Vous pouvez le garder.

— Ça me paraît un bon plan, dit le Dr Chance.

La précieuse moelle couleur rubis commence à s'acheminer le long du cathéter central de Kate. Je place Anna sur le lit. Il est assez large pour toutes les deux, épaule contre épaule.

— Ça t'a fait mal ? demande Kate.

— Ouais, un peu.

Anna indique du doigt le sang qui s'écoule dans les tubulures en plastique jusqu'à l'entaille dans la poitrine de Kate.

— Et ça ?

— Pas vraiment.

Elle se redresse un peu.

— Hé, Anna ?

— Ouais ?

— Je suis contente que ça vienne de toi.

Kate prend la main d'Anna et la pose juste en dessous du cathéter central, un point qui se situe dangereusement près de son cœur.

Vingt-deux jours après la transplantation médullaire, les globules blancs de Kate commencent à augmenter, preuve que la greffe a pris. Pour fêter l'événement, Brian insiste pour que nous sortions dîner. Il engage une infirmière libérale pour Kate, fait une réservation au XO Café, et m'apporte même une robe noire de mon placard. Il oublie les chaussures, alors je finis par la mettre en gardant aux pieds mes souliers de marche éculés.

Le restaurant est presque comble. Presque aussitôt que nous avons gagné notre table, le sommelier vient nous demander si nous voulons du vin. Brian commande un cabernet-sauvignon.

— Sais-tu au moins si c'est du rouge ou du blanc ?

Je ne crois pas que, pendant toutes ces années, j'aie vu Brian boire autre chose que de la bière.

— Je sais que ça contient de l'alcool, et que nous sommes ici pour fêter quelque chose.

Il lève son verre après que le sommelier l'a servi.

— À notre famille, dit-il.

Nous entrechoquons nos verres et sirotons notre vin. Je demande :

— Qu'est-ce que tu prends ?

— Qu'est-ce que tu voudrais que je prenne ?

— Le filet. Comme ça, je pourrai le goûter si je prends la sole.

Je referme la carte.

— Tu as appris les résultats de la dernière numération ?

Brian baisse les yeux vers la table.

— J'espérais un peu que nous viendrions ici pour échapper à tout ça. Tu sais. Juste parler.

— J'aimerais bien parler.

Mais quand je regarde Brian, les mots qui me viennent tout de suite à la bouche concernent Kate, pas nous. Je n'ai aucune raison de lui demander comment s'est passée sa journée – il a obtenu trois semaines de congé de la caserne. Nous communiquons par et à travers la maladie.

Nous retombons dans le silence. J'embrasse du regard la salle du XO Café, et je remarque que les échanges ne sont animés qu'aux tables occupées par des convives jeunes et branchés. Les couples plus âgés, ceux qui arborent une alliance dont l'éclat rivalise avec celui des couverts en argent, mangent sans le piment de la conversation. Est-ce parce qu'ils se sentent tellement à l'aise ensemble qu'ils savent déjà à quoi pense l'autre ? Ou parce que, au-delà d'un certain stade, il ne reste simplement plus rien à dire ?

Quand le serveur arrive pour prendre notre commande, nous nous tournons vers lui avec entrain, soulagés que quelqu'un nous évite d'avoir à reconnaître les étrangers que nous sommes devenus.

Nous quittons l'hôpital avec une enfant qui est différente de celle que nous y avons amenée. Kate se déplace avec circonspection, vérifiant qu'elle n'oublie rien dans les tiroirs de la table de chevet. Elle a perdu tant de poids que le jean que j'ai apporté ne lui va plus ; nous devons nouer deux bandanas bout à bout pour faire une ceinture de fortune.

Brian est descendu avant nous pour aller chercher la voiture. Je fourre les derniers magazines et CD dans le sac de Kate avant de le fermer. Kate enfonce un bonnet sur son crâne lisse et chauve, et s'entoure le cou d'une écharpe. Elle met un masque et des gants. Maintenant que nous nous risquons hors de l'hôpital, c'est tout entière qu'elle va avoir besoin de protection.

Nous passons la porte sous les applaudissements du personnel soignant que nous avons appris à si bien connaître.

— Quoi que tu fasses, plaisante Willie, ne reviens pas nous voir. D'accord ?

Un à un, ils viennent vers nous pour dire au revoir. Quand tous se sont dispersés, je souris à Kate.

— Prête ?

Kate fait oui de la tête, mais n'avance pas. Elle reste plantée là, raide, parfaitement consciente qu'une fois franchie cette porte, tout va changer.

— Maman ?

Je referme ma main sur la sienne. Je promets :

— Nous allons y arriver ensemble.

Et, côte à côte, nous faisons le premier pas.

La boîte à lettres est pleine de factures d'hôpital. Nous avons appris que la compagnie d'assurances refuse de parler au service facturation de l'hôpital, et vice versa, mais aucun des deux ne pense que le montant des frais est exact, ce qui les conduit à nous facturer des actes que nous n'avons pas à payer, en espérant que nous serons assez bêtes pour le faire. Gérer l'aspect financier de la santé de Kate est un emploi à plein temps que ni Brian ni moi ne pouvons exercer.

Je feuillette un prospectus de supermarché, un magazine de l'Automobile Club et un avis annonçant une nouvelle tarification pour les appels longue distance, avant d'ouvrir un courrier de notre fonds de placement. Ce n'est pas une chose dont je m'occupe vraiment ; Brian gère toutes les opérations financières qui exigent davantage que la simple tenue à jour d'un chéquier. Par ailleurs, ces fonds sont tous destinés aux études des enfants.

Nous ne sommes pas le genre de famille suffisamment fortunée pour pouvoir jouer en Bourse.

Monsieur,
Nous vous confirmons le rachat du fonds nº 323456 par Brian D. Fitzgerald, dépositaire du compte de Katherine S. Fitzgerald, pour un montant de 8 369,56 $. Le retrait de cette somme rend effective la clôture dudit compte.

Pour une erreur bancaire, celle-ci est plutôt sérieuse. Il nous est arrivé de trouver de petits écarts dans notre compte courant, mais au moins je n'ai jamais perdu huit mille dollars. Je sors de la cuisine et vais dans le jardin, où Brian roule un tuyau d'arrosage.

— Eh bien, voilà, ou quelqu'un du fonds de placement a déconné, dis-je en lui tendant la lettre, ou alors la seconde femme que tu entretiens n'est plus un secret.

Il lui faut un instant de trop pour la lire, le même instant où je prends conscience qu'il ne s'agit pas d'une erreur, après tout. Brian s'essuie le front avec le revers du poignet.

— J'ai retiré cet argent, dit-il.

— Sans m'en parler ?

Je ne peux pas imaginer Brian faisant cela. À certains moments, par le passé, nous avons dû puiser dans le compte des enfants, mais seulement parce que nous avions un mois un peu serré, où nous ne pouvions pas payer à la fois les frais de nourriture et rembourser notre emprunt immobilier, ou parce qu'il fallait régler le paiement initial sur la nouvelle voiture quand la vieille a finalement été mise au rancart. Nous restions alors éveillés la nuit, sentant la culpabilité peser sur nous comme une couverture supplémentaire, nous promettant l'un à l'autre que nous remettrions cet argent à sa place dès que cela nous serait humainement possible.

— Les collègues, à la caserne... Ils ont essayé de collecter des fonds, comme je te l'ai dit. Ils ont recueilli dix mille dollars. En y ajoutant cette somme, j'ai pu obtenir de l'hôpital qu'ils nous accordent des facilités de paiement.

— Mais tu as dit...

— Je sais ce que j'ai dit, Sara.

Je secoue la tête, sous le choc.

— Tu m'as menti ?

— Je n'ai pas...

— Zanne a proposé...

— Je ne vais pas laisser ta sœur subvenir aux besoins de Kate, rétorque Brian. C'est à moi qu'il incombe de le faire.

Le tuyau d'arrosage tombe par terre, goutte et crachote à nos pieds.

— Sara, elle ne va pas vivre assez longtemps pour que cet argent lui serve à financer ses études.

Le soleil est éclatant, l'asperseur oscille sur le gazon, produisant des arcs-en-ciel. Il fait bien trop beau pour des mots comme ceux-là. Je me retourne et cours vers la maison. Je m'enferme dans la salle de bains.

Un instant plus tard, Brian cogne à la porte.

— Sara ? Sara, je te demande pardon.

Je fais semblant de ne pas l'entendre. Je fais semblant de n'avoir rien entendu de ce qu'il a dit.

À la maison, nous portons tous des masques afin que Kate n'ait pas à le faire. Je me surprends à inspecter ses ongles pendant qu'elle se brosse les dents ou se sert des céréales, pour voir si les rainures noires laissées par la chimio ont disparu – un signe infaillible de la réussite de la greffe de moelle. Deux fois par jour, je lui fais une piqûre de facteur de croissance dans la cuisse, nécessaire jusqu'à ce que son nombre de neutrophiles dépasse le millier. À ce stade, sa moelle commencera à se reconstituer.

Elle ne peut pas encore retourner en classe, alors nous lui faisons envoyer ses cours à la maison. Une ou deux fois, elle est venue avec moi chercher Anna à l'école, mais elle refuse de sortir de la voiture. Elle va de bon cœur à l'hôpital pour sa numération de contrôle, mais lorsque je propose que nous nous arrêtions au retour pour louer une cassette ou acheter des gâteaux, elle déclare forfait.

Un samedi matin, la porte de la chambre des filles est entrebâillée. Je frappe doucement.

— Tu veux faire un tour au centre commercial ?

Kate hausse les épaules.

— Pas maintenant.

Je m'appuie dans l'embrasure.

— Ça te fera du bien de sortir un peu de la maison.

— Je ne veux pas.

Je suis sûre qu'elle n'est même pas consciente de son geste lorsqu'elle se passe la main sur le crâne avant de la fourrer dans la poche arrière de son jean.

— Kate...

— Ne dis rien. Ne me dis pas que les gens ne vont pas me regarder, parce que ce n'est pas vrai. Ne me dis pas que ça n'a pas d'importance, parce que ça en a. Et ne me dis pas que je suis jolie, parce que c'est un mensonge.

Ses yeux, aux paupières dépourvues de cils, se remplissent de larmes.

— Je suis un monstre, maman. Regarde-moi.

C'est ce que je fais, et je vois l'emplacement des sourcils qui ont disparu, et la pente interminable de son front, et les petits creux et bosses qui se cachent normalement sous les cheveux.

— Bon, dis-je calmement. Nous pouvons arranger ça.

Sans ajouter un mot, je sors de la chambre, sachant que Kate m'emboîtera le pas. Je passe devant Anna, qui abandonne son coloriage pour suivre sa sœur. Au sous-sol, je déniche la vieille tondeuse électrique qui s'y trouvait quand nous avons acheté la maison, et je la branche. Puis je me coupe une grosse mèche sur le milieu de la tête.

— Maman ! crie Kate.

— Quoi ?

Des vagues brunes pleuvent sur l'épaule d'Anna. Elle les ramasse délicatement.

— Ce ne sont que des cheveux.

Un nouveau tracé de la tondeuse, et Kate commence à sourire. Elle m'indique un endroit que j'ai manqué, où une petite touffe se dresse comme une forêt. Je m'assieds sur une caisse et je la laisse me raser elle-même l'autre côté de la tête. Anna vient se blottir sur mes genoux.

— À moi, maintenant, supplie-t-elle.

Une heure plus tard, nous déambulons dans le centre commercial en nous tenant par la main, un trio de filles chauves. Nous y passons des heures. Partout où nous allons, des têtes se tournent, des voix chuchotent. Nous sommes belles, trois fois belles.

Le week-end

Il n'y a pas de fumée sans feu.

JOHN HEYWOOD, *Proverbes*

Jesse

Ne le niez pas, il vous est arrivé de voir un bulldozer ou une pelleteuse sur le bas-côté d'une route, à une heure tardive, et de vous demander pourquoi les ouvriers laissent leur matériel là où n'importe qui, c'est-à-dire moi, pourrait le voler. Mon premier détournement de camion remonte à plusieurs années. J'ai mis une bétonnière au point mort sur une pente, et je l'ai regardée s'encastrer dans l'arrière d'un abri de chantier mobile appartenant à une entreprise de construction. En ce moment, il y a un camion-benne à quinze cents mètres de la maison ; je l'ai vu dormir sur la nationale I-195, pareil à un bébé éléphant, à côté d'un tas de barrières en béton. Pas mon premier choix de bagnole, mais je ne vais quand même pas faire la fine bouche ; à la suite de ma petite confrontation avec la justice, mon père a confisqué ma voiture et il la garde à la caserne.

Conduire un camion-benne s'avère vachement plus compliqué que de conduire ma voiture. Premièrement, vous occupez toute la largeur de la route. Deuxièmement, ça se manœuvre comme un char d'assaut, du moins comme je suppose qu'un char d'assaut se manœuvrerait si vous n'étiez pas obligé de vous enrôler dans une armée pleine de connards coincés et fous de pouvoir pour avoir le droit d'en conduire un. Troisièmement – et c'est le moins drôle – les gens vous voient venir. Quand je m'engage sous le pont autoroutier où il a élu domicile, Duracell Dan court se cacher derrière sa rangée de bidons de cent vingt-cinq litres.

— Salut, dis-je en sautant au bas du camion. Ce n'est que moi.

Il faut quand même à Dan une bonne minute pour regarder entre ses doigts, s'assurer que je ne mens pas.

— Elle te plaît, ma caisse ?

Il se lève avec précaution et touche le flanc rayé du camion. Puis il se met à rire.

— Ta Jeep a bouffé des stéroïdes, mon gars.

Je charge le matériel dont j'ai besoin à l'arrière. Ce serait trop cool si je reculais le camion jusqu'à une fenêtre, que je vidais quelques bouteilles de ma cuvée spéciale de pyromane directement de la benne à l'intérieur de la baraque, et que je repartais tranquillement au volant de l'engin en regardant les flammes s'élever. Dan est planté près de la portière, côté conducteur. Il marque *LAVE-MOI* dans la poussière qui la recouvre.

— Salut, lui dis-je.

Puis, sans autre raison sinon que je ne l'ai jamais fait avant, je lui demande s'il veut venir avec moi.

— Pour de vrai ?

— Ouais. Mais il y a une règle. Tout ce que tu vois et tout ce que nous faisons doit rester entre nous. Tu ne peux en parler à personne.

Il mime le geste de se cadenasser les lèvres et de jeter la clé. Cinq minutes plus tard, nous sommes en route vers une vieille remise qui servait autrefois de hangar à bateaux pour l'une des universités. Dan s'amuse avec les commandes, montant et baissant la benne tandis que nous avançons. Je me dis que je l'ai invité à m'accompagner pour ajouter au fris-son – une personne de plus à être au courant rend l'aventure encore plus excitante. Mais en réalité c'est parce que, certaines nuits, on a simplement besoin de savoir que l'on n'est pas tout seul dans ce vaste monde.

Quand j'avais onze ans, j'ai reçu un skateboard. Je n'en avais jamais réclamé un, c'était un cadeau offert par culpabilité. Au fil des années, j'ai récolté pas mal de ces gadgets très chers, liés en général à un épisode de la maladie de Kate. Mes parents la couvraient de toutes sortes de trucs cool chaque fois qu'il fallait lui faire une intervention, et comme Anna était le plus souvent concernée, elle recevait aussi des cadeaux géniaux, alors une semaine plus tard mes parents, pour calmer leur mauvaise conscience et se montrer équitables, m'achetaient un jouet pour que je ne me sente pas exclu.

En tout cas, ce skate, je ne peux même pas vous dire à quel point il était génial. Sur le dessous, il y avait un crâne fluorescent qui brillait dans le noir, avec des dents d'où dégoulinait du sang vert. Les roues étaient jaune néon et la surface rugueuse, quand vous montiez dessus avec vos baskets, faisait le bruit d'une star du rock qui s'éclaircit la gorge. Je parcourais l'allée, contournant les trottoirs, m'exerçant à faire des rotations et des sauts. La seule règle était que je n'avais pas le droit d'aller dans la rue, parce que des voitures pouvaient surgir à tout instant ; les enfants risquaient toujours un accident.

Enfin, inutile de vous dire qu'un délinquant en puissance de onze ans et les consignes, ça fait deux. Arrivé à la fin de la première semaine avec cette planche, je me disais que je préférerais glisser le long d'une lame de rasoir et atterrir dans de l'alcool plutôt que de devoir refaire l'aller-retour sur le trottoir encore une fois en slalomant entre les petits sur leurs tricycles.

J'ai supplié mon père de m'emmener sur le parking de l'hypermarché, ou sur le terrain de basket de l'école, ou peu importe où, pourvu que je puisse m'amuser un peu. Il m'a promis que le vendredi, après la ponction de contrôle de Kate, nous pourrions tous aller à l'école. J'emporterais mon skate, Anna pourrait prendre son vélo, et si Kate se sentait suffisamment en forme, elle ferait du roller.

Dieu, qu'il me tardait d'y être. J'avais graissé les roulettes et ciré le dessous de la planche, et je m'étais entraîné à faire des doubles hélices sur la rampe que j'avais fabriquée dans l'allée avec du vieux contreplaqué et une grosse bûche. À l'instant où j'ai vu la voiture – avec maman et Kate qui revenaient de chez l'hématologue –, je me suis précipité à la porte pour ne pas perdre de temps.

Il se trouve que ma mère était elle aussi terriblement pressée. Parce que la portière du monospace a coulissé et Kate est apparue, couverte de sang.

— Appelle ton père, a ordonné ma mère en tenant une poignée de mouchoirs en papier contre le visage de Kate.

Ce n'était pas comme si elle n'avait jamais saigné du nez avant. Mais maman me disait toujours, quand je paniquais, que, même si c'était très impressionnant à voir, ce n'était jamais bien grave. De toute façon, je suis allé chercher mon père, et tous les deux ont couru avec Kate jusqu'à la salle de bains en essayant de l'empêcher de pleurer, parce que ça ne faisait qu'empirer les choses.

— Papa, quand est-ce qu'on y va ?

Mais il était occupé à prendre du papier-toilette et à le rouler en boule sous le nez de Kate.

— Papa ?

Mon père m'a fixé du regard, mais il ne m'a pas répondu. Ses yeux étaient hagards, et il regardait à travers moi comme si j'étais fait de fumée.

À dater de ce jour, j'ai pensé que je l'étais peut-être.

Le problème avec la flamme, c'est qu'elle est insidieuse : elle avance sournoisement, elle lèche, elle regarde par-dessus son épaule et rit. Et, putain, elle est belle ! Comme un coucher de soleil qui dévore tout sur son passage. Pour la première fois, j'ai quelqu'un pour admirer mon œuvre. À côté de moi, Dan émet un petit bruit de gorge – de respect, sûrement. Mais quand je le regarde, tout fier, je vois qu'il a la tête enfoncée dans le col crasseux de sa veste de surplus de l'armée. Des larmes lui coulent le long des joues.

— Dan, vieux, qu'est-ce qui t'arrive ?

D'accord, le mec est cinglé, mais quand même. Je lui mets la main sur l'épaule et on croirait, à voir sa réaction, qu'un scorpion vient de s'y poser.

— T'as peur du feu, Dan ? Faut pas. On est assez loin. Il n'y a pas de danger.

Je lui adresse ce que j'espère être un sourire rassurant. Imaginez qu'il craque et qu'il pousse des hurlements qui alerteraient un flic en vadrouille dans le secteur.

— Ce hangar... dit Dan.

— Ouais. Il ne va manquer à personne.

— C'est là que le rat habite.

— Plus maintenant.

— Mais le rat...

— Les animaux trouvent toujours le moyen d'échapper à un incendie. Je te jure. Le rat n'a pas à s'inquiéter. Relax.

— Mais les journaux. Il en a un de l'assassinat du président Kennedy...

Du coup, je me rends compte que le rat n'est vraisemblablement pas un rongeur, mais un autre SDF qui utilisait le hangar comme abri.

— Dan, est-ce que tu es en train de me dire que quelqu'un vit là-dedans ?

Il regarde s'élever les flammes et ses yeux se remplissent de larmes. Puis il répète mes propres mots :

— Plus maintenant.

Comme je l'ai dit, j'avais onze ans, et aujourd'hui encore je serais incapable de vous raconter comment je me suis débrouillé pour trouver mon chemin depuis notre maison à Upper Darby jusqu'au milieu du centre-ville de Providence. Je suppose qu'il m'a fallu quelques heures ; j'imaginais sans doute qu'avec la cape d'invisibilité de mon nouveau super-héros je pourrais simplement disparaître d'un endroit et réapparaître ailleurs.

J'ai fait un test. J'ai traversé à pied le quartier des affaires, et, effectivement, les gens passaient à côté de moi, les yeux braqués sur les fissures du trottoir ou regardant droit devant eux comme des zombies technocrates. J'ai longé un mur d'immeuble en verre teinté où je pouvais me voir comme dans un miroir. Mais, malgré toutes les grimaces que je me faisais dans la glace, malgré tout le temps que j'y ai passé, personne, parmi la foule des gens qui m'ont croisé, ne m'a adressé la parole.

J'ai terminé ce jour-là au milieu d'un grand carrefour, pile au-dessous des feux tricolores, avec des taxis qui klaxonnaient et une voiture qui a déboîté sur la gauche et des flics qui accouraient pour m'empêcher de me faire écraser. Au poste de police, quand mon père est venu me chercher, il m'a demandé ce qui avait bien pu me passer par la tête.

Rien, en fait. Je n'avais pensé à rien. J'essayais juste de trouver un endroit où je serais remarqué.

Je commence par enlever ma chemise et je la trempe dans une flaque sur le côté de la route, puis je l'enroule autour de ma tête et de mon visage. Dans le creux de mon oreille, j'entends le bruit des sirènes. Déjà, la fumée se dégage en panache, en gros nuages noirs et menaçants. Mais j'ai fait une promesse à Dan.

Ce qui me frappe d'abord, c'est la chaleur, un mur infiniment plus épais qu'il n'y paraît. La charpente du hangar se détache, telle une radiographie orange. À l'intérieur, je ne peux pas voir à trente centimètres de moi.

Je hurle, en le regrettant déjà à cause de la fumée qui me laisse la gorge à vif et la voix rauque :

— Le Rat !

Pas de réponse. Mais l'abri n'est pas si grand. Je me mets à quatre pattes et j'essaie d'avancer à tâtons.

Ce n'est pas vraiment dur, sauf au moment où je pose la main par accident sur quelque chose de métallique transformé en fer rouge. Ma peau y reste collée, une ampoule se forme immédiatement. Quand je trébuche sur un pied botté, j'en suis déjà à sangloter, sûr que je ne m'en sortirai jamais. Je cherche à l'aveuglette le corps amorphe du Rat, je le hisse sur mon épaule, je reprends en titubant le chemin par lequel je suis venu.

Par je ne sais quelle facétie divine, nous atteignons la sortie. Les camions des pompiers arrivent déjà et préparent leurs lances. Peut-être même que mon père est là. Caché par l'écran de fumée, je largue le Rat. Le cœur battant, je cours en direction opposée, abandonnant la suite de ce sauvetage à des gens qui ont vraiment la vocation d'être des héros.

Anna

Est-ce que vous vous êtes jamais demandé
comment nous sommes tous arrivés là ? Sur la
Terre, je veux dire. Oubliez toutes ces histoires à
dormir debout au sujet d'Adam et Ève, ce ne sont
que des conneries. Mon père aime le mythe des
Indiens Pawnee, qui racontent que les divinités
étoiles peuplaient le monde : Étoile du Matin et
Étoile du Soir se sont accouplées et ont donné naissance au premier enfant de sexe féminin. Le premier garçon est né de l'union de la Lune et du
Soleil. Les humains sont arrivés en chevauchant
une tornade.

M. Hume, mon professeur de biologie, nous a
tout expliqué sur cette soupe originelle pleine de
gaz naturels, de substance boueuse et de matière
carbonique qui se sont solidifiés d'une manière ou
d'une autre pour former des organismes unicellu-
laires appelés protozoaires flagellés... ce qui, à mon
avis, ressemble beaucoup plus à un nom de maladie
sexuellement transmissible qu'au début de la
chaîne de l'évolution. Tout de même, il y a très loin
de l'amibe au singe et jusqu'à l'être humain doué de
raison.

Ce qui est vraiment étonnant dans tout ça, c'est
que, peu importent vos croyances, il a fallu réaliser
une sacrée performance pour partir d'un stade où

il n'y avait rien et arriver à un point où tous les neurones se conjuguent comme il faut pour nous permettre de prendre les bonnes décisions.

Mais le plus surprenant encore, même si tout ça est devenu une seconde nature, c'est que nous nous arrangeons pour tout foirer.

Samedi matin, je suis à l'hôpital avec Kate et ma mère, et nous faisons toutes semblant autant que possible d'ignorer que mon procès débutera d'ici à deux jours. Vous pourriez penser que c'est dur, mais en fait c'est beaucoup plus facile. Dans ma famille, nous sommes réputés pour nous mentir par omission : si nous n'en parlons pas, alors – illico – il n'y a plus de procès, plus de défaillance rénale, plus aucun souci.

Je regarde *Happy Days* sur la chaîne TVLand. Cette famille Cunningham, elle n'est pas très différente de la nôtre. La seule chose qui semble les inquiéter, c'est de savoir si le groupe de Richie sera engagé chez Al, ou si Fonzie gagnera le concours de baisers, alors que même moi je sais que, dans les années cinquante, Joanie devait faire des exercices pratiques de protection antiaérienne à l'école, que Marion se bourrait sûrement de Valium et que Howard flippait à cause d'une possible attaque communiste. Peut-être que si vous passez votre vie à faire semblant d'être sur un tournage de film, vous n'aurez pas besoin de vous préoccuper du fait que les murs sont en papier et la nourriture en plastique et que les paroles que vous prononcez ne sont pas vraiment les vôtres.

Kate essaie de faire des mots croisés.

— Un vaisseau, en quatre lettres ? demande-t-elle.

Je suggère :

— Nef. Cargo.

— En *quatre* lettres.

— Vase, propose ma mère. C'est peut-être ça qu'ils veulent dire.

— Veine, dit le Dr Chance en entrant dans la chambre.

— Là, ça fait cinq lettres, réplique Kate sur un ton beaucoup plus plaisant que celui qu'elle a employé pour me répondre.

Nous aimons tous le Dr Chance ; maintenant il est presque un membre de la famille.

— Dis un chiffre.

Il veut dire sur l'échelle de la douleur.

— Cinq ?

— Trois.

Le médecin s'assied sur le bord du lit de Kate.

— Ce sera peut-être cinq dans une heure, prévient-il. Ou peut-être neuf.

Le visage de ma mère est devenu couleur aubergine.

— Mais Kate se sent bien en ce moment ! décrète-t-elle.

— Je sais. Mais les moments de lucidité vont se faire plus brefs et plus espacés, explique le Dr Chance. Ce n'est pas la leucémie. C'est la défaillance rénale.

— Mais après la greffe... dit ma mère.

Dans la pièce, l'air s'est transformé en éponge. On pourrait entendre le battement des ailes d'un oiseau-mouche tellement c'est silencieux. J'aimerais disparaître de la chambre comme une brume ; je ne veux pas que tout cela arrive par ma faute.

Le Dr Chance est le seul à avoir le courage de me regarder.

— Je crois comprendre, Sara, que la disponibilité d'un rein n'est pas garantie.

— Mais...

— Maman, interrompt Kate.

Elle se tourne vers le médecin.

— De combien de temps parlons-nous ?

— Une semaine, peut-être.

— Ouah, fait-elle doucement. Ouah.

Elle touche le bord du journal, passe le pouce sur le coin du papier.

— Ça va faire mal ?

— Non, promet le Dr Chance. Je m'y engage.

Kate pose le journal sur ses genoux et effleure le bras du médecin.

— Merci. De m'avoir dit la vérité.

Quand le Dr Chance lève la tête, ses yeux sont bordés de rouge.

— Ne me remercie pas.

Il se met debout si lourdement qu'il me donne l'impression d'être un bloc de pierre, et il quitte la pièce sans prononcer un mot de plus.

Ma mère se ratatine – je ne vois pas d'autre façon de la décrire. Comme lorsque vous mettez un morceau de papier au fond de la cheminée : il ne prend pas feu, on croirait simplement qu'il se volatilise.

Kate me regarde, puis dirige les yeux vers tous les tuyaux qui l'ancrent à son lit. Alors je me lève et je vais vers ma mère. Je pose la main sur son épaule.

— Maman... Arrête.

Elle lève la tête et me dévisage avec des yeux hagards.

— Non, Anna. Toi, arrête.

Au bout d'un moment, je finis par m'écarter. Je murmure :

— *Anna*.

Ma mère se retourne.

— Quoi ?

350

— Un mot de quatre lettres pour vaisseau, dis-je avant de quitter la chambre de Kate.

Plus tard dans l'après-midi, je tourne en rond sur le fauteuil pivotant dans le bureau de mon père à la caserne, avec Julia assise en face de moi. Sur sa table de travail, il a disposé une demi-douzaine de photos de famille. Il y en a une de Kate bébé, portant un vêtement tricoté qui la fait ressembler à une fraise. Une de Jesse et moi, avec un sourire aussi grand que le poisson que nous maintenons en équilibre sur nos mains. Je suis toujours restée perplexe devant les photos que l'on trouve dans les cadres vendus en magasin : des dames aux cheveux soyeux et au sourire racoleur, des bébés à tête de pamplemousse assis sur les genoux de leurs frères et sœurs aînés – des gens qui dans la vie réelle ne se connaissaient probablement pas et qui ont été réunis par un professionnel pour les besoins d'une photo de famille bidon.

Peut-être que ce n'est pas si différent des vraies photos, après tout.

Je ramasse un des clichés, celui qui montre mon père et ma mère plus bronzés et plus jeunes que je ne me souviens de les avoir vus.

Je demande à Julia :

— Vous avez un copain ?

— Non ! répond-elle, bien trop vite.

Quand je la regarde, elle hausse vaguement les épaules.

— Et toi ?

— Il y a ce garçon, Kyle McFee... Je croyais qu'il me plaisait bien, mais maintenant je n'en suis plus si sûre.

J'attrape un stylo et je me mets à le dévisser, à sortir le petit tube d'encre bleue. Ce serait génial d'en avoir un dans le corps, comme une seiche ; il suffirait de tendre le doigt pour laisser sa marque où on en a envie.

— Que s'est-il passé ?

— Je suis allée au cinéma avec lui, comme si on sortait ensemble, et à la fin du film, quand on s'est levés, il...

Je deviens toute rouge.

— Vous voyez ce que je veux dire.

J'agite la main dans la direction de mon bas-ventre.

— Ah, dit Julia.

— Il m'a demandé si je m'étais jamais inscrite à l'atelier de menuiserie, à l'école – franchement, la *menuiserie* ? Mon Dieu ! J'allais dire non, et toc, j'avais les yeux braqués exactement sur cet endroit.

Je repose le stylo décapité sur le sous-main de mon père.

— Maintenant, quand je le rencontre en ville, je n'arrive pas à penser à autre chose.

Je lève la tête et je regarde Julia, une idée me vient à l'esprit.

— Je suis perverse ?

— Non, tu as treize ans. Et Kyle aussi. Il ne pouvait pas empêcher que ça se produise, pas plus que toi tu ne peux t'interdire d'y penser chaque fois que tu le vois. Mon frère Anthony me disait toujours qu'il n'y a que deux périodes au cours desquelles un garçon est excité : toute la journée, et toute la nuit.

— Votre frère vous parlait de trucs comme ça ?

Elle rit.

— Oui. Pourquoi, Jesse ne le ferait pas ?

Je ricane.

— Si je posais à Jesse une question concernant le sexe, il se tordrait les côtes, et ensuite il me passerait une pile de *Playboy* en me disant de me documenter.

352

— Et tes parents ?

Je secoue la tête. Papa, c'est impensable – parce que c'est papa. Maman a bien d'autres sujets de préoccupation. Et Kate et moi sommes sur le même bateau, aussi ignorantes l'une que l'autre.

— Votre sœur et vous, dis-je, vous êtes-vous déjà battues pour le même garçon ?

— À vrai dire, nous n'avons pas du tout les mêmes goûts.

— Quel est votre type d'homme ?

Elle réfléchit un instant.

— Je ne sais pas. Grand. Brun. Vivant.

— Campbell, vous le trouvez beau ?

Julia tombe presque de sa chaise.

— Quoi ?

— Enfin, je veux dire pour un mec plus âgé.

— J'imagine que certaines femmes pourraient... le trouver séduisant, dit-elle.

— Il ressemble à un personnage d'une des séries télé qu'aime Kate.

Je passe l'ongle du pouce dans une rainure du bois, sur le bureau. C'est bizarre. De penser que je vais grandir et embrasser un garçon et me marier.

Et pas Kate.

Julia se penche vers moi.

— Que va-t-il se passer si ta sœur meurt, Anna ?

Une des photos sur le bureau nous montre, Kate et moi. Nous sommes petites – peut-être cinq et deux ans. C'est avant sa première rechute, mais après que ses cheveux ont repoussé. Nous étions au bord d'une plage, en maillot de bain, et nous nous amusions à faire des pâtés de sable. Vous pourriez plier la photo en deux et avoir l'illusion d'un reflet symétrique : Kate petite et moi grande pour notre âge ; les cheveux de Kate sont d'une couleur différente, mais avec la même raie qui se forme naturellement et les mêmes pointes qui rebiquent ; Kate a les mains levées, paumes appliquées contre les miennes. Jusqu'à maintenant, je ne crois pas avoir réalisé à quel point nous nous ressemblons.

Il est presque dix heures du soir lorsque le téléphone sonne à la caserne, et j'ai la surprise d'apprendre que c'est moi qui suis demandée. Je prends la ligne sur le poste de la cuisine, qui vient d'être nettoyée pour la nuit.

— Allô ?

— Anna, dit ma mère.

Aussitôt, je suppose qu'elle m'appelle au sujet de Kate. Il ne doit plus lui rester grand-chose à me dire, compte tenu de la façon dont nous nous sommes quittées tout à l'heure à l'hôpital.

— Tout va bien ?

— Kate dort.

— Alors ça va.

Et puis je me demande si c'est vraiment le cas.

— J'appelle pour deux raisons. La première est pour te dire que je suis désolée pour ce matin.

Je me sens toute petite.

— Moi aussi.

À cet instant, je me rappelle comment elle venait me border, le soir. Elle commençait par se diriger vers le lit de Kate, se penchait, et annonçait qu'elle embrassait Anna. Puis elle venait vers mon lit, et disait qu'elle faisait un câlin à Kate. Chaque fois, ça nous faisait mourir de rire. Elle éteignait la lumière, et longtemps après son départ, il flottait encore dans la chambre l'odeur du lait qu'elle mettait sur sa peau pour la garder aussi douce que l'intérieur d'une taie d'oreiller en flanelle.

— La seconde raison de mon appel, dit ma mère, était juste pour te souhaiter une bonne nuit.

— C'est tout ?

Dans sa voix, je peux entendre un sourire.

— Ce n'est pas assez ?

— Si, bien sûr.

Mais ce n'est pas vrai.

Parce que j'ai du mal à m'endormir, je me glisse hors de mon lit à la caserne des pompiers, je passe devant celui de mon père, qui ronfle. Dans les toilettes pour hommes, je pique le livre Guinness des records et je monte sur le toit pour le lire à la lueur de la lune. En Espagne, un enfant de dix-huit mois appelé Alejandro a fait une chute de vingt mètres en tombant par la fenêtre de l'appartement de ses parents à Murcie, et il est le premier bébé à survivre à une chute aussi grande. Roy Sullivan, en Virginie, a survécu sept fois à la foudre, pour finir par se suicider à la suite d'un chagrin d'amour. Un chat a été retrouvé sous les décombres quatre-vingts jours après le tremblement de terre qui a fait deux mille morts à Taïwan, et il est maintenant en parfaite santé. Je me surprends à lire et relire le chapitre appelé « Survivants et sauveteurs », ajoutant des listes dans ma tête. *Le patient qui a survécu le plus longtemps à la LAP*, ça dirait. *La sœur la plus extatique*.

Mon père me trouve au moment où j'ai reposé le livre et commencé à chercher Véga.

— On ne voit pas grand-chose, ce soir, hein ? dit-il en s'asseyant à côté de moi.

C'est une nuit enrobée de nuages ; même la lune paraît couverte de coton.

— Non. Tout est brouillé.

— Tu as essayé le télescope ?

Je le regarde manipuler le télescope un moment, puis décider que ce soir ça n'en vaut vraiment pas la peine. Je me souviens soudain qu'un jour, quand j'avais à peu près sept ans et que j'étais assise avec lui en voiture, je lui ai demandé comment faisaient les adultes pour trouver leur chemin. Après tout, je ne l'avais jamais vu recourir à une carte.

« J'imagine que nous sommes simplement habitués à tourner au même endroit. »

Sa réponse ne m'a pas satisfaite.

« Oui, mais la première fois que tu vas quelque part ?

— Eh bien, nous nous faisons indiquer la direction. »

Mais ce que je veux savoir, c'est comment la toute première personne a pu arriver à destination. Que se passe-t-il si personne n'y est jamais allé avant ?

— Papa, c'est vrai qu'on peut utiliser les étoiles comme une carte ?

— Oui, si on s'y entend en navigation céleste.

— C'est dur ?

Je me dis que je devrais peut-être apprendre. A tout hasard, pour toutes les fois où j'ai l'impression de tourner en rond.

— Ça exige des calculs un peu acrobatiques : tu dois mesurer l'altitude d'une étoile, déterminer sa position en utilisant un almanach nautique, calculer l'altitude et la direction que tu penses être celles de l'étoile en fonction de l'endroit où tu crois être, et comparer ensuite l'altitude que tu as mesurée avec celle que tu as calculée. Ensuite tu reportes les coordonnées sur un graphique, et ça te donne une droite de hauteur. Tu obtiens plusieurs droites qui se croisent, et c'est là que tu vas.

Mon père regarde la tête que je fais et sourit.

— Exactement, dit-il en riant. Ne sors jamais de chez toi sans ton GPS.

Mais je parie que je pourrais y arriver, ce n'est pas si compliqué. Vous vous dirigez vers l'endroit où les différentes positions se croisent, et vous souhaitez que tout aille pour le mieux.

S'il existait une religion annaïque, et que je devais vous apprendre comment les êtres humains sont arrivés sur la Terre, voici ce que je vous dirais : à l'origine, il n'y avait rien du tout, sauf la Lune et le Soleil. Et la Lune voulait sortir pendant la journée, mais quelque chose d'infiniment plus brillant semblait occuper la place pendant toutes ces heures. La Lune devint affamée, de plus en plus maigre, jusqu'à n'être plus qu'une tranche d'elle-même, et ses extrémités étaient aussi acérées qu'un couteau. Par accident, parce que c'est ainsi que la plupart des choses se produisent, elle a percé un trou dans la nuit, et des millions d'étoiles se sont répandues, comme une fontaine de larmes.

Horrifiée, la Lune essaya de les avaler. Parfois, elle y parvenait, et alors elle grossissait et s'arrondissait. Mais le plus souvent elle n'y arrivait pas, parce que les étoiles étaient trop nombreuses. Elles n'arrêtaient pas d'affluer, jusqu'à ce que le ciel devienne tellement lumineux que le Soleil en fut jaloux. Il invita les étoiles à le rejoindre sur son côté du monde, où il faisait toujours clair. Mais ce qu'il ne leur dit pas, c'est que, de jour, on ne les verrait jamais. Alors les plus bêtes sautèrent du ciel et tombèrent à terre, où elles restèrent figées sous le poids de leur propre stupidité.

La Lune fit de son mieux. Elle sculpta chacun de ces malheureux blocs en un homme ou une femme. Elle passa le reste de son temps à s'assurer que ses autres étoiles ne tomberaient pas. Elle passa le reste de son temps à s'accrocher au peu qu'il lui restait.

Brian

Juste avant sept heures, dimanche matin, une pieuvre se présente à la caserne. En vérité, c'est une femme déguisée en pieuvre, mais quand vous voyez arriver quelque chose comme ça, la précision importe peu. Des larmes coulent sur ses joues et elle tient un pékinois dans ses multiples bras.

— Vous devez m'aider, dit-elle.

C'est là que je me souviens : il s'agit de Mme Zegna, dont la maison a été ravagée par un incendie il y a quelques jours.

Elle tripote ses tentacules.

— C'est le seul vêtement qui me reste. Un déguisement de Halloween. Ursula. Il moisissait dans un garde-meubles à Taunton, avec ma collection de disques de Peter, Paul and Mary.

Je la fais asseoir avec ménagement sur la chaise en face de mon bureau.

— Madame Zegna, je sais que votre maison est inhabitable...

— Inhabitable ? Elle est carrément détruite !

— Je peux vous mettre en rapport avec un refuge. Et si vous le souhaitez, je parlerai à votre compagnie d'assurances, pour accélérer les choses.

Elle lève un bras pour s'essuyer les yeux, et huit autres, commandés par des ficelles, suivent à l'unisson.

— Je n'ai pas d'assurance pour la maison. Je n'ai pas pour principe de passer ma vie à attendre le pire.

Je la dévisage un moment. J'essaie de me rappeler l'impression que l'on ressent à être choqué par l'éventualité même d'une catastrophe.

Quand j'arrive à l'hôpital, Kate est couchée sur le dos, serrant fort un ours en peluche qu'elle possède depuis l'âge de sept ans. Elle est branchée à une de ces pompes à morphine que le malade contrôle, et son pouce appuie sur le bouton par intermittence, alors qu'elle est profondément endormie.

L'un des fauteuils de la chambre se déplie en un lit d'appoint, avec un matelas épais comme une gaufrette, et c'est là que Sara est recroquevillée.

— Salut, dit-elle en repoussant les cheveux qui lui cachent les yeux. Où est Anna ?

— Elle dort encore comme seul un enfant peut dormir. Comment s'est passée la nuit de Kate ?

— À peu près correctement. Elle a eu un peu mal entre deux et quatre heures.

Je m'assieds sur le bord de son lit.

— Ça compte beaucoup pour Anna, que tu l'aies appelée hier soir.

Quand je regarde Sara dans les yeux, je vois Jesse – ils ont les mêmes couleurs, les mêmes traits. Je me demande si Sara me regarde et pense à Kate. Je me demande si ça la fait souffrir.

Il est difficile de croire qu'à une époque cette femme et moi avons parcouru en voiture toute la Route 66 sans jamais manquer de sujets de conversation. Maintenant, nos échanges se réduisent à la communication de données, faites de détails importants et de renseignements d'initiés.

359

— Tu te souviens de cette diseuse de bonne aventure ?

Devant son regard vide, je continue à parler.

— Nous étions au beau milieu du Nevada, et la Chevrolet est tombée en panne d'essence... Tu ne voulais pas que je te laisse seule dans la voiture pendant que je cherchais une station-service.

« Dans dix jours, alors que tu en seras encore à tourner en rond dans le désert, on me trouvera avec des vautours me dévorant les entrailles », avait dit Sara, et elle m'avait emboîté le pas. Nous avions refait à pied les six derniers kilomètres jusqu'à la baraque devant laquelle nous étions passés un peu plus tôt, un poste d'essence. L'endroit était tenu par un vieux bonhomme et sa sœur, qui prétendait avoir des dons de voyance.

« Faisons-le », avait supplié Sara, mais la consultation coûtait cinq dollars, et je n'en avais que dix.

« Nous ne ferons qu'un demi-plein, et on demandera à la voyante jusqu'où ça nous mènera », avait-elle dit, et comme toujours, elle m'avait convaincu.

Mme Agnes était le genre d'aveugle qui fait peur aux enfants, avec des yeux que la cataracte avait rendus vides comme un ciel bleu. Elle avait posé ses mains noueuses sur le visage de Sara pour lire ses os, et dit qu'elle voyait trois bébés et une longue vie, mais que ça ne suffirait pas.

« Qu'est-ce que ça peut bien vouloir dire ? » avait demandé Sara, intriguée, et Mme Agnes avait expliqué que les prédictions étaient comme l'argile et pouvaient être remodelées à tout moment.

Mais on ne peut refaire que son propre avenir, pas celui de quelqu'un d'autre, et pour certains, ce n'était pas suffisant.

Elle avait posé ses mains sur mon visage et n'avait prononcé que ces quelques mots :

« Sauvez-vous vous-même. »

Elle nous avait dit que nous retomberions en panne d'essence aussitôt franchie la frontière du Colorado, et c'est ce qui s'était produit.

Maintenant, dans la chambre d'hôpital, Sara me regarde avec des yeux vides d'expression.

— Quand est-ce que nous sommes allés dans le Nevada ? demande-t-elle.

Puis elle secoue la tête.

— Il faut que nous parlions. Si Anna persiste à vouloir cette audience lundi, alors je dois revoir ton témoignage.

Avec un coup d'œil par-dessus mon épaule pour m'assurer que Kate dort toujours, je fais de mon mieux pour m'expliquer.

— Sara, crois-moi, j'ai réfléchi très longuement à tout ça. Et si Anna ne veut plus être donneuse, nous devons respecter son choix.

— Si tu témoignes en faveur d'Anna, le juge va dire qu'au moins un de ses parents est disposé à soutenir cette requête, et il va délibérer en sa faveur.

— Je le sais. Autrement, pourquoi le ferais-je ?

Nous nous regardons fixement, sans mot dire, refusant d'admettre ce qui nous attend au bout de ces deux voies.

— Sara, dis-je enfin, qu'est-ce que tu veux de moi ?

— Je veux que tu me regardes et que tu te rappelles comment c'était, avant, répond-elle d'une voix grave. Je veux retourner en arrière, Brian. Je veux que tu m'acceptes de nouveau.

Mais elle n'est plus la femme que j'ai connue, la femme qui traversait la campagne en comptant les terriers des chiens de prairie, qui lisait à haute voix les petites annonces des cow-boys solitaires en quête de l'âme sœur et qui me disait, au plus profond de la nuit, qu'elle m'aimerait jusqu'à ce que la lune achève sa course dans le ciel.

Pour être honnête, je ne suis plus le même homme. Celui qui écoutait. Celui qui la croyait.

Sara

2001

Brian et moi sommes assis sur le canapé, nous partageant les pages du journal, quand Anna entre dans le salon.

— Si je tonds la pelouse, disons jusqu'à ce que je me marie, est-ce que je peux avoir six cent quatorze dollars et quatre-vingt-seize cents tout de suite ?

— Pourquoi ? demandons-nous simultanément.

Elle frotte le tapis du bout de sa chaussure.

— J'ai besoin d'un peu de liquide.

Brian replie la rubrique des informations nationales.

— Je ne pensais pas que les jeans Gap étaient devenus si chers.

— Je savais que vous réagiriez comme ça, dit-elle, prête à quitter la pièce en râlant.

— Attends.

Je me redresse, appuyant les coudes sur mes genoux.

— Que veux-tu acheter ?

— Qu'est-ce que ça peut faire ?

— Anna, réplique Brian, nous n'allons pas sortir plus de six cents dollars sans savoir à quoi ils vont servir.

Elle pèse le pour et le contre pendant un moment.

— C'est quelque chose sur eBay.

Ma fille de dix ans surfe sur eBay ?

— Bon, d'accord, soupire-t-elle. C'est pour des jambières de gardien de but.

Je regarde Brian, qui n'a pas l'air de comprendre non plus.

— De hockey ? dit-il.

— Ben, évidemment.

— Anna, tu ne joues pas au hockey, lui fais-je remarquer.

Quand elle rougit, je prends conscience que je me trompe peut-être. Brian l'oblige à s'expliquer.

— Il y a deux mois, mon vélo a déraillé juste devant la patinoire de hockey. Il y avait des garçons qui s'entraînaient, mais leur gardien de but avait la mononucléose, et l'entraîneur a dit qu'il me paierait cinq dollars pour que je reste devant la cage et que je bloque les coups. J'ai emprunté l'équipement du garçon qui était malade, et finalement... je me suis plutôt bien débrouillée. Ça m'a plu. Alors j'y suis retournée.

Anna sourit timidement.

— L'entraîneur m'a proposé de faire partie de l'équipe pour de vrai, avant le tournoi. Je suis la seule fille, la première qu'ils prennent. Mais je dois avoir mon propre équipement.

— Qui coûte six cent quatorze dollars ?

— Et quatre-vingt-seize cents. Mais ça, c'est juste pour les jambières. Je vais aussi avoir besoin d'un plastron, d'une crosse, d'un gant et d'un casque à grille.

Elle nous regarde, l'air plein d'espoir.

— Il faut que nous en parlions, lui dis-je.

Anna marmonne quelque chose comme « J'en étais sûre », et sort de la pièce.

— Tu savais qu'elle faisait du hockey ? me demande Brian.

Je secoue la tête. Je me demande ce que ma fille nous a caché d'autre.

Nous sommes sur le point de sortir de la maison pour aller voir Anna jouer au hockey pour la première fois, quand Kate annonce qu'elle ne vient pas.

— S'il te plaît, maman, supplie-t-elle. Pas avec la tête que j'ai.

De méchantes plaques rouges lui couvrent les joues, les paumes, la plante des pieds et la poitrine, et les stéroïdes qui sont censés les traiter lui font une face de lune. Sa peau est rêche et épaissie. Ce sont les manifestations de la maladie du greffon contre l'hôte, que Kate a contractée à la suite de sa greffe de moelle osseuse. Depuis quatre ans, ça va, ça vient, avec des poussées quand on s'y attend le moins. La moelle osseuse est un organe, que le corps peut rejeter comme un cœur ou un foie. Mais parfois, à l'inverse, c'est la moelle greffée qui rejette le corps dans lequel elle a été transplantée.

La bonne nouvelle, quand cela se produit, c'est que toutes les cellules cancéreuses en subissent aussi les assauts – ce que le Dr Chance appelle la maladie du greffon contre la leucémie. La mauvaise nouvelle, c'est la symptomatologie : la diarrhée chronique, l'ictère, la raideur des articulations. La scarification et la sclérose des tissus conjonctifs. J'y suis tellement accoutumée que ça ne m'impressionne pas, mais quand la poussée est aussi forte, je laisse Kate manquer l'école. Elle a treize ans, et l'apparence est primordiale. Je respecte sa vanité, parce qu'elle s'exprime si peu.

Mais je ne peux pas la laisser seule à la maison, et nous avons promis à Anna que nous viendrions la voir jouer.

— C'est vraiment important pour ta sœur.

Pour toute réponse, Kate s'affale sur le canapé et se couvre le visage d'un coussin.

Sans un mot, je me dirige vers le placard de l'entrée et je sors diverses choses des tiroirs. Je tends les gants à Kate, puis je lui enfonce un bonnet sur la tête et je l'emmitoufle dans une écharpe de sorte qu'on ne lui voie que les yeux.

— Il va faire froid à la patinoire, dis-je d'un ton qui ne souffre aucune discussion.

Je reconnais à peine Anna, harnachée et caparaçonnée dans son équipement, que nous avons fini par emprunter au neveu de l'entraîneur. Il est impossible de voir, par exemple, qu'elle est la seule fille sur la glace. Ni de remarquer qu'elle est plus jeune de deux ans que tous les autres joueurs.

Je me demande si Anna peut entendre nos encouragements sous son casque, ou si elle est tellement concentrée sur ce qui lui arrive qu'elle exclut tout le reste, focalisant plutôt son attention sur le raclement du palet et le claquement des crosses.

Jesse et Brian sont assis tout au bord de leur siège ; même Kate – si réticente à venir – commence à se laisser prendre par le jeu. Le gardien de but opposé, comparé à Anna, se déplace au ralenti. L'action alterne comme un courant, allant du goal adverse à Anna. Le centre passe à l'ailier droit, dont les patins ont cassé, ses lames déchirant les ovations de la foule. Anna s'avance, les genoux fléchis, les coudes pointés vers l'avant, sûre de la trajectoire du palet avant même qu'il n'arrive.

— Incroyable, me dit Brian après la seconde mi-temps. Elle a un talent naturel de gardien de but.

Ça, j'aurais pu le lui dire moi-même. Anna sauve, chaque fois.

Cette nuit-là, Kate se réveille avec du sang qui lui coule du nez, du rectum et des orbites. Je n'ai jamais vu autant de sang, et en essayant d'endiguer le flot, je me demande quelle quantité elle peut se permettre de perdre. Le temps que nous arrivions jusqu'à l'hôpital, elle est désorientée et agitée, puis elle finit par sombrer dans l'inconscience. L'équipe médicale lui refait le plein de plasma, d'hématies et de plaquettes pour remplacer tout le sang qu'elle a perdu et qui semble recommencer à s'échapper d'elle aussitôt. On lui fait une perfusion de sérums destinés à prévenir un choc septique, et on l'intube. On pratique un scanner de son cerveau et de ses poumons pour mesurer l'étendue de l'hémorragie.

Malgré l'habitude que nous avons de nous précipiter aux urgences au milieu de la nuit, chaque fois que Kate manifeste des symptômes soudains de rechute, nous savons, Brian et moi, que jamais ça n'a été aussi grave. Un nez qui saigne est une chose, un organisme tout entier qui lâche en est une autre. Deux fois déjà, elle a fait une arythmie cardiaque. L'hémorragie empêche le cerveau, le cœur, le foie et les reins de recevoir le flux sanguin dont ils ont besoin pour fonctionner.

Le Dr Chance nous emmène vers une petite salle d'attente de l'unité de soins intensifs pédiatriques. Elle est décorée de grosses marguerites aux yeux ronds et au large sourire. Sur un mur se trouve une toise représentant un ver de terre d'un mètre vingt qui dit : *Jusqu'où vais-je grandir ?*

Brian et moi, nous nous tenons très tranquilles, comme si cela pouvait nous valoir une récompense pour bonne conduite.

— De l'arsenic ? répète Brian. Du poison ?

— C'est un tout nouveau traitement, explique le médecin. Il est administré par intraveineuse pendant vingt-cinq à soixante jours. Jusqu'à présent, il ne nous a pas permis d'obtenir de guérison. Ce qui ne veut pas dire que cela ne puisse pas se produire un jour, mais pour l'instant nous ne disposons même pas de courbes d'espérance de vie sur cinq ans – c'est le problème avec cette nouvelle substance. À ce stade, Kate a épuisé le sang de cordon, la greffe allogène, les rayons, la chimio, et l'ATRA. Kate a survécu dix ans de plus qu'aucun de nous ici n'aurait osé l'espérer.

Déjà, je me surprends à hocher la tête.

— Faites-le, dis-je.

Brian baisse les yeux et regarde ses bottes.

— Nous pouvons toujours essayer. Mais selon toute vraisemblance, l'hémorragie l'emportera quand même sur l'arsenic, nous dit le Dr Chance.

Je regarde la courbe de croissance sur le mur. Est-ce que j'ai dit à Kate que je l'aimais avant de la mettre au lit, hier soir ? Je ne me souviens pas. Je ne me souviens pas du tout.

Peu après deux heures du matin, je perds Brian. Il se glisse hors de la chambre au moment où je commence à m'endormir au chevet de Kate, et il disparaît pendant plus d'une heure. Je le cherche dans le bureau des infirmières, à la cafétéria et aux toilettes pour hommes. Je finis par le trouver au bout du couloir, dans un minuscule atrium dédié à

368

un malheureux enfant mort, une pièce remplie de lumière, d'air et de plantes en plastique, qui pourrait convenir à un patient immunodéprimé. Il est assis sur un vilain canapé en velours côtelé marron, et écrit frénétiquement avec un crayon de couleur bleu sur un bout de papier.

— Salut, dis-je doucement, me rappelant comment les enfants s'installaient par terre dans la cuisine pour dessiner, les crayons de couleur éparpillés entre eux comme des fleurs sauvages. Je t'échange un jaune contre ton bleu.

Brian lève les yeux, surpris.

— Est-ce que...

— Kate va bien. Enfin, elle est stationnaire.

Steph, l'infirmière, lui a déjà injecté sa première dose d'arsenic. Elle lui a aussi fait deux transfusions pour remplacer le sang qu'elle a perdu.

— Peut-être que nous devrions ramener Kate à la maison, dit Brian.

— Bien sûr que nous...

— Je veux dire maintenant.

Il joint les mains, doigts entrelacés.

— Je crois qu'elle voudra mourir dans son propre lit.

Ce mot, entre nous, explose comme une grenade.

— Elle ne va pas...

— Si, elle va mourir.

Il me regarde, le visage creusé par le chagrin.

— Elle est mourante, Sara. Elle va mourir, ce soir ou demain ou peut-être dans un an si nous avons beaucoup de chance. Tu as entendu ce qu'a dit le médecin. L'arsenic n'est pas un traitement. Ça ne fait que repousser l'échéance.

Mes yeux se remplissent de larmes.

— Mais je l'aime. Pour moi, c'est une raison suffisante.

— Moi aussi, je l'aime. Beaucoup trop pour continuer à faire ça.

Le papier sur lequel il griffonnait lui échappe des mains et atterrit à mes pieds ; je le ramasse avant qu'il ne puisse l'attraper. Il est couvert de traînées de larmes, de ratures. *Elle aimait l'odeur qui flottait au printemps. Elle battait tout le monde au gin-rummy.* Il y a aussi des notes dans la marge. *Couleur préférée : rose. Moment préféré de la journée : crépuscule. Elle n'arrêtait pas de lire et de relire* Max et les Maximonstres, *et elle en connaissait le texte par cœur.*

Mes cheveux se dressent sur ma nuque.

— C'est... un éloge funèbre ?

À présent, Brian pleure aussi.

— Si je ne le fais pas maintenant, j'en serai incapable quand le moment sera venu.

Je secoue la tête.

— Le moment n'est pas venu.

J'appelle ma sœur à trois heures et demie du matin.

— Je t'ai réveillée, dis-je en me rendant compte au moment où Zanne décroche que, pour elle, comme pour toute personne normale, c'est le milieu de la nuit.

— C'est Kate ?

Je fais oui de la tête, bien qu'elle ne puisse pas le voir.

— Zanne ?

— Ouais ?

Je ferme les yeux, sens les larmes se frayer un passage.

— Sara, que se passe-t-il ? Tu veux que je vienne ?

Il est difficile de parler avec l'énorme pression dans ma gorge ; la vérité peut vous étouffer. Quand nous étions enfants, la chambre de Zanne et la mienne se partageaient un couloir, et nous nous disputions à propos de la lumière. Moi je voulais la laisser allumée toute la nuit, pas elle.

« Mets-toi un oreiller sur la tête, lui disais-je. Tu peux faire du noir, moi je ne peux pas faire de clarté. »

— Oui, dis-je, sanglotant maintenant sans retenue. Je t'en prie.

Contre toute attente, Kate survit dix jours à coups de transfusions intensives et d'arsenic. Le onzième jour de son hospitalisation, elle tombe dans le coma. Je décide de monter la garde à son chevet jusqu'à ce qu'elle se réveille. Ce que je fais pendant exactement quarante-cinq minutes, avant de recevoir un appel du proviseur du lycée de Jesse.

Apparemment, le laboratoire de sciences de l'école conserve le sodium dans des récipients contenant de l'huile, en raison de sa volatilité au contact de l'air. Apparemment le sodium est aussi très réactif à l'eau, produisant de l'hydrogène et de la chaleur. Apparemment, mon fils a été assez malin pour découvrir cela, c'est pourquoi il a volé le sodium, l'a jeté dans les toilettes et a fait exploser la fosse septique de l'école.

S'étant fait exclure pour trois semaines par le proviseur – un homme qui a l'amabilité de me demander des nouvelles de Kate tout en me disant que mon fils est destiné à finir en prison –, Jesse repart avec moi vers l'hôpital.

— Inutile de préciser que tu es interdit de sortie.
— Peu importe.
— Jusqu'à l'âge de quarante ans.

Jesse s'affaisse, et ses sourcils se froncent encore un peu plus. Je me demande quand, exactement, j'ai fait une croix sur mon fils. Je me demande pourquoi, alors que je connais avec Jesse infiniment moins de désespoir qu'avec sa sœur.

— Le proviseur est un con.

— Tu sais quoi, Jesse ? Le monde en est rempli. Il te faudra toujours lutter contre quelqu'un. Contre quelque chose.

Il me jette un regard noir.

— Tu serais capable de détourner une conversation sur les Red Sox pour la ramener à Kate.

Nous nous garons sur le parking de l'hôpital, mais je ne coupe pas le moteur. La pluie martèle le pare-brise.

— Nous sommes tous très doués pour ça. Ou avais-tu une autre raison de faire exploser la fosse septique ?

— Tu ne sais pas ce que c'est que d'être le garçon dont la sœur est en train de mourir du cancer.

— J'en ai une idée assez précise. Puisque je suis la mère du garçon dont la sœur est en train de mourir du cancer. Tu as absolument raison, c'est l'horreur. Et parfois, j'ai moi-même envie de faire exploser quelque chose, ne serait-ce que pour me débarrasser de l'impression que *moi* je vais exploser d'un moment à l'autre.

Je baisse les yeux et je remarque un bleu de la taille d'un demi-dollar juste à la pliure de son bras. Il y en a un identique sur l'autre bras. C'est révélateur, je suppose, que mon esprit l'associe aussitôt à l'héroïne, plutôt qu'à la leucémie, comme je l'aurais fait s'il s'agissait de ses sœurs.

— Qu'est-ce que c'est que ça ?

Il replie le bras.

— Rien.

— Qu'est-ce que c'est ?

— Ça ne te regarde pas.

— Bien sûr que ça me regarde.

Je lui abaisse l'avant-bras.

— Ça vient d'une aiguille ?

Il lève la tête, les yeux flamboyants.

— Ouais, m'man. Je me pique tous les trois jours. Sauf que je ne me drogue pas, je viens me faire pomper du sang, ici, au deuxième étage.

Il me regarde droit dans les yeux.

— Tu ne t'es jamais demandé qui d'autre entretenait Kate en plaquettes ?

Il sort de la voiture avant que j'aie le temps de l'arrêter, me laissant seule à regarder par un pare-brise à travers lequel plus rien ne m'apparaît clairement.

Deux semaines après que Kate a été admise à l'hôpital, les infirmières me persuadent de m'accorder un jour de congé. Je rentre à la maison et prends une douche dans ma salle de bains plutôt que dans celle qu'utilise le personnel médical. Je paie les factures en souffrance. Zanne, qui est encore avec nous, me prépare un café ; il m'attend quand je descends, les cheveux mouillés et peignés.

— Quelqu'un a appelé ?

— Si par *quelqu'un* tu veux dire l'hôpital, alors non.

Elle compulse un livre de cuisine dont elle tourne les pages avec exaspération.

— Quelle connerie ! déclare Zanne. Il n'y a aucune joie à cuisiner.

La porte d'entrée s'ouvre et se referme en claquant. Anna arrive en trombe dans la cuisine et s'arrête net en me voyant.

— Qu'est-ce que tu fais là ?

— C'est ici que j'habite.

Zanne s'éclaircit la gorge.

— Contrairement aux apparences.

Mais Anna ne l'entend pas, ou ne veut pas l'entendre. Elle arbore un sourire aussi large qu'un canyon, et brandit une feuille de papier devant moi.

— Elle a été envoyée à notre entraîneur. Lis, lis, lis.

Chère Anna Fitzgerald,

Félicitations. Vous avez été admise au Club de vacances de hockey « Les Filles au but ». Cette année, nous nous retrouverons à Minneapolis, du 3 au 17 juillet. Merci de remplir les formulaires ci-joints et de nous les retourner, accompagnés de votre dossier médical, avant le 30/04/01.

À bientôt sur la glace !

Sarah Teuting, entraîneur

Je finis de parcourir la lettre.

— Quand elle avait mon âge, tu as laissé Kate partir en vacances avec la colo pour les enfants leucémiques, dit Anna. Tu sais qui est Sarah Teuting ? L'entraîneur de l'équipe USA, tu te rends compte ? Et non seulement je vais la rencontrer, mais en plus elle va me dire ce que je dois faire pour progresser. Notre entraîneur m'a obtenu une bourse, alors ça ne te coûtera pas un sou. Ils me paient l'avion, ils me logent et tout, et c'est une chance qui n'est jamais donnée à personne, et...

— Chérie, dis-je avec ménagement. Tu ne peux pas y aller.

Elle secoue la tête, comme si elle essayait d'y faire entrer mes paroles.

— Mais ce n'est pas tout de suite. Ce n'est pas avant l'été.

Et Kate sera peut-être morte d'ici là.

C'est la première fois, si je me souviens bien, qu'Anna laisse entendre qu'il pourrait y avoir une limite dans le temps, un moment où elle serait libérée de ses obligations envers sa sœur. Jusque-là, partir pour le Minnesota n'est pas envisageable. Non pas parce que j'ai des craintes pour Anna, mais parce que j'ai peur de ce qui pourrait arriver à Kate en l'absence de sa sœur. Si Kate survit à cette dernière rechute, qui sait quel laps de temps nous sépare de la prochaine crise ? Et quand elle surviendra, nous aurons besoin d'Anna – de son sang, de ses cellules souches, de ses tissus – à portée de main.

La réalité des faits flotte entre nous comme un rideau opaque. Zanne se lève et passe un bras autour d'Anna.

— Tu sais quoi, ma puce ? Peut-être que tu devrais discuter de ça avec ta maman à un autre moment...

— Non.

Anna refuse de céder.

— Je ne comprends pas pourquoi je ne peux pas y aller.

Je me passe la main sur le visage.

— Anna, ne m'oblige pas à ça.

— T'obliger à quoi, maman ? répond-elle rageusement. *Moi* je ne t'oblige à rien.

Elle froisse la lettre et sort en courant de la cuisine. Zanne me sourit avec commisération.

— Bon retour chez toi, dit-elle.

Dehors, Anna prend une crosse de hockey et se met à frapper contre le mur du garage. Elle continue pendant presque une heure, une percussion rythmée, jusqu'à ce que j'oublie qu'elle est là-dehors et que je commence à penser qu'une maison peut avoir son propre pouls.

Dix-sept jours après le début de son hospitalisation, Kate développe une infection. Son corps fait une poussée de fièvre. On procède à des analyses et à des cultures sur son sang, son urine, ses selles, pour tenter d'isoler le germe, mais entre-temps elle est mise sous antibiotiques à large spectre, dans l'espoir qu'elle réagira au traitement.

Steph, notre infirmière préférée, reste tard certains soirs pour ne pas me laisser seule à affronter cette épreuve. Elle m'apporte des numéros du magazine *People* fauchés dans les salles d'attente des consultations, et tient de joyeuses conversations unilatérales avec ma fille inconsciente. Elle est un modèle de détermination et d'optimisme en surface, mais je l'ai souvent surprise au bord des larmes alors qu'elle faisait la toilette de Kate, à des moments où elle croyait que je ne pouvais pas la voir.

Un matin, le Dr Chance vient examiner Kate. Il accroche le stéthoscope à son cou et s'assied sur une chaise en face de moi.

— Je voulais être invité à son mariage.

— Vous le serez.

J'insiste, mais il secoue la tête. Mon cœur s'accélère un peu.

— Un service à punch, voilà ce que vous lui offrirez. Un cadre. Vous lui porterez un toast.

— Sara, dit le Dr Chance. Il est temps de lui faire vos adieux.

Jesse s'enferme quinze minutes dans la chambre de Kate, et il en ressort comme si une bombe allait exploser. Il s'enfuit en courant dans les couloirs de l'unité de soins intensifs pédiatriques.

— J'y vais, dit Brian.

Il part dans la direction qu'a prise Jesse. Anna est assise le dos au mur. Elle est en colère, elle aussi.

— Je ne veux pas le faire.

Je m'accroupis à côté d'elle.

— Crois-moi, il n'y a rien au monde que je souhaiterais moins te demander. Mais si tu ne le fais pas, Anna, un jour tu vas le regretter.

Querelleuse, Anna entre dans la chambre de Kate, s'installe sur une chaise. La poitrine de Kate se soulève et s'abaisse, sous l'action du respirateur. Toute belligérance quitte Anna à l'instant où elle tend la main vers la joue de sa sœur.

— Elle peut m'entendre ?

— Absolument, dis-je plus pour moi-même que pour elle.

— Je ne vais pas aller dans le Minnesota, murmure Anna. Je ne vais jamais aller nulle part.

Elle se penche plus près.

— Réveille-toi, Kate.

Nous retenons toutes deux notre respiration, mais rien ne se passe.

Je n'ai jamais compris pourquoi on parle de perdre un enfant. Aucun parent ne manque à ce point de vigilance. Nous savons exactement où sont nos fils et nos filles ; simplement, nous ne voulons pas toujours qu'ils y soient.

Brian, Kate et moi formons un circuit. Lui et moi sommes assis de part et d'autre du lit, nous tenant la main et tenant chacun une des siennes.

— Tu avais raison, lui dis-je. Nous aurions dû la ramener à la maison.

Brian secoue la tête.

— Si nous n'avions pas tenté l'arsenic, nous serions condamnés à nous demander pourquoi pour le restant de nos jours.

Il écarte les cheveux diaphanes qui entourent le visage de Kate.

— C'est une fille si gentille. Elle a toujours fait ce que tu lui demandais.

Je hoche la tête, incapable de parler.

— C'est pour ça qu'elle s'accroche, tu sais, ajoute-t-il. Elle attend ta permission pour partir.

Il se penche sur Kate, pleurant si fort qu'il ne parvient pas à reprendre son souffle. Nous ne sommes pas les premiers parents à perdre un enfant. Nous sommes les premiers à perdre *notre* enfant. Et c'est ce qui fait toute la différence.

Quand Brian s'endort, recroquevillé au pied du lit, je prends la main mutilée de Kate entre les deux miennes. Je trace l'ovale de ses ongles et je me souviens de la première fois que j'y ai appliqué du vernis ; Brian n'en revenait pas que je fasse ça à un bébé d'un an. Maintenant, douze ans plus tard, je retourne sa paume en regrettant de ne pas pouvoir lire ou, mieux encore, redessiner sa ligne de vie.

Je rapproche ma chaise du lit d'hôpital.

— Tu te souviens de l'été où je t'avais inscrite en colonie de vacances ? Et la nuit avant ton départ, quand tu m'as dit que tu avais changé d'avis et que tu ne voulais plus y aller ? Je t'ai recommandé de te choisir une place sur la gauche dans le car, pour que tu puisses regarder derrière toi quand il partirait, et me voir t'attendre.

Je presse sa main contre ma joue, assez fort pour laisser une trace.

— Assieds-toi à la même place au paradis. Un siège d'où tu peux me regarder t'observer.

J'enfouis ma tête dans les couvertures et je dis à cette enfant, ma fille, combien je l'aime. J'étreins sa main une dernière fois.

Pour sentir la pulsation la plus faible, la pression la plus légère des doigts de Kate, tandis qu'elle lutte bec et ongles pour revenir à la vie.

Anna

Voici ma question : quel âge a-t-on quand on est au paradis ? Je veux dire, si c'est le paradis, alors on doit y être au super-top de sa beauté, et je doute que tous les gens qui meurent de vieillesse s'y baladent chauves et édentés. Ce qui ouvre tout un monde d'autres questions. Si vous vous pendez, est-ce que vous traînez, tout bleu et dégoûtant, avec la langue qui vous sort de la bouche ? Si vous mourez dans une guerre, est-ce que vous passez l'éternité sur la jambe qui vous reste après que l'autre a explosé sur une mine ?

Je me dis que peut-être ils vous donnent le choix. Vous remplissez un questionnaire dans lequel on vous demande si vous préférez une vue sur les étoiles ou une vue sur les nuages, si vous voulez du poulet ou du poisson ou de la manne au dîner, quel âge vous voudriez paraître devant les autres. Par exemple, moi, je pourrais choisir dix-sept ans, en espérant que mes nénés auront poussé d'ici là, et même si je meurs centenaire, au paradis je serais toujours jeune et jolie.

Un soir à un dîner, j'ai entendu mon père dire que même s'il était vieux, vieux, vieux, il avait toujours vingt et un ans dans son cœur. Alors peut-être qu'il y a un endroit de votre vie que vous creusez comme un sillon, ou même, mieux, que vous usez comme le coin le plus moelleux du canapé. Et quoi qu'il vous arrive, vous y revenez toujours.

Le problème, j'imagine, c'est que tous les gens sont différents. Que se passe-t-il au paradis quand toutes ces personnes essaient de se retrouver après avoir été séparées pendant tant d'années ? Supposons que vous décédiez et que vous cherchiez votre mari, mort cinq ans plus tôt, mais qu'il ait fixé son âge idéal à seize ans et qu'il se promène sous l'apparence d'un éphèbe.

Ou que vous soyez Kate, et que vous mouriez à seize ans mais qu'au paradis vous choisissiez d'en paraître trente-cinq, un âge que vous n'auriez jamais atteint sur terre. Comment quelqu'un pourrait-il jamais vous retrouver ?

Campbell appelle mon père à la caserne pendant que nous déjeunons, et dit que l'avocat de la partie adverse veut discuter de l'affaire. Ce qui est vraiment une façon ridicule de s'exprimer, puisque nous savons tous qu'il parle de ma mère. Il dit que nous devons nous rencontrer à quinze heures à son cabinet, et peu importe que ce soit dimanche.

Je m'assieds par terre avec la tête de Judge sur les genoux. Campbell est tellement occupé qu'il ne me dit même pas de ne pas le faire. Ma mère arrive pile à l'heure et (comme Kerri la secrétaire ne travaille pas aujourd'hui) entre directement dans le bureau. Elle a fait l'effort de se coiffer avec soin, les cheveux tirés en chignon. Elle s'est maquillée. Mais contrairement à Campbell, qui est aussi à l'aise dans cette pièce que dans un manteau qu'il enlève et remet, maman paraît complètement déplacée dans une étude d'avocat. Il est difficile de croire qu'elle exerçait ce métier pour gagner sa vie. J'imagine qu'elle était quelqu'un de différent, à une époque. Chacun de nous aussi, je suppose.

— Bonjour, dit-elle calmement.

— Madame Fitzgerald, répond Campbell, de glace.

Les yeux de ma mère vont de mon père, assis à la table de réunion, à moi, par terre.

— Bonjour, dit-elle de nouveau.

Elle s'avance, comme si elle allait m'embrasser, mais s'arrête.

— Vous avez demandé cette réunion, maître, commence Campbell.

Ma mère s'assied.

— Je sais. J'avais... enfin, j'espérais que nous pourrions nous entendre. Je veux que nous prenions une décision, ensemble.

Campbell pianote sur la table.

— Nous proposez-vous un compromis ?

Son ton est tellement formel ! Ma mère cligne des yeux.

— Oui, je suppose que oui.

Elle tourne sa chaise vers moi, comme si nous étions seules dans la pièce.

— Anna, je sais combien tu as fait pour Kate. Je sais aussi qu'il ne lui reste pas beaucoup de chances... mais que peut-être elle pourrait avoir celle-ci.

— Ma cliente n'a pas besoin d'être soumise à des pressions.

— C'est bon, Campbell, laissez ma mère parler.

— Si le cancer revient, si la greffe de rein ne marche pas, si les choses n'évoluent pas comme nous le souhaitons tous pour Kate... jamais plus je ne te redemanderai d'aider ta sœur. Mais, Anna, est-ce que tu veux bien le faire une dernière fois ?

Elle paraît maintenant minuscule, encore plus petite que moi, comme si j'étais le parent, et elle l'enfant. Je me demande à quel moment cette illusion d'optique s'est produite, alors qu'aucune de nous deux n'a bougé.

Je jette un coup d'œil à mon père, mais il est devenu aussi immobile qu'un rocher, et il semble vouloir concentrer toute son attention sur le grain du bois de la table de réunion plutôt que de s'impliquer dans le débat.

— Insinuez-vous que si elle accepte de donner un rein, ma cliente sera dispensée de subir tout autre acte médical qui pourrait être nécessaire à l'avenir pour prolonger la vie de Kate ? précise Campbell.

Ma mère inspire profondément.

— Oui.

— Il faudra, bien entendu, que nous en discutions.

Quand j'avais sept ans, Jesse a tout fait pour s'assurer que je n'étais pas assez stupide pour croire au père Noël. « C'est maman et papa », expliqua-t-il, et je me suis battue pied à pied pour lui prouver le contraire. J'ai décidé de vérifier sa théorie. Alors, cette année-là, j'ai écrit au père Noël et je lui ai demandé un hamster, ce que je désirais le plus au monde. J'ai posté la lettre moi-même dans la boîte du secrétariat de l'école. Et je n'en ai pas dit un mot à mes parents, alors que j'ai fait des allusions à d'autres cadeaux que j'espérais recevoir.

Le matin de Noël, j'ai reçu le traîneau, le jeu vidéo et la couette que j'avais mentionnés à ma mère, mais je n'ai pas reçu le hamster parce qu'elle n'en savait rien. J'ai appris deux choses cette année-là : ni le père Noël ni mes parents n'étaient comme je les aurais souhaités.

Peut-être que Campbell pense qu'il s'agit ici de justice, mais en réalité c'est de ma mère qu'il est question. Je me lève et je me jette dans ses bras, qui sont un peu comme cet endroit de la vie dont je parlais plus haut, si familier que vous retrouvez automatiquement votre place. Ma gorge me brûle, et toutes les larmes que j'avais retenues sortent de leur cachette.

— Oh, Anna ! dit-elle en pleurant dans mes cheveux. Merci, mon Dieu, merci.

Je la serre deux fois plus fort que je ne le fais normalement, essayant de conserver cet instant de la même façon que je garde dans ma tête la lumière rasante de l'été, afin qu'elle devienne une fresque à contempler durant l'hiver. J'approche les lèvres tout près de son oreille, et au moment même où je les prononce, je regrette déjà mes mots.

— Je ne peux pas.

Le corps de ma mère se raidit. Elle s'écarte de moi, regarde fixement mon visage. Puis elle se force à sourire de ses lèvres gercées en plusieurs endroits. Elle touche le dessus de ma tête. C'est tout. Elle se lève, arrange sa veste, et sort du bureau.

Campbell quitte aussi son siège. Il s'accroupit devant moi, à la place où se trouvait ma mère. À le regarder les yeux dans les yeux, il paraît plus sérieux que je ne l'ai jamais vu avant.

— Anna, dit-il. Est-ce vraiment ce que vous souhaitez ?

J'ouvre la bouche. Et je trouve une réponse.

Julia

— Tu crois que j'aime Campbell *parce que* c'est un connard, ou *en dépit* de ça ?

Depuis le canapé, Izzy me fait signe de me taire. Elle regarde *Nos plus belles années*, un film qu'elle a vu vingt mille fois. Il figure sur sa liste de films incontournables, qui comprend également *Pretty Woman*, *Ghost* et *Dirty Dancing*.

— Si tu me fais manquer la fin, Julia, je te tue.

— « À un de ces jours, Katie. » « À un de ces jours, Hubbell. »

Elle me jette un coussin et s'essuie les yeux tandis que s'enfle la musique du film.

— Barbra Streisand, dit Izzy, est canon.

— Je pensais que c'était un stéréotype d'*homme* gay, ça.

Je lève les yeux de la table encombrée de documents que je lis en prévision de l'audience de demain. C'est la décision que je dois rendre au juge en fonction de ce que j'estime être l'intérêt supérieur d'Anna. Le problème, c'est qu'il importe peu que je tranche en sa faveur ou non. De toute façon, sa vie sera détruite.

— Je croyais que nous parlions de Campbell, dit Izzy.

— Non, moi je parlais de Campbell. Toi, tu te pâmais.

Je me masse les tempes.

— Je pensais que tu te montrerais empathique.

— S'agissant de Campbell Alexander ? Je ne suis pas empathique. Je suis apathique.

— Tu as raison. C'est justement ce qui te rend pathétique.

— Ecoute, Julia. C'est peut-être héréditaire.

Izzy se lève et vient me masser les muscles du cou.

— Peut-être que tu possèdes un gène qui t'attire vers les plus parfaits connards.

— Alors tu l'as aussi.

— Bon.

Elle rit.

— Message reçu.

— Je veux le détester, tu sais. Pour le principe.

Par-dessus mon épaule, Izzy attrape le Coca que je buvais et le termine.

— Qu'est-ce qui s'est passé ? Je croyais vos rapports strictement professionnels.

— Ils le sont. Il y a juste un tout petit groupe d'opposition minoritaire dans mon cerveau qui souhaite qu'il en soit autrement.

Izzy se rassoit sur le canapé.

— Le problème, tu sais, c'est qu'on n'oublie jamais son premier amour. Et même si ton cerveau est assez intelligent pour le faire, ton corps a le QI d'une mouche.

— C'est que tout est si facile avec lui, Iz. Comme si nous reprenions les choses là où nous les avions laissées. Je sais de lui tout ce que j'ai besoin de savoir et réciproquement.

Je la regarde.

— Tu crois qu'on peut tomber amoureux de quelqu'un simplement par paresse ?

— Pourquoi ne te contentes-tu pas de baiser avec lui, juste pour te le sortir de la tête ?

— Parce que, aussitôt que ce serait terminé, il y aurait encore un autre morceau de mon passé dont je n'arriverais pas à me débarrasser.

— Je peux te présenter quelqu'un.

— Tous tes amis ont un vagin.

— Tu vois, tu as tout faux, Julia. Une personne devrait t'attirer pour ce qu'elle a en elle, pas pour son emballage extérieur. Campbell Alexander est peut-être superbe, mais il est comme un glaçage à la pâte d'amandes sur une sardine.

— Tu le trouves vraiment superbe ?

Izzy lève les yeux au ciel.

— Toi, dit-elle, tu es irrécupérable.

Quand la sonnette retentit, Izzy se lève pour regarder par le judas.

— Quand on parle du loup.

— C'est Campbell ? Dis-lui que je ne suis pas là.

Izzy ouvre la porte de quelques centimètres.

— Julia dit qu'elle n'est pas là.

— Je vais te tuer, dis-je dans un murmure.

Je me dirige à mon tour vers la porte. Je pousse ma sœur, détache la chaîne et fais entrer Campbell et son chien.

— L'accueil est de plus en plus chaleureux et confus, dit-il.

Je croise les bras.

— Qu'est-ce que tu veux ? Je suis en plein travail.

— Parfait. Sara Fitzgerald propose un compromis. Viens dîner avec moi et je t'en parlerai.

— Je ne sors pas dîner avec toi.

— Mais si, dit-il en haussant les épaules. Je te connais. Au bout du compte, tu vas céder, parce que ton envie de savoir ce qu'a dit la mère d'Anna finira par l'emporter sur ta volonté de ne pas être avec moi. Alors, est-ce qu'on peut cesser d'atermoyer ?

Izzy se met à rire.

— Il te connaît bien, Julia.

— Si tu ne viens pas de bonne grâce, ajoute Campbell, je peux user de la force brute sans problème. Mais il te sera infiniment plus difficile de couper ton filet mignon si tu as les mains entravées.

Je me tourne vers ma sœur.

— Fais quelque chose. S'il te plaît.

Elle agite la main.

— À un de ces jours, Katie.

— À un de ces jours, Hubbell, répond Campbell. *Superbe* film.

Izzy le regarde, perplexe.

— Il y a peut-être de l'espoir, dit-elle.

— Règle numéro un, nous parlons du procès, et rien que du procès.

— Alors, que Dieu m'aide, dit Campbell. Et me permets-tu juste d'ajouter que tu es ravissante aujourd'hui ?

— Tu vois, tu as déjà enfreint la règle.

Il se gare sur un parking au bord de l'eau et coupe le moteur. Puis il sort de la voiture et fait le tour pour me tenir la portière. Je regarde autour de moi, mais je ne vois rien qui ressemble à un restaurant. Nous nous trouvons dans une marina remplie de voiliers et de bateaux de plaisance, dont les ponts couleur miel prennent des reflets dorés à la lumière du soleil couchant.

— Retire tes chaussures, dit Campbell.

— Non.

— Pour l'amour du ciel, Julia. Nous ne sommes pas à l'époque victorienne. Je ne vais pas te sauter

388

dessus simplement parce que j'ai vu ta cheville. Fais-le, veux-tu ?

— Pourquoi ?

— Parce qu'à cet instant tu as un énorme manche à balai dans le cul, et que c'est le seul remède innocent qui me vienne à l'esprit pour t'aider à te détendre.

Il enlève ses mocassins et enfouit les pieds dans l'herbe qui borde l'aire de stationnement.

— Ahhh ! dit-il en ouvrant grands les bras. Allez, trésor. *Carpe diem*. L'été est presque terminé, tu devrais en profiter tant que tu peux.

— Alors, cette histoire de compromis...

— Ce que Sara a dit ne changera pas, que tu sois pieds nus ou non.

Je ne sais toujours pas s'il a accepté cette affaire pour la gloire, par besoin de se faire de la pub, ou simplement parce qu'il voulait aider Anna. Idiote que je suis, c'est à cette dernière raison que je choisis de croire. Campbell attend patiemment, le chien à côté de lui. Finalement, je défais mes lacets et je retire mes socquettes. Je pose les pieds sur la bande de gazon.

L'été, je trouve, fait partie de l'inconscient collectif. Nous nous souvenons tous des notes qui composaient la musique du marchand de glaces ; nous connaissons tous la brûlure que produit sur nos cuisses un toboggan de jardin public chauffé à blanc au soleil ; nous nous sommes tous couchés sur le dos, les yeux fermés et le cœur battant à la surface de nos paupières, souhaitant que ce jour dure un petit peu plus longtemps que le précédent, alors que c'est dans l'autre sens que vont les choses.

Campbell s'assied dans l'herbe.

— Quelle est la règle numéro deux ?

— Que c'est moi qui fixe les règles.

Quand il me sourit, je suis perdue.

La nuit dernière, Seven le barman a glissé un Martini dans ma main tendue et m'a demandé de qui je me cachais.

J'ai pris une petite gorgée avant de répondre, et je me suis rappelée pourquoi je déteste le Martini – c'est de l'alcool amer à l'état pur, ce qui est normal, mais le goût est à l'avenant, et quelque part c'est toujours décevant.

— Je ne me cache pas. La preuve, je suis là.

Il était tôt, à peine l'heure du dîner. Je m'y suis arrêtée en revenant de la caserne des pompiers, où j'étais avec Anna. Deux mecs s'embrassaient dans un coin, un homme seul était assis à l'autre bout du bar.

— Je peux changer de chaîne ?

Il a agité la main en direction de la télé, qui diffusait le journal du soir.

— Jennings est tellement plus sexy que Brokaw.

Seven a actionné la télécommande, puis s'est retourné vers moi.

— Vous ne vous cachez pas, mais vous venez boire un verre dans un bar gay à l'heure du dîner. Vous ne vous cachez pas, mais vous portez ce tailleur comme une armure.

— C'est ça, je vais sûrement prendre conseil en matière de mode auprès d'un type qui s'est fait percer la langue.

Seven a levé un sourcil.

— Encore un Martini, et je pourrai vous convaincre d'aller voir Johnston, mon tatoueur, pour vous faire faire la même chose. Vous avez beau teindre les cheveux de la fille, il lui reste toujours un peu de rose aux racines.

J'ai siroté encore un peu de mon Martini.

— Vous ne me connaissez pas.

À l'extrémité du bar, l'autre client a levé la tête vers Peter Jennings et souri.

— Peut-être, a dit Seven, mais vous non plus.

Le dîner se compose de pain et de fromage – enfin, une baguette et du gruyère – à bord d'un voilier de onze mètres. Campbell roule le bas de son pantalon comme un vagabond et manœuvre les gréements, hisse la voile et va au lof, jusqu'à ce que nous soyons si loin que la côte de Providence n'est plus qu'une ligne de couleur, un lointain collier de pierreries.

Au bout d'un moment, quand il m'apparaît claire-ment qu'aucune information que Campbell voudra bien m'apporter ne me sera servie avant le dessert, je finis par me laisser aller. Je m'allonge sur le dos avec un bras posé sur le chien endormi. Je regarde la voile, qui faseye maintenant, battre comme la grande aile blanche d'un pélican. Campbell, parti à la recherche d'un tire-bouchon, revient de la cabine en tenant deux verres de vin rouge. Il s'assied de l'autre côté de Judge et gratte le berger allemand derrière les oreilles.

— As-tu jamais pensé être un animal ?

— Au propre ou au figuré ?

— Pour la forme, dit-il. Si le destin n'avait pas voulu que tu sois un être humain.

Je réfléchis un instant.

— C'est une question piège. Par exemple, si je dis une orque, vas-tu en déduire que je suis un de ces tueurs sans scrupules, un de ces poissons féroces ?

— D'abord, les orques sont des mammifères, dit Campbell. Et non, c'était une simple question polie, histoire de faire la conversation.

Je tourne la tête.

— Et toi, qu'est-ce que tu serais ?

— C'est moi qui ai demandé en premier.

Bon, un oiseau est hors de question. J'ai trop peur des hauteurs. Je ne crois pas avoir le comportement qu'il faut pour être un chat. Et je suis beaucoup trop solitaire pour me sentir à l'aise dans une meute, comme un chien ou un loup. J'envisage de dire quelque chose comme un *tarsier*, pour l'impressionner, mais il va me demander ce que c'est et je ne me rappelle plus si c'est un rongeur ou un lézard.

— Une oie, dis-je.

Campbell éclate de rire.

— Comme les *Contes de ma mère l'Oye* ? Ou comme une oie blanche ?

C'est parce que les oies s'accouplent pour toute la vie, mais je préférerais passer par-dessus bord plutôt que de le lui avouer.

— Et toi ?

Mais il ne me répond pas directement.

— Quand j'ai posé la question à Anna, elle m'a répondu qu'elle aurait voulu être un phénix.

L'image de la créature mythique qui renaît de ses cendres me traverse l'esprit.

— Ils n'existent pas vraiment.

Campbell caresse la tête du chien.

— Elle a dit que ça dépendait de la présence ou non de quelqu'un qui puisse les voir.

Puis il lève les yeux vers moi.

— Tu la vois comment, Julia ?

Le vin que je buvais prend soudain un goût amer. Est-ce que tout ça – le charme, le pique-nique, la promenade en bateau au coucher du soleil – n'avait pour seul objet que de m'infléchir en sa faveur à l'audience de demain ? Les recommandations que je ferai en ma qualité de tuteur pèseront lourdement sur la décision du juge, et Campbell le sait.

Jusqu'ici, je n'avais pas réalisé que quelqu'un pouvait vous briser le cœur deux fois, exactement le long de la même fêlure.

— Je n'ai pas l'intention de te faire part de ma décision, dis-je avec raideur. Tu pourras l'entendre quand tu m'appelleras à la barre pour témoigner.

J'attrape l'ancre et j'essaie de la remonter.

— Maintenant, je voudrais rentrer, s'il te plaît.

Campbell me prend la chaîne des mains.

— Tu m'as déjà dit que tu pensais qu'il n'était pas dans l'intérêt d'Anna de donner un rein à sa sœur.

— Je t'ai également dit que je la croyais incapable de prendre cette décision toute seule.

— Son père l'a éloignée de la maison. Il peut jouer un rôle de guide moral.

— Et ça va durer combien de temps ? Que se passera-t-il la prochaine fois ?

Je suis furieuse contre moi-même d'être tombée dans ce panneau. D'avoir accepté de sortir dîner, de m'être laissée aller à croire que Campbell avait envie d'être avec moi, plutôt que de m'utiliser. Tout – depuis ses compliments sur mon physique jusqu'au vin sur le pont – a été froidement calculé pour l'aider à gagner son procès.

— Sara Fitzgerald nous a proposé un compromis, dit Campbell. Elle promet que si Anna donne un rein, jamais plus elle ne lui demandera de faire quoi que ce soit pour sa sœur. Anna a refusé.

— Tu sais, je pourrais te faire mettre en prison par le juge. Me séduire pour me faire changer d'avis est totalement contraire à l'éthique.

— Te *séduire* ? Tout ce que j'ai fait, c'est mettre cartes sur table. Je te facilite le travail.

— Mais bien sûr. Pardonne-moi.

Mon ton est sarcastique.

— Non, il ne s'agit pas du tout de *toi*. Il ne s'agit pas du tout de m'inciter à écrire mon rapport sous un angle favorable à la requête de ta cliente. Si tu étais un animal, Campbell, tu sais ce que tu serais ? Un crapaud. Ou plutôt, non, tu serais un parasite sur le ventre d'un crapaud. Une bête qui prend ce dont elle a besoin et ne donne rien en retour.

Une veine bleue bat sur sa tempe.

— Tu as fini ?

— Eh bien, non, figure-toi. Est-ce qu'il sort de ta bouche un seul mot qui ne soit pas un mensonge ?

— Je ne t'ai pas menti.

— Non ? Alors à quoi sert le chien, Campbell ?

— Bon sang, tu vas te taire ? dit Campbell.

Et il me tire vers lui, me serre dans ses bras et m'embrasse.

Ses lèvres remuent comme une histoire silencieuse ; il a un goût de sel et de vin. Nous n'avons pas besoin de nous réapprendre, de nous adapter aux schémas de ces quinze dernières années : nos corps se souviennent du chemin. Sa langue écrit mon nom tout autour de mon cou. Il se serre si fort contre moi que toute la douleur restée en surface s'étale pour n'être plus qu'une mince pellicule qui nous soude au lieu de nous diviser.

Quand nous nous séparons pour reprendre notre respiration, Campbell me regarde dans les yeux. Je murmure :

— J'ai quand même raison.

Lorsque Campbell m'ôte mon vieux sweat-shirt, dégrafe mon soutien-gorge, cela me paraît le plus naturel du monde. Quand il s'agenouille devant moi et pose sa tête sur mon cœur, quand je sens l'eau bercer la coque du bateau, je me dis que notre place est peut-être ici. Peut-être y a-t-il des univers où les barrières n'existent pas, où les sentiments vous portent comme un courant.

Lundi

Voici comment un petit feu peut embraser une grande forêt !

Le Nouveau Testament,
Epître de Jacques, III, 5

Campbell

Nous dormons dans la minuscule cabine, amarrés à la cale. Nous sommes à l'étroit, mais cela ne semble pas poser de problème : toute la nuit, elle se love contre moi, son corps s'ajuste au mien. Elle ronfle, juste un peu. Sa dent de devant est de travers. Ses cils sont longs comme l'ongle de mon pouce.

Voilà les détails qui prouvent, plus que toute autre chose, que quinze années se sont écoulées. À dix-sept ans, vous ne vous demandez pas dans quel appartement vous voulez terminer la nuit. À dix-sept ans, vous ne remarquez même pas le rose nacré de son soutien-gorge, la dentelle qui pointe entre ses jambes. À dix-sept ans, seul compte le présent, pas l'après.

Ce que j'ai aimé en Julia – là, je l'ai dit –, c'est qu'elle n'avait besoin de personne. À Wheeler, même quand elle se faisait remarquer avec ses cheveux roses, sa veste matelassée des surplus militaires et ses rangers, elle ne manifestait aucune gêne. Il est ironique que le fait même de notre relation amoureuse ait diminué l'attirance qu'elle exerçait sur moi, qu'à l'instant où elle en est venue à tomber amoureuse de moi et à dépendre de moi autant que je dépendais d'elle, elle ait cessé d'être un esprit véritablement indépendant.

Il était hors de question que je sois celui qui la priverait de cette qualité.

Après Julia, il n'y a pas eu beaucoup d'autres femmes. En tout cas aucune dont j'aie pris la peine de me rappeler le nom. Il était beaucoup trop compliqué de maintenir la façade ; j'ai préféré suivre la voie chaotique des lâches : celle des aventures d'une nuit. Nécessité – médicale et affective – oblige, je suis passé maître dans l'art de la fuite.

Mais il y a une demi-douzaine de fois la nuit dernière où j'ai eu l'occasion de partir. Pendant que Julia dormait, j'ai même envisagé différentes façons de le faire : un mot épinglé à l'oreiller, un message tracé sur le pont avec son rouge à lèvres cerise. Et pourtant, l'envie de me sauver était infiniment moindre que le besoin d'attendre une minute, une heure de plus.

De l'endroit où il s'est blotti, enroulé sur lui-même plus étroitement qu'un pain aux raisins, Judge lève la tête. Il gémit un peu, et je comprends parfaitement. Me dépêtrant de la chevelure luxuriante de Julia, je me glisse hors du lit. Elle vient se nicher à la place toute chaude que j'ai laissée derrière moi.

Je vous jure, ça me fait bander de nouveau.

Mais, au lieu de faire ce qui serait naturel – c'est-à-dire prétexter une quelconque affection virale et demander au clerc de fixer l'audience à une date ultérieure pour que je puisse passer la journée au lit à faire l'amour –, j'enfile mon pantalon et je quitte le bateau. Je tiens absolument à arriver au tribunal avant Anna, et il faut que je passe à la maison d'abord pour prendre une douche et me changer. Je laisse à Julia les clés de ma voiture – il n'y a pas loin jusqu'à chez moi à pied. C'est seulement quand Judge et moi sommes en chemin que je prends conscience que, à la différence de tous les autres matins embrumés où j'ai quitté une femme, je n'ai concocté pour Julia aucun charmant symbole de ma dérobade, rien qui amoindrisse le choc de l'abandon au réveil.

Je me demande si c'est un oubli. Ou si j'ai attendu tout ce temps qu'elle revienne afin que je puisse devenir adulte.

Quand Judge et moi arrivons aux abords du tribunal, nous devons nous frayer un passage entre les journalistes qui se sont massés pour couvrir le grand événement. Ils me fourrent des micros sous le nez, marchent accidentellement sur les pattes de mon chien. Quand Anna verra ce qui l'attend, elle prendra aussitôt la fuite.

De l'autre côté de la porte, je fais signe à Vern.

— Vous feriez bien de poster des agents de sécurité. Cette horde va dévorer les témoins tout crus.

Puis je vois Sara Fitzgerald, qui attend déjà. Elle porte un tailleur qui n'est sans doute pas sorti une seule fois en dix ans du sac en plastique du pressing, et ses cheveux sont coiffés sévèrement en arrière et retenus par une barrette. En guise de serviette, elle porte un sac à dos.

— Bonjour, lui dis-je d'un ton posé.

La porte s'ouvre brusquement et Brian entre, nous dévisageant tour à tour, Sara et moi.

— Où est Anna ?

Sara avance d'un pas.

— Elle n'est pas venue ici avec toi ?

— Elle était déjà partie quand je suis rentré d'une intervention à cinq heures ce matin. Elle m'a laissé un mot me disant qu'elle me rejoindrait ici.

Il jette un coup d'œil à la porte, aux chacals qui se bousculent à l'extérieur.

— Je parie qu'elle est partie.

De nouveau, un bruit de scellés que l'on brise se fait entendre, et Julia déboule dans le tribunal, portée par une vague de cris et de questions. Elle se lisse les cheveux, se compose, puis elle me voit, et se décompose aussitôt.

— Je vais la trouver, dis-je.

Sara se hérisse.

— Non, je m'en charge.

Julia nous regarde tour à tour.

— Trouver qui ?

— Anna est temporairement absente.

— Absente ? dit Julia. Elle a disparu ?

— Pas du tout.

Ce n'est pas un mensonge. Pour qu'Anna ait disparu, il aurait d'abord fallu qu'elle apparaisse.

Je me rends compte que même moi je sais où je vais, et qu'au même moment Sara le sait aussi. C'est alors qu'elle me laisse prendre les choses en main. Julia m'attrape le bras.

— Tu comprends maintenant pourquoi ça ne peut pas marcher ?

Je me tourne vers elle.

— Julia, écoute, moi aussi je veux que nous parlions de ce qui se passe entre nous. Mais ce n'est pas le bon moment.

— Je parlais d'Anna, Campbell. Elle perd les pédales. Elle n'arrive même pas à être présente à sa propre audience au tribunal. Qu'est-ce que tu en conclus ?

— Que tout le monde peut prendre peur.

Une mise en garde qui vaut pour chacun de nous.

Les stores de la chambre sont baissés, mais cela ne m'empêche pas de distinguer la pâleur éthérée du visage de Kate Fitzgerald, le réseau de veines bleues décrivant le parcours de la dernière chance que les médicaments suivent sous sa peau. Recroquevillée au pied du lit, Anna dort.

À mon commandement, Judge attend à la porte. Je m'accroupis.

— Anna, il est l'heure d'y aller.

Quand la porte s'ouvre, je m'attends à voir soit Sara Fitzgerald, soit un médecin avec un chariot. À ma stupéfaction, c'est Jesse qui se tient sur le seuil.

— Salut, dit-il comme si nous étions de vieux copains.

« Comment êtes-vous arrivé jusqu'ici ? » Je ravale de justesse la question : je me rends compte que je préfère ne pas en connaître la réponse. Je demande sèchement :

— Nous nous apprêtons à aller au tribunal. Voulez-vous que je vous dépose quelque part ?

— Non, merci. J'ai pensé que si tout le monde était là-bas, je ferais bien de rester ici.

Il ne détache pas les yeux de Kate.

— Elle a une tête épouvantable.

— Tu t'attendais à quoi ? répond Anna, réveillée maintenant. Elle est mourante.

De nouveau, je me surprends à dévisager ma cliente. Je suis bien placé pour savoir que les motivations ne sont jamais ce qu'elles paraissent, mais je ne parviens toujours pas à la déchiffrer.

— Il faut qu'on y aille.

Dans la voiture, Anna occupe la place du mort, tandis que Judge s'installe à l'arrière. Elle commence à me parler d'un précédent invraisemblable qu'elle a trouvé sur Internet, un type du Montana en 1876, à qui la justice avait interdit d'utiliser l'eau d'une rivière qui prenait sa source sur les terres de son frère, même si cela signifiait que toutes ses cultures dépériraient.

— Qu'est-ce que vous faites ? demande-t-elle quand j'omets délibérément de tourner dans la rue du tribunal.

Je me gare près d'un parc. Une fille avec un cul superbe fait son jogging en tenant en laisse un de ces chiens chichiteux qui ressemblent davantage à un chat.

— On va être en retard, dit Anna au bout d'un moment.

— Nous le sommes déjà. Enfin, Anna, que se passe-t-il ?

Elle m'adresse un de ces regards typiques d'adolescents, l'air de dire qu'il est impensable qu'elle et moi soyons issus du même processus d'évolution.

— On va au tribunal.

— Ce n'est pas ce que j'ai demandé. Ce que je veux savoir, c'est *pourquoi* nous y allons.

— Eh bien, Campbell, j'imagine que vous avez dû louper le premier cours à la fac de droit, parce que c'est en général ce qui se produit quand une personne intente une action en justice.

Je fixe le regard sur elle, refusant de céder.

— Anna, pourquoi allons-nous au tribunal ?

Elle ne cille même pas.

— Pourquoi avez-vous un chien guide ?

Tapotant le volant du bout des doigts, je regarde en direction du parc. À l'endroit où se trouvait la joggeuse, une mère conduit une poussette, sans prêter attention au gamin, qui fait l'impossible pour s'en extirper. Un arbre lâche un essaim d'oiseaux. Je finis par répondre :

— Je n'en parle jamais à personne.

— Mais moi, c'est différent.

J'inspire profondément.

— Il y a longtemps, je suis tombé malade et j'ai eu une infection de l'oreille. Curieusement, le traitement n'a pas fonctionné, et le nerf auditif a été atteint. Je suis totalement sourd de l'oreille gauche. Ce qui n'est pas bien grave, mais ça me dérange dans certaines situations de la vie courante. Par exemple, lorsque j'entends une voiture approcher, mais que je n'arrive pas à savoir de quelle direction elle vient. Ou quand quelqu'un se trouve derrière moi dans un magasin et voudrait passer, mais que je ne l'entends pas me parler. J'ai fait dresser Judge pour que, dans ce genre de circonstances, il me serve d'oreilles.

Je marque une hésitation.

— Je n'aime pas que les gens me prennent en pitié. D'où le grand secret.

Anna me regarde avec attention.

— Je suis venue vous voir parce que, pour une fois, je voulais qu'il soit question de moi plutôt que de Kate.

Mais cet aveu d'égoïsme sonne faux ; ça ne colle vraiment pas. En aucun cas ce procès n'a lieu parce qu'Anna souhaite la mort de sa sœur, mais simplement parce qu'elle-même veut avoir une chance de vivre.

— Vous mentez.

Anna croise les bras.

— C'est vous qui avez commencé. Vous entendez parfaitement bien.

— Et vous, vous êtes une petite peste.

Je me mets à rire.

— Vous me faites penser à moi.

— C'est censé être une bonne chose ? demande Anna en souriant.

Le parc commence à se remplir. Un groupe scolaire entier s'engage dans l'allée, une ribambelle de petits encordés comme des chiens de traîneau, escortés par deux institutrices. Quelqu'un passe à toute vitesse sur un vélo de course, arborant les couleurs du Service postal.

— Allez, j'offre le p'tit déj'.

— Mais nous sommes en retard.

Je hausse les épaules.

— Quelle importance ?

Le juge DeSalvo n'est pas content : la petite escapade d'Anna ce matin nous a coûté une heure et demie de retard. Il me jette un regard noir quand j'entre à la hâte dans son cabinet pour la conférence préparatoire au procès.

— Excusez-moi, Votre Honneur. Nous avions une urgence vétérinaire.

Je sens, plus que je ne vois, la bouche de Sara s'ouvrir.

— Ce n'est pas ce qu'a laissé entendre l'avocat de la partie adverse, dit le juge.

Je regarde DeSalvo droit dans les yeux.

— C'est pourtant ce qui s'est passé. Anna a eu la gentillesse de m'assister en aidant le chien à rester tranquille pendant qu'on lui retirait un éclat de verre de la patte.

Le juge est sceptique. Mais il existe des lois contre la discrimination envers les handicapés, et je n'ai aucun scrupule à en user et à en abuser ; je ne veux surtout pas qu'il tienne Anna pour responsable de ce retard.

— Est-il possible d'une manière ou d'une autre d'apporter une solution à cette requête sans recourir à une audience ? demande-t-il.

— Je crains fort que non.

Anna n'est peut-être pas disposée à partager ses secrets, ce que je ne peux que respecter, mais elle sait qu'elle veut aller jusqu'au bout de cette procédure.

Le juge accepte ma réponse.

— Madame Fitzgerald, je crois comprendre que vous persistez à vous représenter vous-même ?

— Oui, Votre Honneur, répond-elle.

— Très bien.

Le juge jette un coup d'œil à chacun de nous.

— Nous sommes ici au tribunal des affaires familiales, maîtres. Au tribunal des affaires familiales, et particulièrement lors d'audiences comme celle-ci, j'ai personnellement tendance à relâcher les règles de la preuve parce que je ne veux pas d'une audience contentieuse. Je suis capable de faire le tri entre ce qui est admissible et ce qui ne l'est pas, et si quelque chose est véritablement matière à objection, j'écouterai cette objection, mais je préférerais que nous avancions rapidement, sans trop nous préoccuper de la forme.

Il me regarde directement.

— Je veux que ce soit le moins douloureux possible pour toutes les personnes concernées.

Nous gagnons la salle – elle est plus petite que celles où sont jugées les affaires criminelles, mais pas moins intimidante pour autant. Je fais un crochet par le hall pour prendre Anna au passage. Aussitôt la porte franchie, Anna s'arrête net. Elle balaie du regard les murs lambrissés, les rangées de chaises, l'imposante tribune.

— Campbell, murmure-t-elle, je ne vais pas devoir monter là-haut et parler, n'est-ce pas ?

Le fait est que le juge voudra certainement entendre ce qu'elle a à dire. Même si Julia se révèle être en faveur de la requête, même si Brian affirme qu'il compte soutenir Anna, le juge DeSalvo pourrait lui demander d'exprimer son point de vue. Mais le lui dire maintenant ne servira qu'à la rendre nerveuse, et ce n'est pas une bonne façon d'aborder une audience.

Je repense à notre conversation dans la voiture, quand Anna m'a traité de menteur. Il y a deux raisons de ne pas dire la vérité : lorsque le mensonge vous permet d'obtenir ce que vous voulez, et lorsqu'il vous évite de faire du mal à quelqu'un. Ces deux raisons à la fois justifient la réponse que je fais à Anna :

— J'en doute fort.

— Monsieur le juge, je sais que ce n'est pas la procédure normale, mais je souhaiterais dire quelque chose avant que nous ne commencions à entendre les témoins.

Le juge DeSalvo soupire.

— N'est-ce pas précisément ce que je vous ai prié de ne pas faire ?

— Votre Honneur, si je vous le demande, c'est parce que cela me paraît important.

— Alors soyez bref, dit le juge.

Je me lève et je m'approche de la tribune.

— Votre Honneur, toute sa vie, Anna Fitzgerald a suivi des traitements médicaux au profit de sa sœur, non pas pour son propre bien. Personne ne doute de l'amour que Sara Fitzgerald porte à chacun de ses enfants, ni du fait que les décisions d'ordre médical qu'elle a prises aient prolongé la vie de Kate. Mais, aujourd'hui, nous devons remettre en question les décisions qu'elle a prises pour *cette* enfant-ci.

Je me tourne, et je vois que Julia m'observe avec attention. Soudain, je me souviens de ce vieux devoir d'éthique, et je sais ce que je dois dire.

— Vous vous rappelez peut-être l'affaire récente des pompiers de Worcester, dans le Massachusetts,

406

morts dans un incendie provoqué par une femme sans domicile fixe. Elle savait que le feu avait pris et elle a quitté le bâtiment, mais elle n'a jamais appelé les secours de peur d'avoir des ennuis. Six hommes ont péri cette nuit-là, et pourtant l'État ne pouvait pas tenir la femme pour responsable parce que, en Amérique, même si les conséquences sont tragiques, vous n'êtes pas responsable de la sécurité d'autrui. Vous n'êtes pas obligé d'aider une personne en détresse. Que vous ayez provoqué l'incendie, que vous soyez un passant témoin d'un accident de la circulation, ou que vous soyez un donneur parfaitement compatible.

De nouveau, je regarde Julia.

— Nous sommes ici aujourd'hui parce qu'il existe une différence dans notre système juridique entre ce qui est légal et ce qui est moral. Sans compter que ce qui est juste peut parfois paraître mal, et ce qui est mal semble parfois juste.

Je retourne vers ma place et je reste debout.

— Nous sommes ici aujourd'hui afin que la cour nous aide à y voir un peu plus clair.

Mon premier témoin est l'avocat de la partie adverse. Je regarde Sara s'avancer vers la barre d'un pas mal assuré, comme un marin qui cherche à retrouver son équilibre. Elle se débrouille pour prendre place et prêter serment sans jamais lâcher Anna des yeux.

— Monsieur le juge, veuillez m'autoriser à traiter madame Fitzgerald comme un témoin hostile.

Le juge fronce les sourcils.

— Maître, j'espère sincèrement qu'aussi bien vous que Mme Fitzgerald saurez rester civilisés.

— Entendu, Votre Honneur.

Je me dirige vers Sara.

— Je vous prie de m'indiquer votre nom.

Elle lève imperceptiblement le menton.

— Sara Crofton Fitzgerald.

— Êtes-vous la mère de la mineure Anna Fitzgerald ?

— Oui. Ainsi que de Kate et de Jesse.

— Est-il vrai que votre fille Kate a fait l'objet d'un diagnostic de leucémie aiguë promyélocytaire à l'âge de deux ans ?

— C'est exact.

— À cette époque, avez-vous décidé, votre mari et vous, de concevoir un enfant qui serait génétiquement programmé pour être donneur d'organe au profit de Kate, afin qu'elle puisse guérir ?

Le visage de Sara se durcit.

— Ce ne sont pas les termes que j'aurais choisis, mais c'est en effet l'histoire de la conception d'Anna. Nous projetions d'utiliser le sang du cordon ombilical d'Anna pour une transplantation.

— Pourquoi n'avez-vous pas cherché un donneur extérieur à la famille ?

— C'est beaucoup plus dangereux. Le risque de mortalité aurait été beaucoup plus élevé.

— Quel âge avait Anna la première fois qu'elle a fait don d'un organe ou d'un tissu à sa sœur ?

— Kate a reçu sa première transplantation un mois après la naissance d'Anna.

Je secoue la tête.

— Je ne vous demandais pas à quel moment Kate l'a reçue, mais quand Anna l'a donnée. Le sang du cordon d'Anna a été prélevé quelques instants après la naissance, c'est bien ça ?

— Oui, dit Sara, mais Anna n'en avait pas conscience.

— Quel âge avait Anna la deuxième fois qu'elle a donné une partie de son corps à Kate ?

Comme je m'y attendais, Sara fait une grimace.

— Elle avait cinq ans quand elle a fait un don de lymphocytes.

— En quoi cela consistait-il ?

— En une prise de sang sur les veines des bras.

— Anna était-elle d'accord pour se laisser enfoncer une aiguille dans le bras ?

— Elle avait cinq ans, répond Sara.

— Lui avez-vous demandé la permission de lui planter une aiguille dans le bras ?

— Je lui ai demandé de venir en aide à sa sœur.

— Est-il vrai qu'il a fallu quelqu'un pour maîtriser physiquement Anna afin de pouvoir lui introduire l'aiguille dans le bras ?

Sara regarde Anna, ferme les yeux.

— Oui.

— Est-ce que vous qualifiez cela de participation volontaire, madame Fitzgerald ?

Du coin de l'œil, je peux voir les sourcils du juge DeSalvo se rejoindre.

— La première fois que vous avez fait prélever les lymphocytes d'Anna, y a-t-il eu des effets secondaires ?

— Quelques hématomes. Une légère sensibilité.

— Combien de temps s'est écoulé avant la prise de sang suivante ?

— Un mois.

— Est-ce qu'il a fallu de nouveau recourir à quelqu'un pour immobiliser Anna ?

— Oui, mais...

— Quels ont été les effets secondaires ?

— Les mêmes que la fois précédente.

Sara secoue la tête.

— Vous ne comprenez pas. Ce n'était pas comme si je ne voyais pas ce qui arrivait à Anna chaque fois qu'elle subissait un acte médical. Lorsque vous voyez l'un de vos enfants, peu importe lequel, en pareille situation, c'est un déchirement.

— Et pourtant, madame Fitzgerald, vous avez réussi à surmonter ce sentiment, puisque vous avez soumis Anna à une troisième prise de sang.

— C'était nécessaire pour obtenir la quantité de lymphocytes voulue, dit Sara. Ce n'est pas une procédure exacte.

— Quel âge avait Anna lorsqu'il lui a fallu subir un nouvel acte médical pour le bien de sa sœur ?

— À l'âge de neuf ans, Kate a contracté une infection très virulente, et...

— Encore une fois, la question n'est pas là. Je veux savoir ce qui est arrivé à *Anna* quand elle avait six ans.

— Elle a donné des granulocytes pour aider à combattre l'infection de Kate. La procédure est très semblable à celle du don de lymphocytes.

— Encore une piqûre ?

— C'est exact.

— Lui avez-vous demandé si elle consentait à donner ses granulocytes ?

Sara ne répond pas.

— Madame Fitzgerald ? la presse le juge.

Elle se tourne vers sa fille, implorante.

— Anna, tu sais que nous n'avons jamais voulu te faire souffrir. Nous souffrions *tous*. Si toi tu avais des bleus à l'extérieur, nous en avions à l'intérieur.

— Madame Fitzgerald.

Je m'interpose entre Anna et elle.

— Le lui avez-vous demandé ?

— Je vous en prie, ne faites pas ça, dit Sara. Nous connaissons tous l'historique. J'accepterai tout ce que vous essayez de faire pour me crucifier. Je voudrais simplement qu'on en termine rapidement.

— Parce que vous supportez mal de l'entendre rappeler, n'est-ce pas ?

Je sais que je marche ici sur une corde raide, mais derrière moi se trouve Anna, et je veux qu'elle sache qu'au moins une personne ici est prête à se battre pour elle.

— Lorsqu'on les additionne ainsi, ces actes ne semblent plus si anodins, qu'en pensez-vous ?

— Maître Alexander, où voulez-vous en venir ? intervient le juge DeSalvo. J'ai parfaitement conscience du nombre d'actes médicaux qu'Anna a subis.

— Uniquement parce que nous disposons du dossier de Kate, Votre Honneur, pas de celui d'Anna.

Le juge DeSalvo nous regarde tour à tour.

— Soyez bref, maître.

Je me tourne vers Sara.

— La moelle osseuse, dit-elle d'une voix sourde avant même que je ne pose la question. Anna a été mise sous anesthésie générale parce qu'elle était petite et parce que les aiguilles sont introduites dans l'os iliaque pour prélever la moelle.

— Était-ce aussi une seule piqûre, comme lors des traitements précédents ?

— Non, répond Sara tranquillement. Une quinzaine environ.

— Dans l'os ?

— Oui.

— Quels étaient les effets secondaires pour Anna, cette fois ?

— Elle a eu des douleurs, et on lui a administré des antalgiques.

— À cette occasion, donc, Anna a dû passer une nuit à l'hôpital... et il a été nécessaire de lui prescrire des médicaments ?

Sara met quelques instants à reprendre contenance.

— Je m'étais laissé dire que le prélèvement de moelle n'était pas un acte particulièrement invasif pour le donneur. Peut-être était-ce ce que je voulais entendre, ou ce que j'avais besoin d'entendre à ce moment-là. Et peut-être aussi ne pensais-je pas à Anna autant que j'aurais dû, je m'étais tellement focalisée sur Kate. Mais je sais, sans l'ombre d'un doute, qu'Anna, comme chacun des membres de notre famille, ne souhaitait rien plus ardemment que la guérison de sa sœur.

— Évidemment, pour que vous cessiez de lui planter des aiguilles dans le corps.

— Ça suffit, maître Alexander, intervient le juge.

— Attendez, fait Sara. J'ai quelque chose à dire.

Elle se tourne vers moi.

— Vous croyez que vous pouvez tout exposer en mots, noir sur blanc, comme si c'était simple. Mais vous ne représentez qu'une seule de mes filles, monsieur Alexander, et seulement dans ce tribunal. Moi, je les représente toutes les deux également, partout, en toutes circonstances. Je les aime toutes les deux également, partout, en toutes circonstances.

— Mais vous admettez que, dans les choix que vous avez faits, c'est toujours la santé de Kate, et non celle d'Anna, que vous avez prise en considération, lui fais-je remarquer. Alors comment pouvez-vous prétendre les aimer également ? Comment pouvez-vous dire que vous n'avez pas favorisé l'un de vos enfants dans vos décisions ?

— N'est-ce pas précisément ce que vous attendez de moi maintenant ? demande Sara. Mais, cette fois-ci, en favorisant l'autre enfant ?

Anna

Quand on est petit, on a son propre langage, et c'est une langue que l'on possède à la naissance et que l'on finira par perdre. Tous les enfants de moins de sept ans parlent couramment le *et si* ; traînez un peu avec quelqu'un de moins d'un mètre de haut, et vous verrez. Et si une araignée géante sortait de ce trou au-dessus de ta tête et te mordait le cou ? Et si le seul antidote à son venin était enfermé dans une caverne au sommet d'une montagne ? Et si tu survivais à la piqûre, mais sans plus pouvoir remuer que les paupières et cligner des yeux pour réciter l'alphabet ? Peu importe jusqu'où vous allez, c'est tout un monde de possibilités. Les enfants réfléchissent avec leur cervelle à l'air libre ; devenir adulte n'est rien d'autre qu'un lent travail de suture.

Pendant la première pause, Campbell m'emmène dans une salle de réunion et m'offre un Coca qui n'est même pas frais.

— Alors, dit-il, qu'est-ce que vous en pensez ?

Être dans une salle d'audience au tribunal est une expérience étrange. C'est comme si je m'étais transformée en fantôme – je peux observer ce qui se passe, mais même si j'avais envie de parler, personne ne pourrait m'entendre. Et en plus, c'est très

413

bizarre de devoir écouter tout le monde parler de ma vie comme si je n'étais pas là.

Campbell décapsule son 7UP et s'assied en face de moi. Il verse un peu de soda dans un gobelet en carton pour Judge, et boit une grande gorgée.

— Des commentaires ? demande-t-il. Des questions ? Des compliments sur ma brillante prestation ?

Je hausse les épaules.

— Ce n'est pas comme je pensais.

— Que voulez-vous dire ?

— Je crois que je m'attendais à savoir tout de suite si ma décision était la bonne. Mais quand vous avez fait venir maman à la barre et que vous lui avez posé toutes ces questions...

Je lui jette un regard.

— ... quand elle a dit que ce n'était pas si simple... Elle a raison.

Et si c'était moi la malade ? Et si c'était à Kate qu'on avait demandé de faire ce que j'ai fait ? Et si, un de ces jours, la moelle ou le sang ou n'importe quoi fonctionnait vraiment, et que c'était terminé ? Et si je pouvais un jour regarder en arrière et être fière de moi, au lieu de me sentir coupable ? Et si le juge pense que j'ai tort ?

Et s'il me donne raison ?

Je ne peux répondre à aucune de ces questions, et c'est ce qui m'indique que j'ai commencé à grandir, même si je n'y suis pas encore prête.

— Anna.

Campbell se lève et vient vers moi.

— Ce n'est pas le moment de se mettre à changer d'avis.

— Je ne change pas d'avis.

Je fais rouler la cannette entre mes paumes.

— Je crois que je veux simplement dire que même si on gagne, on perd.

À douze ans, j'ai commencé à faire du baby-sitting pour des jumeaux qui habitent au bout de la rue. Ils n'ont que six ans et n'aiment pas rester dans le noir, alors je finis en général assise entre les deux sur un tabouret en forme de grosse patte d'éléphant, avec les ongles et tout. Je suis toujours sidérée de voir à quelle vitesse les petits peuvent se déconnecter – ils grimpaient aux rideaux et, boum, cinq minutes plus tard, ils dorment à poings fermés. Est-ce que j'ai jamais été comme ça, moi aussi ? Je ne m'en souviens pas, et du coup je me sens vieille.

De temps en temps, l'un des jumeaux s'endort avant l'autre.

— Anna, dans combien d'années j'aurai le droit de conduire ? demande son frère.

— Dix.

— Et dans combien d'années toi tu auras le droit de conduire ?

— Trois.

Et puis la conversation part dans tous les sens comme une toile d'araignée – quel genre de voiture j'achèterai ; ce que je ferai comme métier quand je serai grande ; est-ce que c'est casse-pieds d'avoir des devoirs à faire tous les soirs quand on est au collège. Ce n'est rien d'autre qu'une manœuvre pour rester éveillé un peu plus longtemps. Parfois, je joue le jeu, mais la plupart du temps je l'oblige à s'endormir. Vous voyez, je ressens ce petit vide dans l'estomac à l'idée de lui dire ce qui l'attend, en sachant aussi que ça sonnerait comme un avertissement.

Le deuxième témoin que Campbell appelle à la barre est le Dr Bergen, le chef du comité d'éthique de l'hôpital de Providence. Il a les cheveux poivre et sel, et la figure cabossée comme une patate. Il est moins impressionnant qu'on ne pourrait l'imaginer, pour quelqu'un à qui il faut presque un millénaire pour réciter la liste de ses diplômes et de ses titres.

— Docteur Bergen, commence Campbell, qu'est-ce qu'un comité d'éthique ?

— Un groupe composé de différents médecins, infirmiers, membres du clergé, spécialistes d'éthique et scientifiques, dont la mission est d'examiner les cas particuliers afin de protéger les droits du patient. En matière de bioéthique dans les pays occidentaux, nous essayons de suivre six principes.

Il les énumère sur ses doigts.

— L'autonomie, ou l'idée qu'un patient âgé de plus de dix-huit ans est en droit de refuser un traitement ; l'authenticité, qui pourrait se résumer à un consentement éclairé ; la continuité des soins, autrement dit l'engagement du personnel de santé à remplir ses fonctions ; la bienfaisance, ou faire ce qui est dans l'intérêt supérieur du malade ; la non-malfaisance, c'est-à-dire que si vous ne pouvez faire du bien au patient, vous ne devez pas lui faire de mal... comme pratiquer une opération chirurgicale majeure sur un malade de cent deux ans en phase terminale ; et enfin, la justice, qui exige qu'aucun patient ne soit victime de discrimination.

— Que fait le comité d'éthique ?

— En général, nous nous réunissons quand il y a conflit au sujet des soins à apporter à un patient. Par exemple, si un médecin estime nécessaire de continuer à déployer des mesures exceptionnelles dans l'intérêt du patient, alors que la famille s'y oppose, ou vice versa.

— Alors vous n'êtes pas amenés à considérer tous les cas qui se présentent à l'hôpital ?

— Non. Uniquement s'il y a des plaintes ou si le médecin traitant en exprime la demande. Nous évaluons alors la situation et nous faisons des recommandations.

— Mais vous ne prenez pas de décisions ?

— Non, dit le Dr Bergen.

— Et si le plaignant est mineur ?

— Son consentement n'est obligatoire qu'à partir de l'âge de treize ans. Jusque-là, nous comptons sur les parents pour faire des choix éclairés en ce qui concerne leurs enfants.

— Et s'ils ne le peuvent pas ?

Il cligne des yeux.

— Vous voulez dire s'ils ne sont pas présents physiquement ?

— Non. Je veux dire s'ils estiment avoir d'autres priorités qui les empêchent de faire des choix éclairés dans l'intérêt supérieur de cet enfant ?

Ma mère se lève.

— Objection, dit-elle. C'est de la spéculation.

— Objection retenue, déclare le juge DeSalvo.

Sans manquer une mesure, Campbell se tourne vers son témoin.

— Les parents contrôlent-ils les décisions relatives à la santé de leurs enfants jusqu'à l'âge de dix-huit ans ?

Eh bien, moi je pourrais répondre à ça. Les parents contrôlent tout, sauf si vous êtes comme Jesse et que vous les fâchez tellement qu'ils préfèrent vous ignorer plutôt que de faire semblant que vous existez.

— Légalement, oui, dit le Dr Bergen. Cependant un enfant, lorsqu'il atteint l'adolescence, même s'il ne peut pas donner son consentement formel, doit exprimer son accord pour tout acte médical dont il pourrait être l'objet à l'hôpital, même si ses parents ont déjà signé en son nom.

Cette règle-là, si vous voulez mon avis, est comme la loi qui interdit de marcher sur la chaussée. Tout le monde sait que c'est dangereux, et pourtant ça n'empêche personne de le faire.

Le Dr Bergen poursuit :

— Dans de rares circonstances où un parent et un adolescent sont en désaccord, le comité d'éthique prend en considération un certain nombre de facteurs, à savoir : l'intérêt supérieur de l'enfant, l'évaluation du bénéfice par rapport aux risques, l'âge et la maturité de l'adolescent, et les arguments qu'avance celui-ci.

— Le comité d'éthique de l'hôpital de Providence s'est-il réuni au sujet de Kate Fitzgerald ? demande Campbell.

— À deux reprises, répond le Dr Bergen. La première fois en 2002, pour lui permettre de bénéficier d'un essai de transplantation de cellules souches sanguines périphériques, après l'échec de sa greffe de moelle osseuse et de plusieurs autres traitements. La seconde, plus récemment, pour déterminer s'il était dans l'intérêt de la patiente de subir une greffe de rein.

— Quelles ont été les conclusions, docteur ?

— Nous avions recommandé la greffe de cellules souches sanguines périphériques. En ce qui concerne le rein, notre groupe était divisé quant à la décision à prendre.

— Pouvez-vous nous donner des explications ?

— Plusieurs d'entre nous estimaient qu'à ce stade l'état de santé de la patiente s'était dégradé au point qu'une intervention chirurgicale aussi invasive lui ferait plus de mal que de bien. D'autres pensaient que sans la greffe elle décéderait de toute façon, et que par conséquent les bénéfices étaient supérieurs aux risques.

— Si votre équipe était divisée, à qui revenait la décision finale ?

— Dans le cas de Kate, parce qu'elle est encore mineure, à ses parents.

— Au cours des deux réunions de votre comité au sujet du traitement médical de Kate, avez-vous jamais abordé la question des risques et des bénéfices pour le donneur ?

— Ce n'était pas l'enjeu du débat...

— Et qu'en est-il du consentement du donneur, Anna Fitzgerald ?

Le Dr Bergen me regarde avec compassion, ce qui est bien pire finalement que s'il me considérait comme quelqu'un d'horrible pour avoir déposé cette requête. Il secoue la tête.

— Il va sans dire qu'aucun hôpital dans ce pays ne prélèverait un rein sur un enfant qui ne veut pas en faire don.

— Alors, théoriquement, si Anna s'opposait à cette décision, selon toute vraisemblance son dossier vous serait soumis.

— Eh bien...

— Le dossier d'Anna vous a-t-il été soumis, docteur ?

— Non.

Campbell s'avance vers lui.

— Pouvez-vous nous dire pourquoi ?

— Parce qu'elle n'est pas une patiente.

— Vraiment ?

Il sort une pile de papiers de sa serviette et les tend au juge, puis au Dr Bergen.

— Voici le dossier médical d'Anna à l'hôpital de Providence au cours des treize dernières années.

Pourquoi ce dossier existerait-il, si elle n'était pas une patiente de l'hôpital ?

Le Dr Bergen feuillette les documents.

— Elle a subi plusieurs actes médicaux invasifs, reconnaît-il.

Allez, Campbell. Je ne suis pas du genre à croire aux chevaliers qui volent au secours de damoiselles en détresse, mais je suis sûre que ça doit faire un peu la même impression.

— Vous ne trouvez pas curieux qu'en treize ans, compte tenu de l'épaisseur de ce dossier et du fait même de son existence, le comité d'éthique ne se soit jamais réuni pour discuter de ce qui était fait à Anna ?

— Nous avions tout lieu de penser qu'elle était consentante.

— Êtes-vous en train de me dire que si Anna avait refusé de donner des lymphocytes ou des granulocytes ou du sang de cordon ou n'importe quoi d'autre, le comité d'éthique aurait agi différemment ?

— Je sais où vous voulez en venir, monsieur Alexander, rétorque le psychiatre froidement. Le problème est que ce type de situation médicale ne s'est jamais présenté auparavant. Il n'existe *aucun* précédent. Nous nous efforçons du mieux que nous pouvons de trouver la conduite à tenir.

— N'est-ce pas précisément la mission d'un comité d'éthique que d'envisager des situations qui ne se sont jamais présentées ?

— Si. En quelque sorte.

— Docteur Bergen, en votre qualité d'expert, estimez-vous qu'il soit juste d'un point de vue éthique qu'Anna ait été sollicitée régulièrement au cours des treize dernières années pour faire don de parties de son propre corps ?

— Objection, intervient ma mère.

Le juge se caresse le menton.

— Je veux entendre la réponse.

Le Dr Bergen me regarde de nouveau.

— Très honnêtement, avant même de savoir qu'Anna s'y opposait, j'avais voté contre son don d'un rein à sa sœur. Je ne crois pas que Kate survivrait à la greffe, et par conséquent Anna subirait une opération importante sans aucune raison. Jusqu'à maintenant, cependant, je pense que les risques encourus étaient faibles comparés au bénéfice que la famille dans son ensemble en a tiré, et je soutiens pleinement les choix que les Fitzgerald ont faits pour Anna.

Campbell fait mine de réfléchir.

— Docteur Bergen, quel genre de voiture conduisez-vous ?

— Une Porsche.

— Je parie qu'elle vous plaît.

— En effet, dit-il sur la défensive.

— Et si je vous disais que vous deviez renoncer à votre Porsche avant de quitter cette salle, parce qu'il y va de la vie du juge DeSalvo ?

— Enfin, c'est ridicule. Vous...

Campbell se penche vers lui.

— Supposons que vous n'ayez pas le choix. Supposons qu'aujourd'hui les psychiatres doivent se plier à la décision des avocats, dans l'intérêt supérieur d'autrui.

Le Dr Bergen lève les yeux au ciel.

— En dépit du grand drame auquel vous faites allusion, monsieur Alexander, il existe des droits élémentaires du donneur, des garde-fous, afin de protéger les pionniers. Les États-Unis ont un long et lourd passif d'abus de consentement éclairé, ce qui a donné naissance aux lois relatives à l'expérimentation humaine. Elles interdisent que les gens soient utilisés comme des rats de laboratoire.

— En ce cas, dit Campbell, voulez-vous nous dire comment diable Anna Fitzgerald est passée entre les mailles du filet ?

Quand j'avais sept mois, il y a eu une fête de voisinage autour de notre pâté de maisons. C'est aussi nul que vous l'imaginez : des quiches et des monceaux de cubes de fromage et des gens qui dansent dans la rue sur une musique crachée par la chaîne stéréo d'un des salons. Je n'en ai, évidemment, aucun souvenir – j'étais installée dans un de ces trotteurs qu'on faisait pour les bébés avant que les bébés ne se mettent à les renverser et à se fracturer le crâne.

Bref, j'étais dans mon trotteur et je naviguais entre les tables en observant les autres enfants, quand, d'après ce qu'on m'a raconté, j'ai un peu perdu les pédales. À l'angle de notre rue, le trottoir fait un bateau, et tout à coup les roues ont tourné trop vite pour que je puisse les arrêter. Je suis passée devant les adultes, sous la barrière que la police avait installée pour interdire la circulation, et je me suis dirigée droit vers la route principale et le flot de voitures.

Mais Kate est arrivée de nulle part et a couru après moi. Elle a réussi à me rattraper par le dos de ma chemisette quelques secondes avant qu'une Toyota me percute.

De temps en temps, quelqu'un dans le voisinage évoque cette histoire. Moi, je m'en souviens comme de la fois où elle m'a sauvé la vie, et non l'inverse.

Ma mère a enfin l'occasion de jouer les avocats.

— Docteur Bergen, demande-t-elle, depuis combien de temps connaissez-vous notre famille ?

— Ça fait maintenant dix ans que je suis à l'hôpital de Providence.

— Et au cours de ces dix ans, quand l'un des aspects du traitement de Kate vous était soumis, que faisiez-vous ?

— Je proposais un plan d'action adéquat, dit-il, ou une alternative, le cas échéant.

— Vous est-il jamais arrivé, dans un rapport, d'indiquer qu'Anna ne devait pas être associée à ce plan d'action ?

— Non.

— Avez-vous jamais envisagé qu'il pourrait faire souffrir Anna ?

— Non.

— Ou mettre sérieusement sa santé en danger ?

— Non.

Ce n'est peut-être pas Campbell, après tout, qui sera mon preux chevalier. C'est peut-être ma mère.

— Docteur Bergen, demande-t-elle, avez-vous des enfants ?

Le médecin lève les yeux.

— J'ai un fils. De treize ans.

— Avez-vous jamais examiné les affaires sur lesquelles le comité d'éthique est appelé à délibérer en vous mettant à la place d'un patient ? Ou, plutôt, à la place d'un de ses parents ?

— Ça m'arrive, admet-il.

— Si vous étiez à ma place, dit ma mère, et si le comité d'éthique vous rendait un rapport suggérant un traitement qui pourrait sauver la vie de votre fils, mettriez-vous cette recommandation en question... ou bien sauteriez-vous sur l'occasion ?

Il ne répond pas. Ce n'est pas nécessaire.

Après ça, le juge DeSalvo annonce une seconde pause. Campbell propose d'aller se dégourdir les jambes. Alors je commence à le suivre. En passant devant ma mère, je sens sa main sur ma taille ; elle abaisse mon tee-shirt qui me remonte dans le dos. Elle déteste les filles qui portent des hauts à bretelles fines, celles qui arrivent à l'école en débardeur et le nombril à l'air, comme si elles allaient à un casting de danseuses pour une vidéo de Britney Spears et non à un cours de maths. Je peux presque entendre sa voix : *Rassure-moi, s'il te plaît. Dis-moi que ça a rétréci au lavage.*

Elle prend conscience de son geste et se dit que peut-être elle n'aurait pas dû le faire. Je m'arrête, Campbell s'arrête aussi, et le visage de ma mère devient tout rouge.

— Pardon, dit-elle.

Je pose ma main sur la sienne et je rentre mon tee-shirt dans mon jean. Je me tourne vers Campbell.

— On se voit dehors ?

Je lis les mots *mauvaise idée* dans le regard qu'il me lance, mais il hoche la tête et poursuit son chemin. Ma mère et moi sommes alors presque seules dans la salle. Je me penche et je l'embrasse sur la joue.

— Tu as été super.

Je ne sais pas comment exprimer ce que je ressens : les gens que l'on aime vous surprennent tous les jours. Peut-être que ce que nous sommes tient moins à ce que nous faisons qu'à ce que nous sommes capables de faire lorsque nous nous y attendons le moins.

Sara

2002

Kate rencontre Taylor Ambrose alors qu'ils sont assis côte à côte, branchés l'un et l'autre à une perfusion.

— Tu es ici pour quoi, toi ? demande-t-elle.

Je lève aussitôt les yeux de mon livre parce que, durant toutes ces années où Kate a suivi des traitements ambulatoires, je ne me souviens pas qu'elle ait une seule fois engagé une conversation.

Le garçon à qui elle parle n'est pas beaucoup plus âgé qu'elle – seize ans peut-être, contre ses quatorze à elle. Il a des yeux bruns qui dansent, et une casquette de club sportif sur son crâne chauve.

— Les cocktails gratuits, répond-il.

Les fossettes de ses joues se creusent. Kate lui rend son sourire.

— À ta santé, dit-elle en regardant la poche en plastique au-dessus d'elle, les plaquettes qu'on infuse dans ses veines.

— Je m'appelle Taylor.

Il tend la main.

— LAM.

— Kate. LAP.

Il siffle et lève les sourcils.

— Oh ! dit-il. Une rareté.

Kate ébouriffe ses cheveux ras.

— Comme nous tous, non ?

J'observe, sidérée. Quel est ce flirt, et qu'a-t-il fait à ma petite fille ?

— Plaquettes, dit-il en lisant l'étiquette sur la poche en plastique. Tu es en rémission ?

— Aujourd'hui, en tout cas.

Kate jette un regard sur la perfusion de Taylor, sur le sac noir qui recouvre le Cytoxan.

— Chimio ?

— Ouais. Aujourd'hui, en tout cas, dit Taylor.

Il a un air de jeune chien efflanqué, avec des genoux osseux, des doigts épais et des pommettes auxquelles sa figure ne s'est pas encore ajustée. Quand il croise les bras, ses muscles gonflent. Je me rends compte qu'il le fait exprès et je baisse la tête pour cacher un sourire.

— Alors, Kate, qu'est-ce que tu fais quand tu n'es pas à l'hôpital de Providence ?

Elle réfléchit, puis un sourire venu de l'intérieur lui éclaire progressivement le visage.

— J'attends que quelque chose m'y ramène.

Cette réponse le fait éclater de rire.

— Peut-être qu'on pourrait attendre ensemble, un de ces jours, dit-il en lui tendant l'emballage d'une compresse de gaze. Tu me donnes ton téléphone ?

Kate l'inscrit au moment où la perfusion de Taylor se met à biper. L'infirmière arrive et la débranche.

— Allez, Taylor, c'est fini pour aujourd'hui, dit-elle. Quelqu'un vient te chercher ?

— On m'attend en bas. Voilà, je suis prêt.

Il se lève lentement, presque faiblement, et pour la première fois cette conversation cesse d'être un échange anodin. Il glisse dans sa poche le morceau de papier portant notre numéro de téléphone.

— Bon, je t'appelle, Kate.

Quand il quitte la pièce, Kate lâche son souffle avec une intensité théâtrale. Elle roule la tête vers l'endroit où se trouvait le garçon.

— Oh, mon Dieu ! soupire-t-elle. Il est trop beau.

L'infirmière, qui vérifie le flux de la perfusion, sourit.

— Ne m'en parle pas, ma chérie. Si seulement j'avais trente ans de moins !

Kate se tourne vers moi, rayonnante.

— Tu crois qu'il appellera ?

— Peut-être.

— Où crois-tu qu'il m'invitera ?

Je pense à Brian, qui a toujours dit que Kate pourrait commencer à sortir avec un petit copain... quand elle aurait quarante ans.

— Doucement. Une chose à la fois.

Mais à l'intérieur je chante.

L'arsenic, qui a fini par induire une rémission chez Kate, a fait des merveilles en l'épuisant. Taylor Ambrose, un tout autre genre de médicament, a fait des merveilles en la remettant sur pied. Cela devient une habitude. Quand le téléphone sonne à dix-neuf heures, Kate quitte la table comme une flèche et s'enferme avec le combiné sans fil. Nous débarrassons la table, regardons la télévision et nous préparons à aller nous coucher, au son des petits rires et des murmures qui parviennent jusqu'à nous, et enfin Kate émerge de son cocon, rougissante et rayonnante, la gorge frémissante de ce premier amour qui bat en elle comme un colibri. Chaque fois que cela se produit, je ne peux pas détacher les yeux de son visage. Ce n'est pas que Kate soit si belle – pourtant, elle l'est –, mais c'est surtout que je ne me suis jamais autorisée à croire que je la verrais ainsi, tellement adulte.

Je la suis dans la salle de bains un soir, après l'une de ses séances marathoniennes au téléphone. Kate se regarde dans le miroir, les lèvres offertes et les sourcils levés de manière aguicheuse. Elle porte la main à ses cheveux courts – après la chimio, les ondulations ne sont jamais revenues, ils ont simplement repoussé en grosses touffes raides qu'elle discipline généralement en les hérissant avec du gel. Elle ouvre les paumes comme si elle s'attendait encore à les voir tomber.

— Comment crois-tu qu'il me voie ? demande Kate.

Je viens me poster derrière elle. De mes enfants, c'est Jesse qui me ressemble le plus, mais si vous nous placez côte à côte, Kate et moi, vous verrez des similitudes indéniables. Ce n'est pas tant la forme de la bouche que l'expression, l'éclat d'une détermination irréductible dans nos yeux.

— Je crois qu'il voit une fille qui sait ce qu'il endure, lui dis-je franchement.

— J'ai cherché sur Internet des informations sur la LAM, dit-elle. Sa leucémie a un taux de guérison assez élevé.

Elle se tourne vers moi.

— Quand la vie de quelqu'un d'autre t'importe plus que la tienne... c'est à ça que ressemble l'amour ?

Il m'est soudain difficile d'extraire une réponse de ma gorge.

— Exactement.

Kate ouvre le robinet et se lave le visage avec une mousse de savon. Je lui tends une serviette, et quand elle en émerge, elle déclare :

— Quelque chose de mal va arriver.

Inquiète, je cherche des indices.

— Que se passe-t-il ?

— Rien. Mais c'est toujours comme ça. S'il m'arrive quelque chose d'aussi formidable que d'avoir Taylor dans ma vie, je vais forcément le payer.

— Je n'ai jamais rien entendu de plus stupide.

Mais il y a du vrai là-dedans. Quiconque pense que les gens sont maîtres de leur destin devrait passer une journée à la place d'un enfant leucémique. Ou de sa mère.

— Peut-être que tu vois enfin le bout du tunnel.

Trois jours plus tard, à l'issue d'un contrôle sanguin de routine, l'hématologue nous annonce que Kate s'engage de nouveau sur la pente de la rechute.

Je n'ai jamais écouté aux portes, du moins pas intentionnellement, jusqu'au soir où Kate revient de sa première sortie au cinéma avec Taylor. Elle entre dans sa chambre sur la pointe des pieds et s'assied sur le lit d'Anna.

— Tu es réveillée ? demande-t-elle.

Anna se retourne, grogne.

— Maintenant, oui.

Le sommeil la quitte comme un châle qui glisse jusqu'au sol.

— Comment c'était ?

— Ouah, dit Kate en riant. Ouah.

— Ouah comment ? Comme rouler une pelle ?

— Tu es trop dégoûtante, murmure Kate dont les mots cachent un sourire. N'empêche qu'il embrasse hyper bien.

Elle lance ça comme un hameçon. La voix d'Anna vibre.

— Arrête ! Quelle impression ça fait ?

— Celle de planer, répond Kate. Je suis sûre que ça doit faire pareil.

— Je ne vois pas ce que ça a en commun avec quelqu'un qui te bave dessus.

— Anna ! Ce n'est pas comme s'il crachait sur toi.

— Quel goût il a, Taylor ?

— Un goût de pop-corn, dit-elle en riant. Et de garçon.

— Comment tu as su ce qu'il fallait faire ?

— Ce n'est pas compliqué. Ça vient naturellement. Comme toi quand tu joues au hockey.

Là, Anna peut comprendre.

— C'est vrai, dit-elle, que je me sens super bien quand j'en fais.

— Tu n'as pas idée, soupire Kate.

Je perçois du mouvement ; j'imagine qu'elle se déshabille. Je me demande si Taylor, quelque part, imagine la même chose.

Un bruit d'oreiller qu'on tasse, de couvertures qu'on soulève, de froissement de drap tandis que Kate se couche et roule sur le côté.

— Anna ?

— Hmm ?

— Il a des cicatrices sur les paumes, à cause de la maladie du greffon contre l'hôte, murmure Kate. Je les ai senties quand on se tenait par la main.

— C'était dégoûtant ?

— Non, dit-elle. C'était comme si nous étions pareils.

Dans un premier temps, je n'arrive pas à obtenir de Kate qu'elle accepte de subir la greffe de cellules souches sanguines périphériques. Elle refuse parce qu'elle ne veut pas être hospitalisée pour la chimio, ne veut pas avoir à rester en chambre d'isolement pendant les six semaines à venir alors qu'elle pourrait sortir avec Taylor Ambrose.

— C'est ta vie, lui fais-je remarquer.

Elle me regarde comme si j'étais folle.

— Exactement, dit-elle.

Nous finissons par trouver un compromis. L'équipe cancérologique consent à laisser Kate commencer en ambulatoire sa chimiothérapie, en préparation à la transplantation des cellules d'Anna. À la maison, elle accepte de porter un masque. Au premier signe de diminution dans sa numération, elle sera hospitalisée. Les médecins ne sont pas contents, ils craignent que cela n'affecte la procédure, mais ils comprennent comme moi que Kate a atteint un âge où elle peut marchander sa bonne volonté.

Au bout du compte, l'angoisse de la séparation n'aura servi à rien, car Taylor se présente à l'hôpital lors du premier rendez-vous de Kate pour son traitement ambulatoire de chimio.

— Qu'est-ce que tu fais là ?

— On dirait que je ne peux plus m'en passer, plaisante-t-il. Bonjour, madame Fitzgerald.

Il s'assied sur un fauteuil libre à côté de Kate.

— Ça fait du bien de venir ici sans être branché à l'un de ces machins à perf.

— C'est ça, retourne le couteau dans la plaie, marmonne Kate.

Taylor pose la main sur le bras de ma fille.

— Tu es là depuis longtemps ?

— Je viens de commencer.

Il se lève et s'assied sur le large accoudoir du fauteuil de Kate, prend la cuvette qu'elle a sur les genoux.

— Je te parie cent dollars que tu auras rendu ton dessert avant quinze heures.

Kate jette un coup d'œil à la pendule. Il est quatorze heures cinquante.

— D'accord, dit Kate avec un sourire aussi grand que l'océan.

Taylor met la main sur son épaule. Elle s'appuie contre lui. La première fois que Brian m'a touchée, il m'a sauvé la vie. Des pluies cataclysmiques s'étaient abattues sur Providence, un noroît qui avait grossi les marées et complètement inondé le parking du tribunal, où je travaillais comme clerc. Il a fallu évacuer les lieux. La brigade de Brian était chargée des opérations. Je suis sortie sur les marches de pierre du bâtiment et j'ai vu flotter des voitures, des sacs à main abandonnés et même un chien terrifié qui essayait de nager. Pendant que je classais des dossiers, le monde qui m'était familier avait été submergé. « Besoin d'un coup de main ? » a demandé Brian, vêtu de sa tenue d'intervention, et il a tendu les bras. Tandis qu'il m'emmenait à la nage vers un endroit surélevé, la pluie me cinglait le visage et me martelait le dos. Je me demandais comment, dans un tel déluge, je pouvais me sentir comme brûlée vive.

— C'est quoi le plus long temps que tu as tenu avant de vomir ? demande Kate à Taylor.

— Deux jours.

— *Arrête.*

L'infirmière lève la tête de ses dossiers.

— C'est vrai, confirme-t-elle. J'étais témoin.

Taylor lui fait un grand sourire.

— Je te l'ai dit, je suis passé maître dans cet art-là.

Il regarde la pendule : 14 h 57.

— Tu n'as pas d'autre endroit où aller ? demande Kate.

— Tu essaies d'esquiver le pari ?

— J'essaie de te ménager. Quoique...

Avant de pouvoir finir sa phrase, elle vire au vert. L'infirmière et moi nous levons aussitôt, mais Taylor nous devance. Il tient la cuvette sous le menton de Kate et, quand elle commence à hoqueter, il lui masse le haut du dos avec de lents mouvements circulaires.

— Ce n'est rien, lui susurre-t-il près de la tempe.

L'infirmière et moi échangeons un regard.

— On dirait qu'elle est en de bonnes mains, dit-elle en quittant la pièce pour aller s'occuper d'un autre patient.

Quand les vomissements cessent, Taylor retire la cuvette et essuie la bouche de Kate avec un mouchoir en papier. Elle le regarde, les yeux brillants et le visage rougi, le nez qui coule encore.

— Pardon, marmonne-t-elle.

— De quoi ? demande Taylor. Demain ce sera peut-être moi.

Je me demande si toutes les mères éprouvent ce même sentiment quand elles prennent conscience que leur fille a grandi – comme si je n'en revenais pas qu'à une époque le linge que je pliais pour elle ait été à la mesure d'une poupée ; comme si je pouvais encore la voir exécuter des pirouettes au bord du bac à sable. N'était-ce pas hier encore que sa main ne dépassait guère la taille du coquillage qu'elle avait trouvé sur la plage ? Cette même main, celle qui tient maintenant la main d'un garçon, n'était-elle pas accrochée à la mienne, tirant dessus pour m'obliger à m'arrêter et à regarder la toile d'araignée, la petite pousse ou n'importe quoi d'autre parmi le millier de choses devant lesquelles elle voulait que je m'extasie ? Le temps est une illusion d'optique – jamais aussi fort et aussi constant qu'il n'y paraît. Vous pourriez penser que, tout compte fait, je l'ai vu venir. Mais quand je regarde

Kate regarder ce garçon, je constate qu'il me reste une foule de choses à apprendre.

— C'est un vrai plaisir, d'être avec moi, murmure Kate.

Taylor lui sourit.

— Des frites, dit-il. Au déjeuner.

Kate lui donne une tape sur l'épaule.

— Tu es dégoûtant.

Il lève un sourcil.

— Tu as perdu le pari, tu sais.

— Désolée, j'ai laissé mon chéquier à la maison. La voix de Kate vibre. Taylor fait mine de l'étudier.

— D'accord, je sais ce que tu peux me faire à la place.

— Des faveurs sexuelles ? demande Kate, oubliant ma présence.

— Ça, je ne sais pas, dit Taylor en riant. Tu crois qu'on devrait demander à ta mère ?

Kate devient écarlate.

— Ouille.

— Continuez comme ça, et la prochaine fois que vous vous retrouverez, ce sera pour un prélèvement de moelle osseuse.

— Tu sais que l'hôpital fait une soirée ?

Tout à coup, Taylor est agité, ses genoux tressautent.

— C'est pour les jeunes qui sont malades. Il y a des médecins et des infirmières, au cas où, et ça a lieu dans une des salles de conférences de l'hôpital, mais sinon c'est exactement comme un bal de fin d'études. Tu sais, un orchestre minable, des smokings affreux, du punch aux plaquettes.

Il déglutit.

— Là, je plaisante. En fait, j'y suis allé l'an dernier, en célibataire, et c'était assez nul, mais je me dis que, comme toi tu es une patiente et moi un patient, cette année on pourrait peut-être y aller ensemble.

Kate, avec un aplomb dont je ne l'aurais jamais crue capable, considère la proposition.

— Ça a lieu quand ?

— Samedi.

Elle lui adresse un sourire rayonnant.

— Il se trouve que je n'ai pas prévu de mourir ce jour-là. Ça me ferait vraiment plaisir.

— Cool, fait Taylor en souriant. Très cool.

Il va chercher une cuvette propre en faisant attention à la tubulure de la perfusion, qui serpente entre eux. Je me demande si le cœur de Kate bat plus vite, si le traitement en sera affecté. Si sa maladie va s'aggraver à plus brève et non à plus longue échéance.

Taylor installe Kate au creux de son bras. Ensemble, ils attendent la suite.

— C'est trop décolleté, dis-je tandis que Kate tient à la hauteur de son cou une robe jaune clair.

Du coin de la boutique où elle s'est assise, Anna exprime aussi son opinion :

— Tu aurais l'air d'une banane.

Nous faisons les boutiques depuis des heures à la recherche d'une robe de soirée pour Kate. Elle n'a que deux jours pour se préparer pour cette fête, et c'est devenu une obsession : ce qu'elle va porter, comment elle va se maquiller, si l'orchestre jouera quelque chose d'à peu près convenable. Ses cheveux, bien sûr, n'entrent pas en ligne de compte : après la chimio, elle les a tous perdus. Elle déteste les perruques – qui lui donnent la sensation d'avoir des insectes sur le cuir chevelu – mais elle est trop complexée pour sortir avec la boule à zéro. Aujourd'hui, elle a la tête enturbannée avec un foulard en batik, comme une reine africaine pâle et altière.

La réalité de cette sortie n'est pas à la mesure des rêves de Kate. Les robes que les filles normales portent à un bal de fin d'études laissent les épaules ou le ventre dénudés, là où la peau de Kate est marquée et épaissie. Elles tombent de travers. Elles sont coupées pour mettre en valeur un corps en pleine santé, et non pour cacher la maladie.

La vendeuse, qui s'agite comme un oiseau-mouche, prend la robe des mains de Kate.

— Elle est quand même assez montante, insiste-t-elle. Elle couvre bien la poitrine.

— Et est-ce qu'elle couvrira ça ? lance Kate en défaisant les boutons de sa chemise paysanne pour révéler le cathéter, récemment remplacé, qui jaillit du milieu de son thorax.

La vendeuse pousse un petit cri avant même de penser à se retenir.

— Oh, souffle-t-elle doucement.

— Kate !

Elle secoue la tête.

— Sortons d'ici.

Dès que nous sommes sur le trottoir devant la boutique, je me fâche.

— Ce n'est pas parce que tu es en colère que tu dois t'en prendre aux autres.

— C'était une salope, rétorque Kate. Tu as vu comment elle regardait mon foulard ?

— Peut-être que le motif lui plaisait, dis-je sèchement.

— Ouais, et peut-être que je me réveillerai demain et que je ne serai plus malade.

Ses mots tombent comme des blocs de pierre, creusant un fossé entre nous.

— Je ne veux pas m'acheter de robe. Je ne sais pas ce qui m'a pris de dire à Taylor que j'irais à ce truc.

— Tu ne crois pas qu'une bonne moitié des filles présentes à cette soirée sont dans le même bateau ? Essayant de trouver des robes capables de cacher les tuyaux, les bleus, les fils, les poches pour colostomie et Dieu sait quoi encore ?

— Je m'en fiche, des autres, dit Kate. Je voulais avoir l'air bien. Vraiment jolie, tu sais, pour un soir.

— Taylor te trouve déjà très belle.

— Eh bien, pas moi ! pleure Kate. Pas moi, maman, et peut-être que j'en avais envie, rien que pour une fois.

C'est une de ces journées agréablement chaudes, où la terre semble respirer sous nos pieds. Le soleil tape sur ma tête, sur ma nuque. Que répondre à ça ? Je n'ai jamais été Kate. J'ai souhaité être malade à sa place, par une sorte de pacte faustien avec le diable, j'ai prié, supplié, mais ce n'est pas ainsi que cela s'est passé.

Je suggère :

— Nous allons coudre quelque chose. Tu dessineras le modèle.

— Tu ne sais pas coudre, soupire Kate.

— J'apprendrai.

— En un jour ?

Elle secoue la tête.

— Tu ne peux pas toujours tout réparer, maman. Comment se fait-il que moi je le sache, et pas toi ?

Elle se sauve, furieuse, m'abandonnant sur le trottoir. Anna court après elle, la prend par le bras et l'entraîne dans un magasin, à quelques pas de la boutique, tandis que je me dépêche de les rattraper.

C'est un salon de coiffure, rempli d'employées qui mâchent du chewing-gum. Kate se débat pour tenter d'échapper à Anna, mais celle-ci, quand elle veut, peut faire preuve de force.

— Bonjour, dit Anna en essayant d'attirer l'attention de l'hôtesse à l'accueil. Vous travaillez ici ?

— Quand j'y suis obligée.

— Vous faites des coiffures de soirée ?

— Bien sûr, dit la coiffeuse. Des cheveux relevés ?

— Ouais. C'est pour ma sœur.

Anna regarde Kate, qui a cessé de se démener. Un sourire commence à lui éclairer le visage, comme une luciole enfermée dans un bocal.

— Oui. C'est pour moi, dit Kate malicieusement avant de défaire le foulard cachant son crâne chauve.

Dans le salon de coiffure, tout le monde s'arrête de parler. Kate se tient bien droite, dans une posture régalienne.

— Nous pensions à des nattes, poursuit Anna.

— Une permanente, ajoute Kate.

Anna se met à rigoler.

— Peut-être un joli chignon.

La coiffeuse avale sa salive, partagée entre la stupeur, la compassion et une attitude politiquement correcte.

— Bon, hum, peut-être que nous arriverons à faire quelque chose pour vous.

Elle s'éclaircit la gorge.

— Il y a toujours, vous savez, les extensions.

— Les extensions, répète Anna.

Kate éclate de rire. La coiffeuse commence à regarder derrière les filles, vers le plafond.

— C'est pour un genre de « Caméra invisible » ?

Là, mes filles s'écroulent dans les bras l'une de l'autre, hystériques. Elles rient au point de ne pas pouvoir prendre leur respiration. Elles rient jusqu'à en pleurer.

En ma qualité de chaperon de l'hôpital de Providence, je suis préposée au punch. Comme la moitié des aliments servis aux participants, il est prévu pour des malades atteints de neutropénie. Les infirmières – les bonnes fées de la fête – ont transformé une salle de conférences en discothèque, avec banderoles, boule à facettes, lumières d'ambiance, etc.

Kate est une liane enroulée autour de Taylor. Ils dansent sur une musique qui est totalement différente de celle de la chanson qui est interprétée. Kate porte son masque bleu obligatoire. Taylor lui a offert un petit bouquet de fleurs en soie, parce que les vraies risquent de transporter des microbes contre lesquels les malades immunodéprimés ne peuvent pas lutter. Finalement, je ne lui ai pas cousu sa robe, j'en ai trouvé une sur Bluefly.com : un fourreau doré, décolleté en V pour le cathéter. Mais elle se porte avec une chemise transparente à manches longues, qui se noue autour de la taille et qui scintille à chaque mouvement, si bien que quand vous remarquez l'étrange tube à trois branches qui sort du sternum de Kate, vous vous demandez si ce n'est pas un effet des jeux de lumière.

Nous avons pris des centaines de photos avant de quitter la maison. Quand Kate et Taylor se sont échappés et sont partis m'attendre dans la voiture, je suis allée ranger l'appareil photo et j'ai trouvé Brian dans la cuisine, de dos.

— Salut. Tu ne vas pas nous faire des signes de la main. Jeter du riz ?

C'est seulement quand il se retourne que je me rends compte qu'il s'est réfugié ici pour pleurer.

— Je ne pensais pas voir ça, dit-il. Je ne croyais pas que j'aurais un jour ce souvenir.

Je me suis blottie contre lui, me nichant si près que nos corps donnaient l'impression d'être taillés dans un même bloc de pierre.

— Ne t'endors pas avant notre retour, ai-je murmuré avant de sortir.

Maintenant, je tends un verre de punch à un garçon dont les cheveux commencent à s'en aller par petites touffes. Ils tombent sur les revers noirs de son smoking.

— Merci, dit-il.

Je remarque qu'il a des yeux superbes, sombres et immobiles comme ceux d'une panthère. Je détourne le regard et je m'aperçois que Kate et Taylor ont quitté la pièce.

Et si elle se sentait mal ? Ou lui ? Je me suis promis que je ne serais pas surprotectrice, mais il y a ici trop d'enfants pour que l'équipe puisse surveiller tout le monde. Je demande à un autre parent d'assurer à ma place le service du punch, puis je me mets à leur recherche dans les toilettes des femmes. Je jette un coup d'œil dans la réserve de matériel. Je parcours les halls vides et les couloirs sombres et même la chapelle.

Finalement, la voix de Kate me parvient à travers une porte entrebâillée. Taylor et elle sont debout sous un rayon de lune pareil à un spot, main dans la main. La cour qu'ils ont trouvée est le lieu de prédilection des internes dans la journée ; beaucoup de médecins, qui, autrement, ne verraient pas souvent la lumière du soleil, viennent y déjeuner.

Je suis sur le point de leur demander si tout va bien, lorsque Kate prend la parole.

— Tu as peur de mourir ?

Taylor secoue la tête.

— Pas vraiment. Mais je pense parfois à mon enterrement. À ce que les gens pourraient dire de bien sur moi. Je me demande si quelqu'un pleurera.

Il hésite.

— Si quelqu'un viendra, même.

— Moi je viendrai, promet Kate.

Taylor penche la tête vers celle de Kate, et elle vient se coller contre lui, et je prends conscience que c'est pour cela que je les ai suivis. Comme Brian, je voulais encore une image de ma fille, une que je pourrais triturer entre mes doigts comme un morceau de verre poli ramassé sur la plage. Taylor soulève le bord du masque bleu de Kate, et je sais que je devrais l'arrêter, je sais que je dois le faire, mais je ne le fais pas. Ça, au moins, je veux qu'elle l'ait.

Quand ils s'embrassent, c'est sublime : ces deux têtes d'albâtre l'une contre l'autre, lisses comme des statues – une illusion d'optique, deux figures symétriques qui se fondent en une seule.

Lorsque Kate est hospitalisée pour sa greffe de cellules souches, elle est anéantie sur le plan émotionnel. Elle est beaucoup moins préoccupée par le fluide qui est instillé dans son cathéter que par le fait que Taylor n'a pas téléphoné depuis trois jours, et qu'il n'a pas non plus répondu à ses appels.

— Vous vous êtes disputés ?

Elle secoue la tête.

— A-t-il dit qu'il allait quelque part ? Peut-être qu'il y a eu une urgence. Peut-être que ça n'a rien à voir avec toi.

— Peut-être que si, justement, argumente Kate.

— Dans ce cas-là, la meilleure revanche que tu puisses prendre est de te remettre sur pied pour pouvoir lui dire ce que tu penses, lui fais-je remarquer. Je reviens dans un instant.

Dans le couloir, je me dirige vers Steph, l'infirmière qui vient de prendre sa garde et qui connaît Kate depuis des années. À vrai dire, je suis tout aussi étonnée que ma fille du silence de Taylor. Il savait qu'elle devait être admise ici.

— Taylor Ambrose, il est là aujourd'hui ?

Steph me regarde et cligne des yeux.

— Grand, gentil. Amoureux de ma fille, dis-je en plaisantant.

— Oh, Sara... J'étais sûre que quelqu'un vous l'aurait appris, répond Steph. Il est décédé ce matin.

Pendant un mois, je ne dis rien à Kate. Jusqu'au jour où le Dr Chance la déclare apte à quitter l'hôpital, quand elle s'est déjà persuadée qu'elle est mieux sans Taylor. Je suis incapable de vous dire les mots que j'utilise ; aucun d'eux n'est assez grand pour supporter le poids qu'ils traînent derrière eux. Je raconte comment je suis allée chez Taylor pour parler à sa mère, comment elle s'est effondrée en larmes dans mes bras et m'a dit qu'elle voulait m'appeler, mais qu'une partie d'elle-même était si jalouse qu'elle avait ravalé ses paroles. Elle m'a appris que Taylor, qui était rentré de la fête comme sur un nuage, avait déboulé dans sa chambre au milieu de la nuit avec une fièvre de 40,5 °C. Que c'était peut-être viral ou mycosique, mais que ça avait entraîné une détresse respiratoire, suivie d'un arrêt cardiaque, et qu'après avoir tout tenté pendant trente minutes, les médecins s'étaient résignés à le laisser partir.

Je n'ai pas raconté à Kate qu'ensuite Jenna Ambrose est entrée dans la chambre et a regardé son fils, qui n'était plus son fils. Qu'elle est restée assise à son chevet pendant cinq longues heures, convaincue qu'il allait se réveiller. Que maintenant encore elle entend des bruits au-dessus d'elle et croit que Taylor se déplace dans sa chambre, et que la demi-seconde de grâce avant que la vérité ne lui revienne est sa seule raison de se lever chaque matin.

— Kate, je suis tellement désolée !

Le chagrin lui déforme le visage.

— Mais je l'aimais, répond-elle comme si cela aurait dû suffire.

— Je sais.

— Et tu ne m'as rien dit.

— Je ne pouvais pas. Surtout en pensant que tu risquais de ne plus vouloir te battre contre la maladie.

Elle ferme les yeux et se tourne sur le côté en sanglotant si fort dans son oreiller que le moniteur auquel elle est encore branchée se met à biper et à alerter le personnel soignant.

Je tends la main vers elle.

— Kate, ma chérie, j'ai fait ce qui était le mieux pour toi.

Elle refuse de regarder dans ma direction.

— Ne me parle plus, murmure-t-elle. Tu fais ça très bien.

Kate ne m'adresse plus la parole pendant sept jours et onze heures. Nous rentrons de l'hôpital ; nous nous soumettons aux procédures de stérilisation, nous accomplissons les gestes nécessaires par la force de l'habitude. La nuit, couchée dans notre lit, je me demande comment Brian arrive à dormir. Je fixe le plafond en pensant que j'ai perdu ma fille avant même qu'elle ne se soit éteinte.

Puis un jour, je passe devant sa chambre et je la vois assise par terre, entourée de photos. Ce sont, comme je m'y attends, celles que j'ai prises d'elle et de Taylor avant la soirée – Kate sur son trente et un, avec ce masque stérile qui lui recouvre la bouche. Taylor a dessiné dessus un sourire au rouge à lèvres pour les besoins de la photo, du moins c'est ce qu'il a dit.

Ça avait fait rire Kate. Il semble impossible que ce garçon, dont la présence était si forte au moment du flash, il y a quelques semaines, ne soit plus là aujourd'hui. Une douleur me traverse, suivie aussitôt d'un simple mot : entraînement.

Mais il y a aussi d'autres photos, montrant Kate quand elle était plus jeune. Kate et Anna sur la plage, accroupies au-dessus d'un bernard-l'ermite. Kate déguisée en Mister Peanut pour Halloween. Kate, le visage barbouillé de fromage blanc, tenant deux moitiés de bagel comme une paire de lunettes.

Dans une autre pile se trouvent ses photos de bébé – toutes prises vers l'âge de trois ans. Avec un grand sourire édenté, éclairée à contre-jour par un soleil rasant, inconsciente de ce qui l'attend.

— Je ne me souviens pas d'avoir été elle, dit Kate doucement.

Ces premiers mots jettent entre nous une passerelle de verre, qui vacille sous mes pieds tandis que je pénètre dans sa chambre.

Je pose une main à côté de la sienne, sur le bord d'une photo. Légèrement cornée, elle montre Kate à un âge où elle marchait à peine, lancée en l'air par les bras de Brian, cheveux au vent, membres écartelés comme une étoile de mer, certaine, sans l'ombre d'un doute, qu'elle retomberait sur terre en toute sécurité, sûre qu'elle ne méritait rien de moins que cela.

— Elle était belle, ajoute Kate.

De son petit doigt elle caresse la joue rose et brillante de la fille qu'aucun de nous n'aura jamais connue.

Jesse

L'été de mes quatorze ans, mes parents m'ont envoyé en colo dans une ferme. C'était un de ces stages de vacances actives pour jeunes à problèmes, vous voyez le genre... Levez-vous à quatre heures du matin pour traire les bêtes et vous croyez vraiment que vous trouverez l'occasion de faire des conneries ? (La réponse, au cas où ça vous intéresserait, est oui : extorquer du hasch aux ouvriers agricoles. Se défoncer. Embêter les vaches.) En tout cas, un jour, on m'a affecté à la patrouille de Moïse ou du moins c'est comme ça qu'on appelait le pauvre type qui était responsable du troupeau de moutons. Il fallait que je suive une centaine de moutons autour d'un pré où il n'y avait pas le moindre petit arbre pour faire un peu d'ombre.

Dire que les moutons sont les plus cons de tous les animaux de la Terre est probablement un euphémisme. Ils se prennent les poils dans les clôtures. Ils se perdent dans un enclos de trois mètres carrés. Ils oublient où se trouve leur nourriture, alors qu'elle est toujours au même endroit depuis mille ans. Et en plus, ils ne ressemblent en rien aux adorables boules de laine que vous imaginez lorsque vous vous endormez. Ils puent. Ils bêlent. Ils sont chiants au possible.

Bref, le jour où j'étais de corvée de moutons, j'avais piqué un exemplaire de *Tropique du Cancer*, et je cornais les pages qui se rapprochaient le plus d'un bon porno, quand j'ai entendu quelqu'un crier. J'étais absolument sûr, notez bien, qu'il ne s'agissait pas d'un animal, parce que je n'avais jamais rien entendu de semblable de toute ma vie. J'ai couru vers le son, certain de trouver quelqu'un qui se serait fait jeter à terre par son cheval, avec une jambe tordue comme un bretzel, ou un taré qui aurait accidentellement vidé le chargeur de son revolver dans son propre ventre. Mais, couchée au bord d'un ruisseau, assistée d'une nuée de moutons, rien que des femelles, il y avait une brebis qui mettait bas.

Je n'étais pas vétérinaire, mais j'ai tout de suite compris que quand une créature vivante fait un raffut pareil, c'est que les choses ne marchent pas comme il faudrait. Et en effet, la pauvre bête avait deux petits sabots qui pendaient sous elle. Elle était couchée sur le flanc, haletante. Elle a tourné vers moi un œil terne et noir, puis elle a renoncé à se battre.

Eh bien, il n'y aurait pas de morts dans ma patrouille, ne serait-ce que parce que je savais que les nazis qui dirigeaient cette colo m'obligeraient à enterrer le foutu animal. Alors j'ai repoussé les autres moutons. Je me suis mis à genoux, j'ai attrapé les sabots noueux et glissants, et j'ai tiré jusqu'à ce que la brebis se mette à crier comme toute mère à qui l'on arrache son enfant.

L'agneau était sorti, les membres repliés comme les lames d'un couteau suisse. Sur sa tête, il avait une poche argentée qui donnait la même sensation au toucher que l'intérieur de la joue quand on passe la langue dessus. Il ne respirait pas.

Je n'allais sûrement pas faire le bouche-à-bouche à un mouton, mais je me suis servi de mes ongles pour déchirer la poche de peau et la détacher du cou de l'agneau. Finalement, il ne lui en fallait pas plus. Au bout d'une minute, il a déplié ses pattes filiformes et a commencé à bêler pour appeler sa mère.

Vingt moutons, je crois, sont nés au cours de cette session d'été. Chaque fois que je passais devant l'enclos, je pouvais reconnaître le mien entre tous. Il ressemblait aux autres, sauf qu'il gambadait avec un peu plus de vitalité, et que le soleil semblait toujours se refléter dans la graisse de sa laine. Et si vous arriviez à le calmer le temps de le regarder dans les yeux, vous voyiez que ses pupilles étaient devenues d'un blanc laiteux, signe infaillible qu'il était passé de l'autre côté assez longtemps pour se rappeler ce qu'il manquait.

Je vous raconte ça maintenant, parce que quand Kate remue enfin dans son lit d'hôpital et ouvre les yeux, je sais qu'elle aussi a déjà un pied sur l'autre rive.

— Oh, mon Dieu, dit Kate faiblement en me voyant. Alors, je me retrouve en enfer, finalement.

Je me penche en avant sur ma chaise et je croise les bras.

— Allons, sœurette, tu sais que je ne suis pas si facile à tuer.

Je me lève et je l'embrasse sur le front en laissant mes lèvres s'attarder. Comment se fait-il que les mères soient capables de lire la température de cette façon ? Moi je ne peux sentir qu'une perte imminente.

— Ça va ?

Elle me sourit, mais c'est comme une mauvaise caricature d'un original que j'ai vu au Louvre.

— La super pêche, dit-elle. Que me vaut l'honneur de ta présence ?

Je pense : « Au fait que tu n'es plus là pour bien longtemps », mais je ne le lui dis pas.

— J'étais dans les parages. Et en plus, il y a une infirmière vraiment canon qui est de garde à cette heure-ci.

Ça la fait rire.

— Bon Dieu, Jesse, tu vas me manquer.

Elle le dit avec une telle aisance que nous en sommes tous les deux surpris, je crois. Je m'assieds au bord du lit et je suis du doigt les petits plis de la couverture thermostatique.

— Tu sais...

Je commence une phrase qui se veut encourageante, mais elle pose une main sur mon bras.

— Laisse tomber.

Puis ses yeux s'animent, l'espace d'un instant.

— Peut-être que je me réincarnerai.

— Genre, en Marie-Antoinette ?

— Non, il faudra que ce soit quelque chose à venir. Tu trouves ça dingue ?

— Non. Je pense que nous n'arrêtons pas de tourner en rond.

— Alors toi, tu te verrais revenir sous quelle forme ?

— Sous forme de charogne.

Elle fait une grimace de douleur, quelque chose émet un bip, et je panique.

— Tu veux que j'aille chercher quelqu'un ?

— Non, ne t'inquiète pas pour toi, répond Kate.

Et je suis sûr qu'elle ne l'entend pas comme ça, mais ça me donne quand même l'impression d'avaler de la foudre.

449

Je me rappelle tout à coup un jeu auquel je jouais lorsque j'avais neuf ou dix ans et que j'étais autorisé à faire du vélo jusqu'à la tombée de la nuit. J'avais l'habitude de faire des petits paris avec moi-même en regardant le soleil baisser de plus en plus sur l'horizon : si je retiens ma respiration pendant vingt secondes, la nuit ne viendra pas. Si je ne cligne pas des yeux. Si je me tiens assez immobile pour qu'une mouche se pose sur ma joue. Maintenant, je me surprends à faire la même chose, à marchander pour garder Kate, même si ça ne marche jamais comme ça.

— Tu as peur ?

Les mots m'échappent.

— De mourir ?

Kate se tourne vers moi, ébauchant un sourire.

— Je te le ferai savoir.

Puis elle ferme les yeux.

— Je vais juste me reposer une seconde.

C'est tout ce qu'elle réussit à dire, et elle est de nouveau endormie.

Ce n'est pas juste, mais Kate le sait. Pas besoin de toute une vie pour se rendre compte que ce que l'on mérite d'avoir, on l'obtient rarement. Je me lève, avec cette foudre qui me brûle la gorge, me rend la déglutition impossible, si bien que tout est retenu comme un fleuve endigué. Je me précipite hors de la chambre de Kate et assez loin dans le couloir pour ne pas la déranger, et puis je lève le poing et je l'envoie dans l'épais mur blanc et ça fait un trou, et encore ça ne suffit pas.

Brian

Voici la recette pour provoquer une explosion :
un bol en Pyrex, du chlorure de potassium – un sub-
stitut de sel, vendu dans les magasins de produits
diététiques. Un hydromètre. De l'eau de Javel. Versez celle-ci dans le bol, placez-le sur un des brûleurs
de la cuisinière. Pesez le chlorure de potassium et
ajoutez-le à l'eau de Javel. Faites bouillir jusqu'à ce
que l'hydromètre vous indique 1,3. Laissez refroidir
à température ambiante et filtrez les cristaux qui se
forment. Ce sont ces cristaux que vous conserverez.

C'est dur d'être celui qui attend. C'est vrai, il est
toujours question du héros qui fonce bille en tête
au combat, mais si vous y réfléchissez bien, il y
aurait aussi beaucoup à dire de celui qu'on laisse
derrière.

Je me trouve dans ce qui est sûrement le tribunal le
plus laid de toute la côte Est, attendant mon tour,
quand soudain mon biper se déclenche. Je regarde le
numéro qui s'affiche, grogne et essaie de décider quoi
faire. Je dois comparaître comme témoin tout à
l'heure, mais, dans l'immédiat, les pompiers ont
besoin de moi.

Il me faut argumenter un peu, mais j'obtiens du
juge l'autorisation de quitter les lieux. Je sors par la
porte principale, et je suis aussitôt assailli par les

micros, les caméras et les flashes. Je fais l'impossible pour ne pas répondre à coups de poing à ces vautours qui se disputent le cadavre de ma famille.

Ne trouvant pas Anna le matin de l'audience, je suis allé à la maison. J'ai cherché dans tous ses coins de prédilection – la cuisine, la chambre à coucher, le hamac à l'arrière de la maison –, mais elle n'était pas là. En dernier ressort, j'ai grimpé l'escalier du garage vers l'appartement qu'utilise Jesse.

Il n'était pas à la maison non plus, ce qui n'est plus guère de nature à me surprendre. Il fut un temps où Jesse me décevait régulièrement ; j'ai fini par me persuader de ne plus rien attendre de lui, et par conséquent il m'est devenu plus facile de prendre les choses comme elles viennent. J'ai frappé à la porte et appelé Anna, Jesse, mais personne n'a répondu. Bien que j'aie une clé de cet appartement sur moi, je me suis abstenu d'entrer. En tournant dans l'escalier, j'ai renversé sa poubelle destinée aux ordures recyclables, que je vide personnellement chaque jeudi, car il est incapable de se souvenir qu'il doit la sortir lui-même sur le trottoir. Une dizaine de bouteilles de bière, vert translucide, s'en échappent. Ainsi qu'une bouteille d'eau de Javel, un bocal d'olives, un emballage de deux litres de jus d'orange. Je remets le tout en place, à l'exception de ce dernier, que Jesse s'obstine à jeter toutes les semaines dans cette fichue poubelle, alors que je lui ai dit et répété que ce n'était pas recyclable.

La différence entre ces incendies et les autres est que maintenant les enjeux ont grimpé d'un cran. Au lieu d'un hangar désaffecté ou d'une cabane au bord de l'eau, c'est une école primaire. Comme nous sommes en été, personne n'était présent lorsque le feu s'est déclenché. Mais dans mon esprit, il ne fait aucun doute que les causes ne sont pas naturelles.

Quand j'arrive sur les lieux, les hommes finissent de remplir les citernes et de procéder au nettoyage et au réarmement des engins. Paulie vient aussitôt vers moi.

— Comment va Kate ?

— Ça va, dis-je avant de me tourner vers le désastre. Qu'est-ce que vous avez trouvé ?

— Il s'est débrouillé pour éventrer pratiquement toute la façade nord du bâtiment, dit Paulie. Vous allez faire votre tour d'inspection ?

— Ouais.

Le feu a pris dans la salle des professeurs ; les schémas de combustion indiquent comme une flèche le point de départ. Il reste un amas de rembourrage synthétique qui ne s'est pas totalement consumé, le pyromane ayant été assez malin pour allumer son feu au milieu d'un tas de coussins du canapé et de piles de papiers. Je sens l'odeur de l'accélérateur ; cette fois-ci il s'agit simplement d'essence. Des éclats de verre provenant du cocktail Molotov parsèment les cendres.

Je vais jusqu'à l'autre extrémité du bâtiment, je jette un coup d'œil par une fenêtre cassée. Les gars ont dû créer un exutoire par là.

— Vous croyez qu'on va le choper, ce petit salopard, capitaine ? demande Caesar en entrant dans la pièce.

Encore en tenue d'intervention, une traînée de suie sur la joue gauche, il contemple les débris par terre. Puis il se penche et, avec ses gros gants, ramasse un mégot.

— Incroyable. Le bureau de la secrétaire n'est plus qu'une flaque de métal fondu, mais une foutue clope résiste aux flammes.

Je le lui prends des mains et le fais rouler dans ma paume.

— C'est parce qu'il n'était pas là au moment du départ de feu. Quelqu'un a fumé une bonne cigarette en assistant au spectacle, avant de s'en aller.

Je retourne le mégot, à l'endroit où le jaune se confond avec le filtre, et je lis la marque. Paulie passe la tête par la vitre brisée pour appeler Caesar.

— On rentre. Remonte dans le camion.

Il se tourne vers moi.

— Au fait, juste pour information, ce n'est pas nous qui l'avons cassée.

— Je n'allais pas vous la faire payer, Paulie.

— Non, je veux dire que nous avons créé l'exutoire dans le toit. La vitre était déjà cassée quand nous sommes arrivés.

Caesar et lui partent, et quelques instants plus tard j'entends le vrombissement laborieux du camion qui démarre.

Ç'aurait pu être une balle de base-ball ou un Frisbee. Mais même en été, des gardiens surveillent les écoles publiques. Un carreau brisé présente trop de risques pour être laissé en l'état ; on l'aurait colmaté avec du carton et du ruban adhésif.

Sauf si le type qui a allumé l'incendie savait où provoquer une arrivée d'oxygène pour que les flammes se propagent à toute vitesse par l'appel d'air qu'il créait.

Je regarde le mégot dans ma main, et je serre le poing.

Il vous faut cinquante-six grammes des cristaux obtenus. Mélangez-les à de l'eau distillée. Portez à ébullition et laissez refroidir de nouveau, puis conservez les cristaux, du chlorure de potassium pur. Réduisez-les en une poudre fine, que vous chaufferez pour la sécher. Faites fondre cinq unités de vaseline avec cinq unités de cire. Dissolvez dans de l'essence et versez ce liquide dans un bol en plastique sur quatre-vingt-dix unités de chlorure de potassium. Malaxez. Laissez l'essence s'évaporer.

Façonnez un cube et trempez-le dans de la cire pour l'imperméabiliser. Cet explosif exige un détonateur de force A3, minimum.

Quand Jesse ouvre la porte de son appartement, je l'attends, assis sur le canapé.

— Qu'est-ce que tu fais ici ? demande-t-il.

— Qu'est-ce que *toi* tu fais ici ?

— Je vis ici, dit Jesse. Tu as oublié ?

— Ah bon ? Ou bien est-ce que tu utilises cet endroit pour te planquer ?

Il sort un paquet de cigarettes de sa poche de poitrine et en allume une. Des Merit.

— Putain, je ne sais même pas de quoi tu me parles. Pourquoi tu n'es pas au tribunal ?

— Comment se fait-il que tu gardes de l'acide chlorhydrique sous ton évier ? Nous n'avons pas de piscine, que je sache ?

— Non mais c'est quoi, ça ? L'Inquisition ? gronde-t-il. Je l'ai utilisé quand j'ai bossé avec les carreleurs, l'été dernier ; ça sert à nettoyer les coulures de mortier. Pour tout te dire, je ne savais même pas qu'il était encore là.

— Alors tu ne sais probablement pas, Jesse, que quand tu en mets dans une bouteille avec un chiffon entouré d'un morceau de papier d'alu enfoncé dans le goulot, ça explose sacrément bien.

Il se fige.

— Tu m'accuses de quelque chose ? Parce que si c'est le cas, tu n'as qu'à le dire, espèce de salaud.

Je me lève du canapé.

— D'accord. Je veux savoir si tu as fait des rainures dans les bouteilles avant d'y mettre les cocktails Molotov, pour qu'elles cassent plus facilement. Je veux savoir si tu t'es rendu compte à quel point ce SDF a été près de mourir quand tu as mis le feu au hangar, pour le plaisir.

Je me retourne pour attraper la bouteille de Javel vide dans la poubelle.

— Je veux savoir pourquoi je trouve ceci chez toi alors que tu ne fais jamais le ménage, et qu'à quelques kilomètres d'ici il y a une école primaire qui a été éventrée par un explosif fabriqué avec de l'eau de Javel et du liquide de freinage ?

Je le tiens par les épaules maintenant, et alors qu'il pourrait se dégager s'il essayait vraiment, il me laisse le secouer jusqu'à ce que sa tête parte brusquement en arrière.

— Bon sang, Jesse !

Il me regarde fixement, le visage inexpressif.

— Tu as bientôt fini ?

Je le lâche, et il recule, lèvres retroussées.

— Dis-moi que j'ai tort.

— Je vais te dire plus que ça ! hurle-t-il. Tu vois, je comprends parfaitement que tu aies passé ta vie à croire que tout ce qui allait de travers dans l'univers était de ma faute, mais cette fois, papa, je t'annonce que tu es complètement à côté de la plaque.

Lentement, je sors quelque chose de ma poche et je le lui fourre dans la main. Le mégot de Merit se niche dans le creux de sa paume.

— Dans ce cas, tu ne devrais pas laisser ta carte de visite.

Dans un incendie de bâtiment, il y a un moment où le feu prend une ampleur tellement incontrôlable que vous devez lui laisser de l'espace pour venir à bout de lui-même. Alors vous vous mettez à distance, en sécurité sur une colline à l'abri du vent, et vous regardez l'édifice se consumer.

La main de Jesse se relève, tremblante, et le mégot de cigarette roule à nos pieds. Jesse se couvre le visage, appuie les pouces sur les coins de ses yeux.

— Je ne pouvais pas la sauver.

Les mots s'arrachent à ses entrailles. Il courbe les épaules, il régresse, son corps redevient celui d'un garçon.

— Tu... tu l'as dit à qui ?

Il demande, je m'en rends compte, si la police est à ses trousses. Si j'ai mis Sara au courant.

Il demande à être puni.

Alors je fais ce qui, je le sais, va l'anéantir : je serre Jesse dans mes bras et je le laisse sangloter contre moi. Il me dépasse de quinze centimètres. Son dos est plus large que le mien. Je ne me rappelle pas l'avoir vu passer du petit garçon de cinq ans, incompatible génétiquement, à l'homme qu'il est maintenant, et je suppose que c'est précisément là le problème. Comment quelqu'un en arrive-t-il à penser que s'il ne peut pas secourir, il doit détruire ? Et est-ce lui qu'il faut incriminer, ou les parents qui auraient dû lui apprendre qu'il en était autrement ?

Je vais faire en sorte de mettre un terme immédiatement à la pyromanie de mon fils, mais je n'en informerai ni les flics ni le chef des pompiers. C'est peut-être du népotisme, ou peut-être de la bêtise. Peut-être est-ce parce que Jesse n'est pas si différent de moi, dans son choix du feu comme mode d'expression, dans son besoin de savoir qu'il pouvait provoquer au moins une chose incontrôlable.

Contre moi, la respiration de Jesse se fait plus régulière, comme du temps où il était tout petit, et que je le montais dans sa chambre après qu'il s'était endormi sur mes genoux. Il me bombardait de questions : « C'est quoi, une lance de soixante-cinq, une lance de trente ? Pourquoi tu laves les pompes ? Celui qui est responsable de la citerne, il pourra un jour conduire le camion ? » Je me rends compte que je ne me rappelle plus quand exactement cette habitude l'a quitté. Mais je me souviens de l'impression de manque, comme si le fait de perdre l'adoration d'un enfant envers un héros pouvait faire aussi mal qu'un membre amputé.

Campbell

Les médecins ont une habitude quand ils sont cités à comparaître : ils vous font savoir, à chaque syllabe de chaque mot, qu'aucun instant de leur témoignage ne compensera le fait que, pendant qu'ils étaient retenus sous la contrainte à la barre des témoins, des malades attendaient, des personnes mouraient. Franchement, ça me gonfle. Et d'emblée, je ne peux pas m'en empêcher, je demande une pause pour aller aux toilettes, je me penche pour refaire mes lacets, je réunis mes idées et j'entrecoupe mes phrases de silences lourds de sous-entendus – n'importe quoi pourvu que je retarde de quelques secondes encore le moment où ils pourront s'échapper.

Le Dr Chance ne fait pas exception à la règle. Dès le début, il est pressé de s'en aller. Il regarde sa montre si souvent que l'on croirait qu'il a un train à prendre. La différence cette fois est que Sara Fitzgerald est tout aussi pressée de le voir quitter la salle. Parce que le malade qui attend, la personne qui meurt, c'est Kate.

Mais, à côté de moi, la chaleur irradie du corps d'Anna. Je me lève, poursuis mon interrogatoire. Lentement.

— Docteur Chance, est-ce que les résultats des traitements exigeant des dons provenant du corps d'Anna étaient assurés ?

— En matière de cancer, rien n'est jamais assuré.

— Cela a-t-il été expliqué aux Fitzgerald ?

— Nous avons pris soin d'expliquer les risques de chaque intervention, car, dès lors que l'on entreprend un traitement, on compromet le fonctionnement de certains organes. Ce que nous faisons avec succès dans le cadre d'un traitement peut devenir notre pire cauchemar la fois d'après.

Il sourit à Sara.

— Cela étant dit, Kate est une jeune fille incroyable. Nous pensions qu'elle ne dépasserait pas l'âge de cinq ans, et voilà qu'elle en a seize.

— Grâce à sa sœur, fais-je remarquer.

Le Dr Chance hoche la tête.

— Rares sont les patients qui ont à la fois un organisme aussi résistant et la chance de disposer d'un donneur parfaitement compatible.

Je me lève, les mains dans les poches.

— Pouvez-vous raconter à la cour comment les Fitzgerald en sont venus à consulter l'équipe de généticiens de l'hôpital de Providence et à obtenir un diagnostic préimplantatoire pour donner naissance à Anna ?

— Lorsque les différents examens ont montré que leur fils ne pouvait pas être un donneur compatible avec Kate, j'ai parlé aux Fitzgerald d'une autre famille que j'avais suivie. Nous avions soumis tous ses membres à des analyses, sans succès, mais la mère est tombée enceinte, et cet enfant-là s'est révélé compatible à cent pour cent.

— Avez-vous demandé aux Fitzgerald de concevoir un enfant génétiquement programmé afin d'être un donneur compatible avec Kate ?

— Absolument pas, dit Chance, outré. Je leur ai juste expliqué que, même si leur enfant existant était incompatible avec sa sœur, cela ne signifiait pas qu'un enfant à venir le soit aussi.

— Avez-vous expliqué aux Fitzgerald que cet enfant, dont la compatibilité était génétiquement programmée, devrait se prêter à des traitements pour Kate toute sa vie durant ?

— À l'époque, il n'était question que d'un seul traitement nécessitant du sang de cordon, répond le médecin. Les dons suivants ont été envisagés quand le premier n'a pas donné les résultats escomptés. Et parce qu'ils étaient plus prometteurs.

— Alors si demain des scientifiques proposaient un nouveau traitement qui guérirait Kate de son cancer à condition que l'on coupe la tête d'Anna pour la donner à sa sœur, vous le recommanderiez ?

— Evidemment pas. Je ne recommanderais jamais un traitement qui mette en danger la vie d'un autre enfant.

— Pourtant, n'est-ce pas ce que vous faites depuis treize ans ?

Son visage se contracte.

— Aucun de ces traitements n'a laissé de séquelles importantes à long terme chez Anna.

Je sors un morceau de papier de ma serviette et je le tends au juge, puis au Dr Chance.

— Pouvez-vous lire la partie qui est indiquée ?

Il met ses lunettes et s'éclaircit la voix.

— J'ai pris connaissance des risques potentiels que l'anesthésie peut comporter. Entre autres : réactions antagoniques à des produits pharmaceutiques, maux de gorge, dommages aux dents et aux prothèses dentaires, lésions des cordes vocales, problèmes respiratoires, douleurs de faible intensité et inconfort, perte de facultés sensorielles, maux de tête, infections, réactions allergiques, état de conscience au cours d'une anesthésie générale, ictère, saignements, lésions nerveuses, thrombose, crise cardiaque, lésion cérébrale, et même perte des fonctions vitales, voire mort.

— Ce formulaire vous est-il familier, docteur ?

— Oui. C'est la décharge standard que doit signer le patient avant toute intervention chirurgicale.

— Pouvez-vous nous dire à quel patient ce formulaire était destiné ?

— À Anna Fitzgerald.

— Et qui a signé la décharge ?

— Sara Fitzgerald.

Je me balance sur les talons.

— Docteur Chance, l'anesthésie comporte des risques de lésions irréversibles, et peut même provoquer la mort. Ce sont là des effets secondaires à très long terme.

— C'est précisément pour cela que nous faisons signer une décharge. Pour nous protéger de gens comme vous, dit-il. Mais en réalité le risque est extrêmement réduit. Et le don de moelle est un acte assez simple.

— Pourquoi Anna a-t-elle subi une anesthésie générale pour un acte aussi simple ?

— C'est moins traumatisant pour les enfants, et il y a moins de risques qu'ils s'agitent.

— Après l'intervention, Anna a-t-elle eu mal ?

— Peut-être un peu, admet le médecin.

— Vous ne vous en souvenez pas ?

— Ça remonte à loin. Je suis sûr que même Anna ne se le rappelle plus maintenant.

— Vous croyez ?

Je me tourne vers Anna.

— Voudriez-vous que nous lui posions la question ?

Le juge DeSalvo croise les bras. Je continue tranquillement :

— À propos de risques, pouvez-vous nous parler des études qui ont été faites sur les effets à long terme des injections de facteur de croissance qu'Anna a subies déjà deux fois en vue de la collecte pour la greffe ?

— Théoriquement, il ne devrait pas exister de séquelles à long terme.

— Théoriquement. Pourquoi théoriquement ?

— Parce que la recherche a été pratiquée sur des animaux de laboratoire, reconnaît le Dr Chance. Les effets sur l'homme restent encore à déterminer.

— Voilà qui est rassurant.

Il hausse les épaules.

— Les médecins ont rarement l'habitude de prescrire des substances qui risquent de provoquer des catastrophes.

— Avez-vous jamais entendu parler de la thalidomide, docteur ?

— Évidemment. D'ailleurs, elle vient de refaire surface dans la recherche sur le cancer.

— Et un temps, elle fut déjà une découverte pharmacologique importante, lui fais-je remarquer. Aux effets catastrophiques. À ce propos... le don de rein... quels sont les risques liés à cette intervention ?

— Les mêmes que pour la plupart des interventions chirurgicales, répond le Dr Chance.

— Anna pourrait-elle mourir des suites d'une telle opération ?

— C'est hautement improbable, monsieur Alexander.

— Bon, alors supposons qu'Anna subisse cette intervention sans la moindre complication. Comment le fait de ne posséder qu'un seul rein affectera-t-il sa vie à l'avenir ?

— Il ne l'affectera en aucune façon, vraiment, dit le médecin. C'est tout l'avantage.

Je lui tends un prospectus qui provient du service de néphrologie de son propre hôpital.

— Voulez-vous nous lire le passage surligné ?

Il remet ses lunettes.

— Risques accrus d'hypertension. Complications possibles pendant la grossesse.

Le Dr Chance lève les yeux.

— Il est recommandé aux donneurs d'éviter les sports de contact, afin de ne pas risquer de porter atteinte au rein restant.

Je croise les doigts sur ma nuque.

— Saviez-vous qu'Anna fait du hockey pendant ses loisirs ?

Il se tourne vers elle.

— Je l'ignorais.

— Elle est gardien de but. Depuis des années.

Je laisse ces mots produire leur effet.

— Mais puisque ce don-là est hypothétique, concentrons-nous sur ceux qui ont déjà été effectués. Les injections de facteur de croissance, l'infusion de lymphocytes du donneur, les cellules souches, les dons de granulocytes, la moelle osseuse – cette myriade d'actes médicaux qu'Anna a subis –, diriez-vous, docteur, en votre qualité d'expert, que, sur le plan médical, Anna n'a pas souffert de manière significative du fait de ces interventions ?

— De manière significative ?

Il hésite.

— Non, elle n'en a pas souffert de manière significative.

— En a-t-elle retiré un bénéfice significatif ?

Le Dr Chance me regarde un long moment.

— Bien sûr, dit-il. Elle sauve sa sœur.

Anna et moi déjeunons au dernier étage du tribunal, quand Julia entre dans la pièce.

— C'est une réception privée ?

Anna lui fait signe, et Julia s'assied sans même me jeter un coup d'œil.

— Comment ça va ? demande-t-elle.

— Ça va, répond Anna. Je veux juste que ce soit terminé.

Julia ouvre un sachet de vinaigrette et le vide sur la salade qu'elle a apportée.

— Ça le sera avant même que tu t'en rendes compte.

En disant cela, elle me lance un bref regard.

Il n'en faut pas plus pour me rappeler l'odeur de sa peau, et cet endroit au-dessus du sein où elle a un grain de beauté en forme de croissant de lune.

Brusquement, Anna se lève.

— Je vais emmener Judge faire un tour.

— Pas question. Il y a encore des journalistes dehors.

— Alors je vais juste le promener dans le couloir.

— Non. Il ne doit être promené que par moi ; ça fait partie de son dressage.

— Bon, alors, je vais aller faire pipi, déclare Anna. J'ai encore le droit de le faire toute seule, non ?

Elle sort de la salle de réunion, nous plantant là, Julia et moi et tout ce qui n'aurait pas dû se produire mais qui s'est produit quand même.

— Elle nous a laissés seuls exprès.

Julia hoche la tête.

— C'est une gamine intelligente. Elle a une perception très juste des gens.

Elle pose sa fourchette en plastique.

— Ta voiture est pleine de poils de chien.

— Je sais. Je n'arrête pas de demander à Judge de se faire une queue-de-cheval, mais il refuse de m'écouter.

— Pourquoi ne m'as-tu pas réveillée ?

Je la regarde en souriant.

— Parce que nous étions ancrés dans une zone de non-veille.

Julia ne daigne même pas esquisser un sourire.

— La nuit dernière était-elle juste une plaisanterie pour toi, Campbell ?

Le vieil adage me vient à l'esprit : *Si vous voulez voir Dieu rire, faites un projet*. Et parce que je suis un lâche, j'attrape mon chien par le collier.

— Il faut que je le promène avant que l'audience reprenne.

La voix de Julia me suit jusqu'à la porte.

— Tu ne m'as pas répondu.

— Il vaut mieux pas, dis-je sans me retourner.

Ce qui m'évite de voir son visage.

Quand le juge DeSalvo ajourne la séance à quinze heures, en raison d'un rendez-vous chez l'ostéopathe, j'accompagne Anna dans le hall pour retrouver son père, mais Brian est parti. Sara le cherche des yeux, surprise.

— Peut-être qu'il a été appelé pour un incendie, dit-elle. Anna, je vais...

Mais je pose la main sur l'épaule d'Anna.

— Je vous dépose à la caserne.

Dans la voiture, elle reste silencieuse. Je me range sur le parking et laisse tourner le moteur.

— Écoutez, vous n'en avez peut-être pas conscience, mais ce premier jour s'est très bien passé.

— Si vous le dites.

Elle sort de la voiture sans ajouter un mot, et Judge se dépêche de prendre sa place sur le siège avant. Anna se dirige vers la caserne, mais vire brusquement à gauche. Je commence à faire marche arrière, puis, même si je sais que j'ai tort, je coupe le moteur. Laissant Judge dans la voiture, je suis Anna jusqu'à l'arrière du bâtiment.

Elle se tient comme une statue, le visage tourné vers le ciel. Qu'est-ce que je suis censé dire, ou faire ? Je n'ai jamais été père ; je suis à peine capable de m'assumer tout seul.

Finalement, c'est Anna qui parle la première.

— Avez-vous jamais fait quelque chose en sachant que c'était mal, tout en ayant l'impression que c'était bien ?

Je pense à Julia.

— Ouais.

— Parfois je me déteste, murmure Anna.

— Parfois, je me déteste aussi.

Cela la surprend. Elle me regarde, puis scrute de nouveau le ciel.

— Elles sont là. Les étoiles. Même quand vous ne pouvez pas les voir.

J'enfonce les mains dans mes poches.

— Autrefois, chaque nuit, je confiais un vœu à une étoile.

— Un vœu pour quoi ?

— Une image rare pour ma collection de vignettes de base-ball. Un labrador. Des femmes sexy comme profs.

— Papa m'a raconté que des astronomes ont découvert un nouvel endroit où naissent les étoiles. Sauf qu'il nous a fallu deux mille cinq cents ans pour les voir.

Elle se tourne vers moi.

— Vous vous entendez bien avec vos parents ?

J'envisage d'abord de lui mentir, puis je secoue la tête.

— Je pensais que je serais comme eux quand je grandirais, mais ce n'est pas le cas. Et de toute façon, à un moment ou à un autre, j'ai cessé de vouloir leur ressembler.

Le soleil balaie sa peau laiteuse, éclaire la ligne de sa gorge.

— Je comprends, dit Anna. Vous aussi, vous étiez invisible.

Mardi

Un feu léger est vite étouffé : si vous le laissez faire, des rivières ne sauraient l'éteindre.

WILLIAM SHAKESPEARE, *Henry VI*

Campbell

Brian Fitzgerald est à ma merci. Quand le juge aura compris qu'au moins un des parents d'Anna Fitzgerald appuie la décision d'Anna de ne plus être donneur pour sa sœur, obtenir son émancipation ne sera plus un très grand pas à franchir. Si Brian fait ce que j'attends de lui – en d'autres termes, s'il dit au juge DeSalvo qu'il reconnaît qu'Anna a des droits elle aussi, et qu'il est prêt à la soutenir –, alors toutes les recommandations du rapport de Julia seront discutables. Mieux encore, le témoignage d'Anna ne sera plus qu'une formalité.

Brian, accompagné d'Anna, se présente de bonne heure le lendemain matin, en uniforme. Je plaque un sourire sur mon visage et je me lève pour me diriger vers eux avec Judge.

— Bonjour. Tout le monde est prêt ?

Brian regarde Anna. Puis il me regarde. Une question lui brûle les lèvres, mais il semble faire tout son possible pour ne pas la poser.

— Hé, dis-je à Anna en cherchant une idée. Vous voulez me rendre un service ? Judge a besoin de se dégourdir un peu les pattes, sinon il ne va pas se tenir tranquille pendant l'audience.

— Hier vous m'avez dit que je ne devais pas le promener.

— Eh bien, aujourd'hui vous pouvez.

Anna secoue la tête.

— Je ne bouge pas d'ici. Dès que je serai partie, vous parlerez de moi.

Alors je me tourne de nouveau vers Brian.

— Est-ce que tout va bien ?

À cet instant, Sara Fitzgerald entre dans le bâtiment. Elle se dépêche d'aller vers la salle d'audience, mais, en voyant Brian avec moi, elle s'arrête. Puis elle se détourne lentement de son mari et poursuit son chemin.

Brian Fitzgerald suit sa femme des yeux, même une fois que les portes se sont refermées derrière elle.

— Ça va, dit-il.

Une réponse qui ne m'est pas destinée.

— Monsieur Fitzgerald, y a-t-il eu des moments où vous étiez en désaccord avec votre femme quant au fait de mettre Anna à contribution pour des traitements médicaux au profit de Kate ?

— Oui. Les médecins disaient que nous avions seulement besoin de sang de cordon pour Kate. Ils ne prendraient qu'une portion du cordon ombilical, qui est habituellement jeté après la naissance – rien qui pourrait manquer au bébé, et ça ne risquait certainement pas de lui faire mal.

Il croise le regard d'Anna, lui adresse un sourire.

— Et pendant un temps, ça a marché, et Kate est entrée en rémission. Mais en 1996, elle a rechuté. Les médecins voulaient qu'Anna donne des lymphocytes. Ça n'allait pas guérir Kate, mais ça stabiliserait son état pendant quelque temps.

— Vous et votre femme n'étiez pas en parfait accord sur ce traitement ?

— Je n'étais pas sûr que ce soit une très bonne idée. Cette fois, Anna était en mesure de comprendre ce qui se passait, et cela n'allait pas lui plaire.

— Qu'a dit votre femme pour vous amener à changer d'avis ?

— Que, de toute façon, si nous ne prélevions pas du sang à Anna, nous ne tarderions pas à avoir besoin de moelle.

— Et quelle a été votre réaction ?

Brian secoue la tête, visiblement mal à l'aise.

— Vous ne pouvez pas savoir ce que c'est, dit-il doucement, tant que votre enfant n'est pas en train de mourir. Vous vous surprenez à dire ou à faire des choses contre votre gré. Et vous pensez que vous avez le choix, et puis vous y regardez de près et vous vous apercevez que vous aviez tout faux.

Il lève les yeux vers Anna, qui se tient tellement immobile près de moi qu'elle me donne l'impression d'avoir cessé de respirer.

— Je ne voulais pas faire subir ça à Anna. Mais je ne pouvais pas perdre Kate.

— Avez-vous dû recourir à la moelle osseuse d'Anna, au bout du compte ?

— Oui.

— Monsieur Fitzgerald, en tant que secouriste diplômé, vous est-il jamais arrivé de pratiquer un acte médical sur quelqu'un qui ne présentait aucun problème de santé ?

— Bien sûr que non.

— Alors pourquoi, en tant que père d'Anna, avez-vous pensé que cette intervention invasive, qui comportait un risque mais aucun bénéfice pour sa santé, était dans l'intérêt supérieur d'Anna ?

— Parce que, répond Brian, je ne pouvais pas laisser mourir Kate.

— Avez-vous été en désaccord avec votre femme sur d'autres points qui concernaient l'utilisation du corps d'Anna pour soigner votre fille aînée ?

— Il y a quelques années, Kate était hospitalisée et... elle perdait tellement de sang que personne ne pensait qu'elle survivrait. J'ai pensé que le moment était peut-être venu de la laisser partir. Sara n'était pas de cet avis.

— Que s'est-il passé ?

— Les médecins lui ont donné de l'arsenic, et ça a marché. Kate a eu un an de rémission.

— Êtes-vous en train de nous dire qu'un traitement a permis de sauver Kate, sans qu'il soit nécessaire d'utiliser le corps d'Anna ?

De nouveau, Brian secoue la tête.

— Je dis... je dis que j'étais tellement sûr que Kate allait mourir...

Mais Sara, elle, n'a pas perdu espoir, et n'a pas renoncé à se battre. Il regarde sa femme.

— Et maintenant ce sont les reins de Kate qui lâchent. Je ne veux pas la voir souffrir. Mais en même temps, je ne veux pas commettre deux fois la même erreur. Je ne veux pas me dire que c'est terminé, alors que ça ne l'est pas nécessairement.

Brian est devenu une avalanche d'émotions, qui va droit vers la maison de verre que j'ai méticuleusement construite. Il faut que je le freine.

— Monsieur Fitzgerald, saviez-vous que votre fille allait intenter une action en justice contre vous et votre femme ?

— Non.

— Quand vous l'avez appris, en avez-vous parlé avec Anna ?

— Oui.

— À la lumière de cette conversation, monsieur Fitzgerald, qu'avez-vous fait ?

— J'ai déménagé avec Anna.

— Pourquoi ?

— Je pensais à ce moment-là qu'Anna avait le droit de réfléchir à sa décision, ce qu'il ne lui serait pas possible de faire si elle continuait à vivre dans notre maison.

— Après avoir déménagé avec Anna, après avoir discuté longuement avec elle des raisons pour lesquelles elle a entrepris cette procédure, êtes-vous d'accord avec la demande de votre femme de voir Anna continuer à être donneur au profit de Kate ?

La réponse que nous avons préparée est non ; c'est sur cela que repose ma plaidoirie. Brian se penche pour répondre :

— Oui, je le suis.

— Monsieur Fitzgerald, à votre avis...

Je m'arrête, ayant pris conscience de ce qu'il vient de faire.

— Qu'avez-vous dit ?

— Je persiste à souhaiter qu'Anna fasse don d'un rein, affirme Brian.

Dévisageant ce témoin qui vient de foutre en l'air ma stratégie, je tente de retrouver mes marques. Si Brian n'appuie pas la décision d'Anna de cesser d'être donneur, alors le juge va avoir du mal à se prononcer en faveur de l'émancipation.

En même temps, j'ai parfaitement entendu le son presque imperceptible qui s'est échappé d'Anna, cette cassure qui survient lorsqu'on se rend compte que ce qui ressemblait à un arc-en-ciel n'était qu'un effet de la lumière.

— Monsieur Fitzgerald, êtes-vous d'accord pour qu'Anna subisse une intervention chirurgicale majeure et la perte d'un organe au profit de Kate ?

C'est une chose curieuse que de voir un homme fort s'effondrer.

— Pouvez-vous m'indiquer la bonne réponse ? demande Brian, la voix rauque. Parce que je ne sais pas où la chercher. Je sais ce qui est bien. Je sais ce qui est juste. Mais ni l'un ni l'autre ne s'appliquent ici. Je peux passer du temps à y réfléchir, et je peux vous dire ce qu'il serait souhaitable de faire et ce qui doit être fait. Je peux même vous dire qu'il existe certainement une meilleure solution. Mais depuis treize ans que ça dure, monsieur Alexander, je ne l'ai pas encore trouvée.

Lentement, il se tasse, trop grand pour cet espace minuscule, et se penche jusqu'à ce que son front rencontre la fraîcheur du bois de la rambarde qui délimite la barre des témoins.

Le juge DeSalvo nous accorde une pause de dix minutes avant que Sara Fitzgerald ne commence son interrogatoire contradictoire, afin que le témoin ait un moment à lui. Anna et moi montons à l'étage au-dessus, où se trouvent les distributeurs automatiques dans lesquels vous pouvez dépenser un dollar pour un thé insipide et une soupe plus insipide encore. Elle est assise, les talons posés sur le barreau d'un tabouret, et quand je lui tends son gobelet de chocolat chaud, elle le pose sur la table sans le boire.

— Je n'ai jamais vu mon père pleurer, dit-elle. Maman, elle craque tout le temps à cause de Kate. Mais papa, s'il a craqué, il a dû s'assurer que c'était à un endroit où aucun de nous ne pouvait le voir.

— Anna...

— Vous croyez que c'est moi qui lui ai fait ça ? interroge-t-elle en se tournant vers moi. Vous pensez que je n'aurais jamais dû lui demander de venir ici aujourd'hui ?

— Le juge l'aurait appelé à témoigner même si vous ne l'aviez pas fait.

Je secoue la tête.

— Anna, vous allez devoir le faire vous-même.

Elle me regarde, méfiante.

— Faire quoi ?

— Témoigner.

Anna cligne des yeux.

— Vous plaisantez ?

— Je pensais que le juge se prononcerait en votre faveur s'il voyait que votre père était disposé à vous soutenir dans vos choix. Malheureusement, ce n'est pas le cas. Je n'ai aucune idée de ce que Julia va dire mais, même si cela plaide en votre faveur, il faudra convaincre le juge DeSalvo que vous êtes assez mûre pour prendre vos propres décisions, indépendamment de vos parents.

— Vous voulez dire que je vais devoir aller à la barre ? Comme un témoin ?

J'ai toujours su qu'à un moment ou à un autre Anna serait appelée à témoigner. Dans une affaire d'émancipation de mineure, il paraît logique qu'un juge veuille entendre celle-ci s'exprimer. Anna a beau se montrer nerveuse à l'idée de témoigner, je crois qu'inconsciemment c'est ce qu'elle souhaite faire. Autrement, pourquoi se donner tant de mal pour intenter une action en justice, si ce n'est pas pour avoir la certitude de pouvoir enfin dire ce qu'elle a sur le cœur ?

— Vous m'avez affirmé hier que je n'aurais pas à témoigner, dit Anna en commençant à s'agiter.

— Je me suis trompé.

— Je vous ai engagé pour que *vous* disiez à tout le monde ce que je veux.

— Ça ne marche pas comme ça. Vous avez entrepris cette procédure. Vous vouliez être une personne différente de celle que votre famille a faite de vous au cours de ces treize années. Et cela implique que vous ouvriez grand le rideau pour nous montrer qui est cette personne.

— La moitié des adultes sur cette planète n'ont pas la moindre idée de qui ils sont, mais ça ne les empêche pas de prendre leurs propres décisions tous les jours, argumente Anna.

— Ils n'ont pas treize ans. Ecoutez, je sais que, par le passé, élever la voix et exprimer vos sentiments ne vous a servi à rien. Mais cette fois, je vous le promets, quand vous parlerez, tout le monde vous écoutera.

Je pensais avoir abordé là le fond du problème, mais sa réaction est à l'inverse de ce que j'escomptais. Anna croise les bras.

— Il est hors de question que j'aille à la barre, déclare-t-elle.

— Anna, témoigner n'est pas si compliqué que ça.

— Bien sûr que c'est compliqué, Campbell. Il n'y a rien de plus compliqué. Et je n'ai pas l'intention de le faire.

— Si vous ne témoignez pas, nous perdons.

— Alors trouvez un autre moyen de gagner. C'est *vous* l'avocat.

Je ne vais pas me laisser avoir par ça. Je pianote sur la table pour ne pas perdre patience.

— Voulez-vous me dire pourquoi vous êtes tellement hostile à l'idée de témoigner ?

Elle lève les yeux.

— Non.

— Non, vous n'allez pas le faire ? Ou non, vous ne me direz pas ?

— Il y a juste certaines choses dont je n'aime pas parler.

Son visage se durcit.

— Je pensais que vous, au moins, vous seriez capable de comprendre ça.

Elle sait exactement sur quelles touches appuyer.

— La nuit porte conseil, lui dis-je d'un ton pincé.

— Je ne changerai pas d'avis.

Je me lève et je jette dans la poubelle mon gobelet encore plein de café.

— Eh bien, dans ce cas, ne vous attendez pas à ce que moi je puisse changer votre vie.

Sara

Aujourd'hui

Il se produit quelque chose de curieux avec le temps qui passe : la calcification du caractère. Vous voyez, lorsque la lumière tombe sur le visage de Brian selon un certain angle, je peux distinguer la nuance bleu pâle de ses yeux qui m'a toujours fait penser à un océan autour d'une île, une eau dans laquelle je n'ai pas encore nagé. Au-dessous des lignes qu'a dessinées son sourire, il y a sa fossette au menton – le premier trait que j'ai cherché sur le visage de mes enfants à leur naissance. Il y a sa détermination, sa force tranquille, et cette paix constante avec soi-même, dont j'ai toujours espéré qu'elle déteindrait un peu sur moi. Ce sont là les éléments de base qui m'ont fait tomber amoureuse de mon mari ; si aujourd'hui, par moments, je ne le reconnais plus, ce n'est peut-être pas un mal. Les changements ne vont pas toujours dans le mauvais sens ; la carapace qui se forme autour d'un grain de sable peut paraître une irritation à certains, une perle à d'autres.

Les yeux de Brian vont d'Anna, occupée à tripoter une croûte qu'elle a sur le pouce, à moi. Il me regarde comme une souris observe un faucon. Il y a là quelque chose qui m'est très douloureux ; est-ce vraiment ce qu'il pense de moi ?

Et les autres aussi ?

Comme je voudrais qu'il n'y ait pas de tribunal entre nous ! Comme je voudrais pouvoir m'approcher de lui ! Je lui dirais : « Écoute, ce n'est pas comme cela que j'envisageais le cours de notre vie, et peut-être que nous ne pourrons pas trouver d'issue à cette impasse. Mais il n'existe personne au monde avec qui je préférerais être perdue. »

Je lui dirais : « Écoute, peut-être que j'avais tort. »

— Madame Fitzgerald, demande le juge DeSalvo, avez-vous des questions à poser à ce témoin ?

C'est, je m'en rends compte, un terme qui convient bien à un conjoint. Que fait un mari ou une femme, sinon attester les erreurs de jugement que commet l'autre ?

Je me lève lentement de mon siège.

— Bonjour, Brian.

Ma voix est loin d'être aussi assurée que je l'aurais voulu.

— Sara, répond-il.

Après cet échange, je n'ai aucune idée de ce que je pourrais bien dire.

Un souvenir m'assaille. Nous voulions partir, mais n'arrivions pas à décider de l'endroit où aller. Alors nous avons pris la voiture, et toutes les demi-heures, nous demandions à tour de rôle à l'un des enfants de choisir une sortie sur l'autoroute, ou de nous demander de tourner à droite ou à gauche. Nous nous sommes retrouvés à Seal Cove, dans le Maine, et là nous nous sommes arrêtés, parce que les indications suivantes de Jesse nous auraient conduits droit dans l'Atlantique. Nous avons loué

481

une cabane sans chauffage, sans électricité, et nos trois enfants avaient peur du noir.

Je ne me rends pas compte que je parle à haute voix jusqu'à ce que Brian réponde.

— Je sais, dit-il. Nous avions allumé tellement de bougies à même le sol que j'étais persuadé que nous mettrions le feu à la baraque. Il a plu pendant cinq jours.

— Et le sixième jour, quand le temps s'est éclairci, il y avait tellement de taons que nous ne supportions pas de rester dehors.

— Et puis Jesse a été en contact avec de l'herbe à la puce, et ses paupières ont tellement enflé qu'il n'arrivait plus à ouvrir les yeux...

— Excusez-moi, interrompt Campbell.

— Accordé, dit le juge DeSalvo. Où voulez-vous en venir, maître ?

Nous ne voulions aller nulle part en particulier, et l'endroit où nous avons échoué était affreux, et pourtant je n'aurais pas échangé cette semaine pour tout l'or du monde. Quand vous ne savez pas où vous allez, vous découvrez des endroits que personne n'aurait l'idée d'explorer.

— Quand Kate n'était pas malade, dit Brian lentement et avec circonspection, nous avons vécu des moments formidables.

— Tu ne crois pas qu'ils manqueraient à Anna si Kate n'était plus là ?

Campbell bondit de son siège, comme je l'y attendais.

— Objection !

Le juge lève la main et fait un signe de tête à Brian pour qu'il réponde.

— Ils nous manqueront à tous, dit-il.

A cet instant, il se produit quelque chose de très étrange. C'est comme si Brian et moi, alors que nous étions opposés, nous nous étions brusquement retournés à la manière des aimants, et, au lieu de nous repousser l'un l'autre, nous semblons soudain être du même côté. Nous sommes jeunes et nous faisons l'amour ensemble pour la première fois ; nous sommes vieux et nous nous demandons comment nous avons pu parcourir cette distance énorme en si peu de temps. Nous regardons à la télévision les feux d'artifice d'une douzaine de nuits de Nouvel An, trois enfants endormis blottis entre nous dans notre lit, si serrés que je peux sentir la fierté de Brian alors que nous ne nous touchons même pas.

Tout à coup, peu importe qu'il ait déménagé avec Anna, qu'il ait remis en question certaines des décisions prises pour Kate. Il a fait ce qu'il estimait juste, tout comme moi, et je ne peux pas lui en tenir rigueur. La vie devient parfois si encombrée de détails que vous oubliez de la vivre. Il y a toujours un rendez-vous à ne pas manquer, une facture à payer, un nouveau symptôme qui se manifeste, une autre journée sans incidents à marquer d'un trait sur le mur. Nous avons synchronisé nos montres, étudié nos calendriers, existé minute par minute en oubliant complètement de prendre du recul et de considérer tout ce que nous avions accompli.

Si je perds Kate aujourd'hui, je l'aurai eue pendant seize ans, et personne ne me retirera cela. Et dans une éternité, quand il me sera difficile de retrouver l'image de son visage lorsqu'elle riait, ou la sensation de sa main dans la mienne, ou la tessiture parfaite de sa voix, Brian sera là pour moi et je pourrai lui dire : « Tu te souviens ? C'était comme ça. »

La voix du juge vient briser ma rêverie.

— Avez-vous terminé, madame Fitzgerald ?

Soumettre Brian à un contre-interrogatoire n'était pas nécessaire. J'ai toujours su quelles seraient ses réponses. Ce sont les questions que j'avais oubliées.

— Presque.

Je me tourne vers mon mari.

— Brian, quand rentres-tu à la maison ?

Dans les entrailles du bâtiment abritant le tribunal, il y a une rangée compacte de distributeurs automatiques dont aucun n'offre jamais ce que vous avez envie de manger. Dès que le juge décrète une pause, je m'aventure en bas et je contemple les paquets de cacahuètes, les chips et les biscuits salés, dans les ressorts métalliques qui les maintiennent prisonniers.

— Les Oreo, c'est ce qu'il y a de mieux, dit Brian derrière moi.

Je me retourne à temps pour le voir glisser soixante-quinze cents dans la fente.

— Simple. Classique.

Il appuie sur deux boutons et les gâteaux entament leur plongeon suicidaire jusqu'au bas de la machine. Il me conduit vers la table, balafrée et tachée par les gens qui ont gravé leurs initiales et leurs pensées intimes dans le bois du plateau.

— Je ne savais pas quoi te dire quand j'étais à la barre... Brian ? Crois-tu que nous ayons été de bons parents ?

Je pense à Jesse, dont j'ai cessé d'attendre quoi que ce soit depuis si longtemps. À Kate. À Anna.

— Je ne sais pas, répond Brian. Est-ce qu'il en existe ?

Il me passe le paquet d'Oreo. Quand j'ouvre la bouche pour dire que je n'ai pas faim, Brian y enfourne un gâteau. C'est crémeux et râpeux contre ma langue, et tout à coup je suis affamée. Brian essuie les miettes sur mes lèvres, comme si j'étais

484

en porcelaine. Je le laisse faire. Je me dis que je n'ai peut-être jamais rien goûté d'aussi doux.

Brian et Anna se sont réinstallés à la maison cette nuit. Nous la bordons tous deux, tous deux nous l'embrassons. Brian va prendre une douche. Un peu plus tard, j'irai à l'hôpital, mais pour l'instant je m'assieds sur le lit de Kate, en face d'Anna.

— Tu vas me faire la morale ? demande-t-elle.

— Pas comme tu le crois.

Je tripote le bord d'un des oreillers de Kate.

— Tu n'es pas quelqu'un de mauvais parce que tu as envie d'être toi-même.

— Je n'ai jamais...

Je lève une main.

— Ce que je veux dire, c'est que ces pensées sont humaines. Ce n'est pas parce que tu es différente de ce que tout le monde imaginait que tu as échoué en quoi que ce soit. Une fille que tout le monde embête dans une école peut devenir la plus appréciée dans un autre collège, simplement parce que personne n'attend d'elle qu'elle soit autrement. Ou quelqu'un fait des études de médecine sous prétexte qu'il vient d'une famille de médecins, alors que ce qu'il voudrait vraiment, c'est être un artiste.

J'inspire profondément et je secoue la tête.

— C'est clair, ce que je raconte ?

— Pas trop, non.

Cela me fait sourire.

— Je suppose que j'essaie de te dire que tu me fais penser à quelqu'un.

Anna se dresse sur un coude.

— À qui ?

— À moi.

Quand vous vivez en couple depuis tant d'années, l'autre devient comme une de ces cartes routières que vous gardez dans la boîte à gants, une carte cornée et usée aux pliures, qui indique un parcours que vous connaissez par cœur et que vous pouvez tracer de mémoire, et c'est précisément pour cette raison que vous ne voyagez jamais sans elle. Et pourtant, quand vous vous y attendez le moins, il surgit une bifurcation que vous ne connaissiez pas, un belvédère qui n'était pas là auparavant, et vous vous demandez si ce repère a toujours existé, si vous ne l'aviez jamais remarqué jusque-là.

Brian est allongé à côté de moi sur le lit. Il ne dit rien, se contente de poser la main sur mon cou. Puis il m'embrasse, longuement, un baiser doux-amer. Celui-là, je l'attendais, mais pas le suivant : il me mord la lèvre si fort que le goût du sang me remplit la bouche.

— Aïe !

J'essaie de rire un peu, de prendre ça à la légère. Mais lui ne rit pas ni ne s'excuse. Il se penche et lèche le sang sur mes lèvres.

Cela me fait sursauter intérieurement. C'est Brian, et ce n'est pas Brian, et dans les deux cas, c'est remarquable. Je passe la langue sur mon sang, cuivré et onctueux. Je m'ouvre comme une orchidée, fais de mon corps un berceau, et je sens le souffle de Brian courir sur mes seins. Il pose sa tête un moment sur mon ventre, et de même que la morsure était déroutante, il y a maintenant le souvenir aigu d'un geste intime – un rituel qu'il accomplissait chaque soir quand j'étais enceinte.

Puis il se remet en mouvement. Il se lève au-dessus de moi, un second soleil, et me comble de lumière et de chaleur. Nous formons une étude de contrastes – du dur au mou, du clair au foncé, du calme au frénétique –, et pourtant quelque chose dans la façon dont nous nous imbriquons nous fait prendre conscience que l'un ne serait jamais totalement entier sans l'autre. Nous sommes un ruban de Möbius, deux corps continus, un enchevêtrement impossible. Je murmure :

— Nous allons la perdre.

Et je ne sais même pas si je parle de Kate ou d'Anna. Brian m'embrasse.

— Arrête, dit-il.

Après quoi nous ne parlons plus. C'est plus sûr.

Mercredi

Mais de ces flammes,
Aucune lumière, plutôt l'obscurité visible.

JOHN MILTON, *Paradis perdu*

Julia

Izzy est assise dans le salon quand je reviens de mon jogging matinal.

— Ça va ? demande-t-elle.

— Ouais.

Je défais mes lacets, essuie la sueur sur mon front.

— Pourquoi ?

— Parce que les gens normaux ne vont pas courir à 4 h 30 du matin.

— Eh bien, moi, j'avais de l'énergie à dépenser.

Je vais dans la cuisine, mais la cafetière Braun que j'ai programmée pour avoir mon arabica prêt à cet instant précis n'a pas fait son boulot. Je vérifie la prise d'Eva et appuie sur quelques-uns de ses boutons, mais rien ne s'allume.

— Merde, dis-je en arrachant le cordon du mur. Elle n'est pas assez vieille pour être déjà cassée.

Izzy s'approche de moi et commence à tripoter la machine.

— Elle est sous garantie ?

— Je ne sais pas. Ça m'est égal. Tout ce que je sais, c'est que quand tu payes pour quelque chose qui est censé te faire une tasse de café, tu le mérites, ce putain de café.

Je repose la verseuse si brutalement qu'elle se brise dans l'évier. Puis je me laisse glisser par terre le long du meuble et je fonds en larmes.

Izzy s'agenouille à côté de moi.

— Qu'est-ce qu'il a fait ?

En sanglotant, je réponds :

— Exactement la même chose, Iz. Je suis tellement idiote.

Elle passe ses bras autour de moi.

— Huile bouillante ? suggère-t-elle. Botulisme ? Castration ? Choisis.

Ça me fait sourire un peu.

— Alors c'est toi qui le fais.

— Uniquement parce que je sais que tu ferais la même chose pour moi.

Je m'appuie contre l'épaule de ma sœur.

— Je croyais que la foudre ne frappait pas deux fois au même endroit.

— Bien sûr que si, me dit Izzy. Mais seulement si tu es assez bête pour ne pas bouger.

La première personne à m'accueillir le lendemain matin au tribunal n'est pas du tout une personne, mais Judge, le chien. Il arrive furtivement, les oreilles basses, fuyant sans aucun doute la voix furieuse de son maître.

— Salut, lui dis-je d'un ton caressant.

Mais Judge ne veut rien savoir. Il attrape le bas de ma veste de tailleur – c'est Campbell qui paiera le nettoyage à sec, je le jure – et commence à me tirer vers la mêlée.

J'entends Campbell avant même de le voir.

— J'ai gaspillé mon temps et mon énergie, et vous savez quoi ? ce n'est pas le pire. J'ai gaspillé ma perspicacité au sujet d'un client.

— Eh bien, vous n'êtes pas le seul à avoir fait une erreur de jugement, rétorque Anna. Je vous ai engagé parce que je pensais que vous aviez du caractère.

Elle passe devant moi en me bousculant.

— Connard, marmonne-t-elle tout bas.

À cet instant, je me rappelle comment je me suis sentie quand je me suis réveillée seule sur le bateau. Déçue. Perdue. En colère contre moi-même pour m'être mise dans cette situation.

Pourquoi diable n'ai-je pas été en colère contre Campbell ?

Judge saute sur Campbell, lui griffe la poitrine avec ses pattes.

— Couché ! ordonne celui-ci.

Puis il se tourne et me voit.

— Tu n'étais pas censée entendre tout ça.

— Je m'en doute.

Il s'assied lourdement sur une chaise d'appoint dans la salle de conférences et se passe la main sur le visage.

— Elle refuse de témoigner.

— Enfin, bon sang, Campbell ! Elle n'arrive pas à s'opposer à sa mère dans son propre salon, alors à plus forte raison dans un contre-interrogatoire. À quoi t'attendais-tu ?

Il me transperce du regard.

— Qu'est-ce que tu vas dire à DeSalvo ?

— Tu me poses la question à cause d'Anna ou parce que tu as peur de perdre ce procès ?

— Merci, j'ai renoncé à ma conscience pour le carême.

— Tu ne vas pas te demander pourquoi une gamine de treize ans te tape à ce point sur les nerfs ?

Il fait une grimace.

— Pourquoi tu ne fonces pas carrément, Julia, pour gâcher mon procès comme tu en avais l'intention au départ ?

— Ce n'est pas ton procès, c'est celui d'Anna. Encore que j'imagine bien pourquoi tu es convaincu du contraire.

— On peut savoir ce que ça veut dire ?

— Vous êtes des lâches. Vous voulez à tout prix vous fuir vous-mêmes. Je sais de quelles conséquences Anna a peur. Mais toi ?

— Je ne sais pas de quoi tu parles.

— Non ? Où est le mot d'esprit ? Ou est-il trop dur de plaisanter de quelque chose qui te touche de si près ? Tu te dérobes chaque fois que quelqu'un te devient trop proche. Tout va bien tant qu'Anna n'est qu'une cliente, mais dès que tu commences à t'attacher à elle, tu es mal. Quant à moi, me sauter à la va-vite, ça te convient, mais de là à t'investir émotionnellement, pas question. Ta seule relation affective est avec ton chien, et même ça, tu en fais un secret d'Etat.

— Tu es complètement à côté de la plaque, Julia...

— Non, en fait je suis probablement la seule personne qui puisse te dire exactement quel connard tu es. Mais c'est aussi bien, non ? Parce que si tout le monde sait que tu es un connard, personne n'aura envie de te fréquenter de trop près.

Je le dévisage encore un instant.

— C'est agaçant de penser que quelqu'un peut te percer à jour, n'est-ce pas, Campbell ?

Il se lève, le visage de marbre.

— J'ai une affaire à plaider.

— Alors fais-le. Assure-toi simplement de bien dissocier la justice de la cliente qui la réclame.

Autrement, tu risquerais de découvrir que tu as un cœur en état de marche.

Je le plante là avant de me ridiculiser encore un peu plus, mais j'entends sa voix qui m'interpelle.

— Julia. Ce n'est pas vrai.

Je ferme les yeux et, tout en sachant que c'est une erreur, je me retourne.

Il hésite.

— Le chien. Je...

Mais l'aveu qu'il s'apprête à faire est interrompu par l'apparition de Vern dans l'encadrement de la porte.

— Le juge DeSalvo est sur le sentier de la guerre, déclare-t-il. Vous êtes en retard, et les distributeurs automatiques sont en rupture de café au lait.

Campbell et moi échangeons un regard. J'attends qu'il poursuive sa phrase.

— Tu es mon prochain témoin, dit-il d'un ton posé.

Le moment est passé avant même de m'avoir laissé le temps de m'en souvenir.

Campbell

Il me devient de plus en plus difficile d'être un salaud.

Quand je regagne la salle d'audience, j'ai les mains qui tremblent. Bien sûr, c'est en partie toujours cette vieille histoire. Mais c'est également dû au fait que ma cliente est à peu près aussi réceptive qu'un bloc de pierre, et que la femme dont je suis fou est justement celle que je vais appeler à la barre dans un instant. Je jette un coup d'œil à Julia au moment où le juge entre ; elle détourne ostensiblement le regard.

Mon stylo tombe en roulant de la table.

— Anna, s'il vous plaît, voulez-vous me le ramasser ?

— Je ne sais pas. Ce serait un gaspillage de temps et d'énergie, non ? dit-elle.

Le stylo reste par terre.

— Êtes-vous prêt à entendre votre prochain témoin, monsieur Alexander ? demande le juge DeSalvo.

Mais, avant que je puisse prononcer le nom de Julia, Sara Fitzgerald demande la permission de venir à la barre.

Je me prépare à une nouvelle complication et, comme il fallait s'y attendre, l'avocate de la partie adverse ne me déçoit pas.

— La psychiatre que j'ai citée à témoigner a un rendez-vous à l'hôpital cet après-midi. La cour verrait-elle un inconvénient à ce que nous entendions son témoignage sans respecter l'ordre prévu ?

— Maître Alexander ?

Je hausse les épaules. Pour moi, tout bien considéré, il s'agit d'un simple sursis. Alors je m'assieds à côté d'Anna et je regarde une petite femme brune, au chignon dix fois trop serré pour son visage, prendre place à la barre.

— Veuillez indiquer vos nom et adresse, commence Sara.

— Docteur Beata Neaux, dit la psychiatre. 1250 Orrick Way, à Woonsocker.

Dr No. Je regarde autour de moi, mais apparemment je suis le seul fan de James Bond dans la salle. Je sors un bloc et j'écris un mot à Anna. *Si elle épousait le Dr Chance, elle serait Dr Neaux-Chance.*

Un sourire s'ébauche au coin de la bouche d'Anna. Elle ramasse le stylo qui était tombé par terre et écrit à son tour : *Si elle divorce et se remarie avec M. Mansland, elle deviendra Dr Neaux-Mansland.*

Nous nous mettons tous deux à rire. Le juge DeSalvo toussote et nous regarde.

— Pardon, Votre Honneur.

Anna me passe un autre billet. *Je suis toujours furieuse contre vous.*

Sara se dirige vers son témoin.

— Pouvez-vous nous dire, docteur, quelle est votre spécialité ?

— Je suis pédopsychiatre.

— À quelle occasion avez-vous rencontré mes enfants ?

La psychiatre jette un regard à Anna.

— Il y a sept ans environ, vous êtes venue me voir avec votre fils Jesse, qui présentait des troubles du comportement. Depuis, j'ai rencontré tous vos enfants, en diverses circonstances, pour discuter de différents problèmes chaque fois que la situation l'exigeait.

— Docteur, je vous ai appelée la semaine dernière et je vous ai demandé de préparer un rapport qui donne votre avis d'expert sur les dommages psychologiques qu'Anna pourrait subir si sa sœur mourait.

— Oui. D'ailleurs, j'ai fait quelques recherches. J'ai relevé un cas similaire dans le Maryland, une enfant qui a été sollicitée pour faire un don d'organe à sa sœur jumelle. Les psychiatres qui ont examiné les jumelles ont trouvé qu'il y avait une telle identification entre elles que, si l'intervention apportait les résultats escomptés, le bénéfice pour le donneur serait considérable.

Elle regarde Anna.

— À mon avis, nous avons affaire ici à un certain nombre de similitudes. Anna et Kate sont très proches l'une de l'autre, et pas seulement génétiquement. Elles partagent leurs loisirs. Elles ont littéralement passé toute leur vie ensemble. Si Anna donne un rein qui sauvera la vie de sa sœur, ce sera un cadeau immense – et pas simplement pour Kate. Parce qu'Anna elle-même continuera à s'inscrire dans la famille intacte par rapport à laquelle elle se définit, plutôt que dans une famille qui aura perdu l'un de ses membres.

Ces propos sont un tel ramassis de conneries pseudo-psys que j'arrive à peine à y faire un tri, mais, à mon grand dam, le juge semble y adhérer très sincèrement. Julia aussi, la tête penchée et les sourcils légèrement froncés. Suis-je la seule personne dans ce prétoire à être doté d'un cerveau en état de marche ?

— Qui plus est, poursuit le Dr Neaux, plusieurs études montrent que les enfants qui sont donneurs possèdent une plus grande estime de soi et se sentent plus importants au sein de la structure familiale. Ils se considèrent comme des super-héros, parce qu'ils sont capables d'accomplir un acte qui n'est à la portée de personne d'autre.

Rien ne s'applique moins à la personnalité d'Anna Fitzgerald que cette description.

— Pensez-vous qu'Anna soit en mesure de prendre elle-même les décisions d'ordre médical qui la concernent ? demande Sara.

— Absolument pas.

Grosse surprise.

— Quelque décision qu'elle prenne, elle affectera la famille tout entière, dit le Dr Neaux. Elle aura cela présent à l'esprit, et de ce fait sa décision ne sera jamais véritablement indépendante. En outre, elle n'a que treize ans. À ce stade de son développement, son cerveau n'a pas encore atteint la maturité nécessaire pour lui permettre d'avoir une vision à long terme, de sorte que toute décision sera prise en fonction du futur proche.

— Docteur Neaux, interrompt le juge, que recommanderiez-vous dans ce cas ?

— Anna a besoin d'être guidée par quelqu'un qui ait une plus grande expérience de la vie... quelqu'un qui ait à cœur de veiller à son intérêt supérieur. Je suis heureuse de travailler avec cette famille, mais les parents doivent être des parents – parce que ce n'est pas le rôle des enfants.

Quand Sara me confie le témoin, je suis prêt à lui donner l'estocade.

— Vous voulez nous persuader qu'en faisant don d'un rein à sa sœur, Anna jouira de tous ces extraordinaires bénéfices sur le plan psychologique.

— C'est exact, dit le Dr Neaux.

— Alors, en toute logique, si elle fait don de ce même rein et si sa sœur meurt des suites de l'opération, Anna ne subira-t-elle pas un traumatisme considérable sur le plan psychologique ?

— Je suis sûre que ses parents trouveront les arguments pour l'aider à le surmonter.

— Que pensez-vous du fait qu'Anna affirme ne plus vouloir être donneur ? N'est-ce pas important ?

— Absolument. Mais, comme je l'ai dit, Anna est dans un état d'esprit qui ne lui permet pas de voir plus loin que les conséquences à court terme. Elle ne comprend pas le véritable enjeu de cette décision.

— Qui ne comprend pas ? Madame Fitzgerald n'a plus treize ans, mais il n'empêche qu'elle vit au jour le jour en ce qui concerne la santé de Kate, n'est-ce pas ?

De mauvaise grâce, la psychiatre hoche la tête. Je poursuis :

— On pourrait dire qu'elle se définit comme étant une bonne mère en fonction de sa capacité à assurer la santé de Kate. En fait, si son action permet à Kate de rester en vie, elle en bénéficie elle-même sur le plan psychologique.

— Évidemment.

— Mme Fitzgerald est beaucoup plus heureuse dans une famille qui inclut Kate. Les choix qu'elle fait dans sa vie ne sont donc pas indépendants, ils sont conditionnés par l'état de santé de Kate.

— Probablement.

— Donc, si je suis votre raisonnement, n'est-il pas vrai que Sara Fitzgerald présente en tous points, par ses réactions et son comportement, le profil d'un donneur pour Kate ?

— Enfin...

— Si ce n'est qu'elle ne donne ni sa propre moelle ni son propre sang, mais ceux d'Anna.

— Maître Alexander... avertit le juge.

— Et si la personnalité de Sara correspond si parfaitement au profil psychologique du donneur familial qui est incapable de prendre des décisions en toute indépendance, alors en quoi Sara serait-elle plus apte qu'Anna à faire ce choix ?

Du coin de l'œil, j'aperçois le visage choqué de Sara. J'entends le juge frapper un coup de marteau avant que j'ajoute :

— Vous avez raison, docteur Neaux : les parents doivent être des parents. Mais, parfois, cela ne suffit pas.

Julia

Le juge DeSalvo suspend la séance pour dix minutes. Je pose mon sac à dos – en tissu guatémaltèque – par terre et commence à me laver les mains quand la porte des toilettes s'ouvre. Anna sort, hésitant juste un instant. Puis elle fait couler l'eau du robinet à côté de moi.

— Salut.

Sans me répondre, elle va se sécher les mains sous le séchoir. Il ne souffle pas d'air, ne détectant pas le senseur de sa paume. Elle agite de nouveau les doigts sous la machine, puis les regarde fixement, comme pour s'assurer qu'elle n'est pas invisible. Elle frappe sur le métal.

Quand je tends le bras et que je passe la main sous le séchoir, l'air chaud me souffle dans la paume. Nous partageons cette petite onde de chaleur, deux sans-abri autour d'un brasero.

— Campbell me dit que tu ne veux pas témoigner.

— Je n'ai pas envie d'en parler, dit Anna.

— Tu sais, parfois on obtient ce qu'on désire le plus en faisant ce qu'on veut le moins.

Elle s'appuie contre le mur des toilettes et croise les bras.

— Vous vous prenez pour Confucius ?

502

Sur ce, elle se détourne puis se baisse pour ramasser mon sac.

— J'aime bien. Toutes ces couleurs.

Je le prends et le mets sur mon épaule.

— J'ai vu de vieilles femmes les tisser, quand j'étais en Amérique du Sud. Il faut vingt bobines de fil pour réaliser ce motif.

— Pareil pour la vérité, dit Anna.

Tout au moins c'est ce que je crois entendre, mais elle a déjà quitté la pièce.

J'observe les mains de Campbell. Elles s'agitent beaucoup quand il parle, il semble presque s'en servir pour ponctuer ses propos. Mais elles tremblent un peu, aussi, et j'attribue cela au fait qu'il ne sait pas ce que je vais dire.

— En qualité de tuteur ad hoc, demande-t-il, quelles sont vos recommandations dans cette affaire ?

Je prends une profonde inspiration et je regarde Anna.

— Je vois ici une jeune fille qui toute sa vie s'est senti une énorme responsabilité dans le bien-être de sa sœur. De fait, elle sait qu'elle a été mise au monde pour assumer cette responsabilité.

Je jette un coup d'œil en direction de Sara, qui est assise à sa table.

— Je crois que les parents d'Anna, quand ils l'ont conçue, étaient animés par les meilleures intentions. Ils voulaient sauver leur fille aînée ; ils pensaient qu'Anna serait un bon complément à la famille – pas simplement en raison de ce qu'elle pourrait apporter au plan génétique, mais également parce qu'ils voulaient l'aimer et la voir s'épanouir.

Puis je me tourne vers Campbell.

— Je comprends tout à fait comment, dans cette famille, il est devenu crucial de faire tout ce qui était humainement possible pour sauver Kate. Quand vous aimez une personne, vous feriez n'importe quoi pour la garder auprès de vous.

Quand j'étais petite, je me réveillais au milieu de la nuit avec le souvenir de mes rêves les plus fous : je volais ; j'étais enfermée dans une chocolaterie ; j'étais reine d'une île des Caraïbes. Je me réveillais avec l'odeur de la frangipane dans mes cheveux ou des nuages accrochés à l'ourlet de ma chemise de nuit, avant de prendre conscience que j'étais ailleurs. Et malgré tous mes efforts, même si je me rendormais, je ne parvenais jamais à renouer les fils du rêve que je faisais alors.

Pendant la nuit que Campbell et moi avons passée ensemble, je me suis réveillée dans ses bras, alors qu'il dormait encore. J'ai suivi du doigt la géographie de son visage : de la falaise de ses pommettes au vortex de son oreille, jusqu'aux ravines dessinées par le rire au coin de sa bouche. Puis j'ai fermé les yeux, et pour la première fois de ma vie j'ai replongé dans mon rêve, à l'endroit même où je l'avais laissé.

— Malheureusement, dis-je à la cour, il y a aussi un moment où il faut prendre du recul et admettre qu'il est temps d'abandonner la lutte.

Après avoir été larguée par Campbell, je ne me suis pas levée de mon lit pendant un mois, sauf quand on m'obligeait à assister à la messe ou à m'asseoir à table pour dîner. J'ai cessé de me laver les cheveux. J'avais les yeux cernés. À première vue, Izzy et moi paraissions totalement différentes.

Le jour où j'ai trouvé le courage de sortir de mon lit de ma propre initiative, je suis allée à Wheeler et j'ai erré autour du hangar à bateaux en prenant soin de me cacher jusqu'à ce que je voie un garçon de l'équipe de voile – un étudiant de la session d'été – sortir l'un des voiliers de l'école. Il avait les cheveux blonds, alors que ceux de Campbell sont noirs. Il était trapu, et pas grand et mince. J'ai fait semblant de chercher quelqu'un pour me déposer chez moi.

Une heure plus tard, nous baisions sur la banquette arrière de sa Honda.

Je l'ai fait parce que c'était quelqu'un d'autre, pour ne plus garder l'odeur de Campbell sur ma peau et son goût dans ma bouche. Je l'ai fait parce que j'éprouvais un tel vide à l'intérieur de moi que j'avais peur de flotter dans l'atmosphère comme un ballon gonflé à l'hélium, qui s'envole si haut que l'on ne peut même plus distinguer la plus petite tache de couleur.

J'ai entendu ce garçon, dont je ne me suis même pas donné la peine de retenir le nom, grogner et haleter sur moi ; j'étais tellement vide, et tellement éloignée. Et soudain j'ai su ce que devenaient tous ces ballons perdus : c'étaient les amours qui nous échappaient des mains, les yeux inexpressifs qui se levaient chaque nuit dans le ciel.

— Lorsque cette mission m'a été confiée, il y a deux semaines, dis-je au juge, et que j'ai commencé à étudier la dynamique de cette famille, il m'a semblé que l'émancipation en matière de décisions d'ordre médical était recommandée dans l'intérêt supérieur d'Anna. Mais ensuite je me suis rendu compte que je commettais la même erreur que les autres membres de cette famille, à savoir émettre des jugements fondés sur les seuls effets physiologiques, plutôt que psychologiques. Il est facile de décider ce qui est le mieux pour Anna d'un point de vue médical. En résumé, il n'est pas dans l'intérêt d'Anna de faire des dons d'organes et de sang qui n'apportent aucun bénéfice à sa propre santé mais qui prolongent la vie de sa sœur.

Je vois les yeux de Campbell s'allumer ; cette prise de position le surprend.

— Il est beaucoup plus difficile, cependant, de proposer une solution, car, même s'il n'est pas dans l'intérêt d'Anna d'être donneur au profit de sa sœur, sa propre famille est incapable de faire des choix éclairés à cet égard. Si l'on compare la maladie de Kate à un train devenu incontrôlable, tout le monde réagit à la crise au coup par coup, sans chercher le meilleur moyen de conduire la locomotive jusqu'à la gare. Et pour garder la même métaphore, la pression de ses parents agit comme un aiguillage – Anna n'est pas assez forte mentalement ni physiquement pour prendre ses décisions en toute indépendance, sachant ce que ses parents souhaitent.

Le chien de Campbell se lève et se met à geindre. Distraite par le bruit, je me tourne dans sa direction. Campbell repousse le museau de Judge, sans me quitter des yeux un instant.

— Je ne vois personne dans la famille Fitzgerald qui puisse prendre des décisions objectives en ce qui concerne la santé d'Anna. Pas plus ses parents qu'Anna elle-même.

Le juge DeSalvo me regarde en fronçant les sourcils.

— Alors, mademoiselle Romano, quelle recommandation faites-vous à cette cour ?

Campbell

Elle ne va pas opposer son veto à cette requête.

Voilà la première pensée incroyable qui me traverse l'esprit : ma plaidoirie n'est pas encore tombée en flammes, même après le témoignage de Julia. Ma seconde pensée est que Julia est aussi déchirée par cette affaire et ses conséquences pour Anna que je le suis moi-même, à la différence qu'elle a exposé ses doutes à la vue de tous.

Judge choisit ce moment pour commencer à m'emmerder sérieusement. Il plante ses crocs dans ma veste et se met à tirer, mais plutôt crever que demander une interruption de séance avant que Julia ait fini de parler.

— Mademoiselle Romano, demande DeSalvo, quelle recommandation faites-vous à cette cour ?

— Je ne sais pas, dit-elle doucement. Je suis désolée. Depuis que j'exerce les fonctions de tuteur ad hoc, c'est la première fois que je suis incapable de parvenir à une recommandation, et je sais que c'est inacceptable. Mais, d'une part, j'ai Brian et Sara Fitzgerald, qui, tout au long de la vie de leurs deux filles, ont fait des choix dictés par l'amour. Vus sous cet angle, ces choix ne peuvent certainement pas paraître mauvais, même s'ils ne sont plus ceux qui conviennent à l'une comme à l'autre de leurs filles.

Elle se tourne vers Anna, que je sens à côté de moi se redresser un peu sur son siège.

— D'autre part, j'ai Anna, qui, au bout de treize ans, veut défendre ses droits, même si cela implique sans doute de perdre la sœur qu'elle aime.

Julia secoue la tête.

— C'est un jugement de Salomon, Votre Honneur. Si ce n'est que vous ne me demandez pas de partager un enfant en deux. Vous me demandez de diviser une famille.

Quand je sens une traction sur mon autre bras, je commence par envoyer une tape au chien pour qu'il me lâche, mais je réalise que cette fois c'est Anna.

— D'accord, murmure-t-elle.

Le juge DeSalvo prie Julia de regagner sa place.

Je réponds à Anna en chuchotant moi aussi :

— D'accord pour quoi ?

— D'accord pour témoigner, dit Anna.

Je la dévisage avec stupeur. Maintenant, Judge geint et donne des coups de museau contre ma cuisse, mais je ne veux pas prendre le risque de demander une pause.

— Vous êtes sûre ?

Mais elle ne répond pas. Elle se lève, captant l'attention de toute la cour, et inspire profondément.

— Monsieur le juge ? J'ai quelque chose à dire.

Anna

Laissez-moi vous raconter la première fois que j'ai eu un exposé à faire en classe : c'était ma troisième année d'école primaire, et je devais parler du kangourou. Ils sont assez intéressants, vous savez. Parce que, d'abord, ils n'existent qu'en Australie, comme une sorte de souche mutante du processus d'évolution – ils ont les yeux des biches et les pattes inutiles du tyrannosaure. Mais ce qu'ils ont de plus fascinant, c'est bien sûr leur poche. Le bébé, quand il naît, est de la taille d'un microbe, et il se débrouille pour se faufiler sous le rabat et s'installer confortablement à l'intérieur, tandis que sa mère continue à gambader en toute inconscience dans la prairie. Et cette poche n'est pas du tout comme on la montre dans les dessins animés : elle est rose et plissée comme l'intérieur de votre lèvre, et équipée de toute une tuyauterie maternante. Je parie que vous pensiez que les kangourous ne peuvent porter qu'un seul petit à la fois. Il arrive pourtant qu'un frère ou une sœur en miniature, minuscule et gélifié, reste collé au fond pendant que son aîné gratouille partout avec ses énormes pieds et prend ses aises.

Comme vous pouvez le constater, je connaissais mon sujet. Mon tour allait venir, mais au moment où Stephen Scarpinio a montré sa reproduction d'un lémurien en papier mâché, j'ai su que j'allais être malade. Je suis allée voir Mme Cuthbert, et je lui ai dit que si je restais pour faire mon exposé, personne n'allait être content.

— Anna, dit-elle, si tu te dis que ça va aller, tout ira bien.

Alors, quand Stephen a terminé, je me suis levée. J'ai pris une profonde inspiration.

— Les kangourous sont des marsupiaux qui ne vivent qu'en Australie.

Et j'ai terminé ma phrase en vomissant d'un jet sur quatre enfants qui avaient la malchance de se trouver au premier rang.

Pendant tout le reste de l'année, on n'a pas arrêté de m'appeler la Gerbe et de me demander si j'avais bien *rendu* mon travail. Parfois, quand un gamin prenait l'avion, je retrouvais dans mon casier un sac à vomi épinglé sur le devant de mon pull, façon poche marsupiale. J'ai été la honte de l'école jusqu'au jour où Darren Hong, en essayant d'attraper le drapeau à la gym, a arraché par accident la jupe d'Oriana Bertheim.

Je vous raconte ça pour vous expliquer l'aversion que j'éprouve en général à parler en public.

Et maintenant, à la barre des témoins, j'ai encore plus de raisons de m'inquiéter. Je ne suis pas nerveuse, comme Campbell le croit. Je n'ai pas peur, non plus, d'être dans l'impossibilité de sortir un mot. J'ai peur d'en dire trop.

Je regarde la salle d'audience et je vois ma mère, assise à sa table d'avocat, et mon père, qui me sourit juste un tout petit peu. Et soudain, je n'arrive pas à croire que j'aie jamais pu me sentir capable de le faire. Je suis tout au bord de mon siège, sur le point de m'excuser de leur avoir fait perdre leur temps, puis de me sauver en courant. C'est alors que je remarque que Campbell a une tête épouvantable. Il transpire, et ses pupilles sont si dilatées qu'elles sont de la taille de pièces de vingt-cinq cents.

— Anna, demande Campbell, voulez-vous un verre d'eau ?

Je le regarde et je pense : Et *vous* ?

Je veux rentrer à la maison. Je veux m'enfuir quelque part où personne ne connaît mon nom et faire semblant d'être la fille adoptive d'un millionnaire, l'héritière d'un empire de la cosmétique, une pop-star japonaise.

Campbell se tourne vers le juge.

— Puis-je dire quelques mots à ma cliente ?

— Je vous en prie, répond le juge DeSalvo.

Alors Campbell me rejoint à la barre des témoins et s'approche si près de moi que je suis la seule à pouvoir l'entendre.

— Quand j'étais petit, j'avais un copain qui s'appelait Joseph Burnes, chuchote-t-il. Vous imaginez, si le docteur Neaux l'avait épousé ?

Il s'éloigne pendant que je souris encore et que je me dis que peut-être, seulement peut-être, je pourrais tenir deux ou trois minutes de plus.

Le chien de Campbell devient dingue – apparemment, c'est lui qui a besoin d'eau. Et je ne suis pas la seule à le remarquer.

— Maître Alexander, dit le juge, veuillez maîtriser votre animal.

— Non, Judge.

— Comment dites-vous ?

Campbell devient rouge tomate.

— Je parlais à mon chien, Votre Honneur, comme vous me l'avez demandé.

Puis il se tourne vers moi.

— Anna, pourquoi vouliez-vous déposer cette requête ?

Un mensonge, vous le savez certainement, a un goût qui lui est propre. Pâteux et amer et jamais vraiment satisfaisant, comme lorsque vous vous mettez un chocolat dans la bouche en pensant qu'il est fourré au praliné et qu'au lieu de ça il est au zeste de citron.

— Elle m'a demandé.

Et ce sont là les tout premiers mots de ce qui va devenir une avalanche.

— Qui vous a demandé quoi ?

— Ma mère, dis-je, le regard fixé sur les chaussures de Campbell. Un rein.

Je baisse les yeux vers ma jupe, tire sur un fil. Peut-être que je vais tout dévider.

Il y a deux mois environ, Kate a manifesté tous les symptômes d'une défaillance rénale. Elle se fatiguait facilement, perdait du poids, faisait de la rétention d'eau et vomissait beaucoup. On a attribué ça à tout un tas de causes différentes : des anomalies génétiques, les injections d'hormones de croissance qui lui ont été faites pour stimuler sa production de moelle, le stress provoqué par d'autres traitements. On l'a placée sous dialyse pour la débarrasser des toxines qui se baladent dans son sang. Et puis la dialyse a cessé de fonctionner.

Un soir, ma mère est entrée dans notre chambre à un moment où nous traînions, Kate et moi. Mon père était avec elle, ce qui signifiait qu'ils se préparaient à nous parler de quelque chose de vraiment sérieux.

— J'ai consulté pas mal de documents sur Internet, a dit ma mère. Il est beaucoup plus facile de se remettre de la greffe d'un organe spécifique que d'une transplantation de moelle.

Kate a levé les yeux et mis un nouveau CD. Nous savions toutes les deux de quoi il allait être question.

— On ne peut pas vraiment se choisir un rein au supermarché.

— Je sais. J'ai appris que pour être donneur de rein, il n'est pas nécessaire que les six protéines HLA soient histocompatibles avec celles du receveur – il suffit de deux. J'ai appelé le Dr Chance pour lui demander si moi je pouvais te donner un rein, et il m'a dit que dans un cas normal ce serait peut-être possible.

Kate a entendu le mot important.

— Un cas normal ?

— Ce que tu n'es pas. Le Dr Chance pense que tu rejetterais un organe qui vient d'une banque d'organes, simplement parce que ton corps a déjà subi trop de choses.

Ma mère a baissé les yeux vers la moquette.

— Il ne recommande la greffe que si le rein vient d'Anna.

Mon père a secoué la tête.

— Il s'agit là de chirurgie invasive, dit-il doucement. Pour toutes les deux.

J'ai commencé à y réfléchir. Est-ce qu'il faudra m'hospitaliser ? Est-ce que j'aurai mal ? Peut-on vivre avec un seul rein ?

Et si moi je me retrouvais avec une défaillance rénale quand je serais âgée de, on va dire, soixante-dix ans ? Comment je ferais pour avoir *mon* rein de secours ?

Avant que je puisse poser la moindre question, Kate a pris la parole.

— Je ne recommence pas, compris ? Les hôpitaux et la chimio et les rayons et toute cette merde. Fichez-moi la paix, d'accord ?

Ma mère a pâli.

— C'est bon, Kate. Vas-y, suicide-toi !

Ma sœur a remis ses écouteurs, monté le volume si fort que j'entendais la musique.

— Ce n'est pas un suicide, a-t-elle dit, si on est déjà mourant.

— Avez-vous dit à qui que ce soit que vous ne vouliez plus être donneur ? me demande Campbell au moment où son chien se met à tourner comme un hélicoptère au milieu du tribunal.

— Maître Alexander, dit le juge DeSalvo, je vais appeler l'huissier pour faire sortir votre... mascotte.

C'est vrai, le chien est totalement incontrôlable. Il aboie, saute sur Campbell et tourne en rond autour de lui. Campbell ignore les deux juges.

— Anna, avez-vous décidé toute seule de faire ce procès ?

Je comprends pourquoi il pose cette question ; il veut que tout le monde sache que je suis capable de faire des choix difficiles. Et je tiens même mon mensonge, il ondule comme un serpent, pris entre mes dents. Mais ce que je veux dire ne correspond pas exactement à ce qui s'échappe de ma bouche.

— Quelqu'un m'a un peu convaincue.

Cela, bien sûr, est une nouveauté pour mes parents, dont les yeux me martèlent. Pour Julia aussi, qui émet un petit son. Et c'est tout à fait nouveau pour Campbell, qui se passe la main sur le visage, démoralisé.

— Anna, demande Campbell, qui vous a convaincue ?

Je suis petite sur ce siège, dans cet Etat, sur cette planète solitaire. Je croise les mains, retenant la seule émotion que j'aie réussi à ne pas laisser échapper : le regret.

— Kate.

Le tribunal tout entier devient silencieux. Avant que je puisse dire quoi que ce soit d'autre, la foudre que j'attendais tombe. Je recule, mais le fracas que j'ai entendu n'est pas celui de la terre qui s'ouvre pour m'avaler d'un coup. C'est Campbell, qui s'est écroulé par terre, et son chien se tient à ses côtés avec une expression très humaine, l'air de dire : *Je t'avais prévenu.*

Brian

Si vous voyagez dans l'espace pendant trois années et que vous revenez, quatre cents ans se seront écoulés sur la Terre. Je ne suis qu'un astronome en chambre, mais j'ai le vague sentiment d'être rentré d'un voyage dans un monde où rien n'est véritablement intelligible. Je croyais avoir écouté Jesse, mais il se trouve que je ne l'ai pas entendu du tout. J'ai écouté Anna avec attention, et pourtant il me semble qu'il manque un élément. J'essaie de suivre les quelques phrases qu'elle a prononcées, de trouver un lien entre elles et de les décrypter, à la manière dont les Grecs découvraient cinq points dans le ciel et décidaient qu'ils représentaient le corps d'une femme.

Et soudain, ça me frappe : je regardais au mauvais endroit. Les Aborigènes d'Australie, par exemple, scrutent le noir du ciel, entre les constellations des Grecs et des Romains, et découvrent un émeu caché derrière la Croix du Sud, à un endroit où l'on ne voit pas d'étoiles. Il y a autant d'histoires à raconter dans les recoins obscurs que dans les points lumineux.

En tout cas, c'est ce que je me dis au moment où l'avocat de ma fille s'effondre, terrassé par une crise d'épilepsie.

Les voies respiratoires, le souffle, la circulation. Les voies respiratoires sont primordiales pour quelqu'un qui fait une crise d'épilepsie. Je saute par-dessus la rambarde de la galerie et je dois me bagarrer avec le chien pour qu'il me laisse la place ; il est venu se poster comme une sentinelle au-dessus de Campbell, agité de convulsions. L'avocat entre dans la phase tonique en poussant un cri, à mesure que l'air est expulsé de force par la contraction de ses muscles respiratoires. Il est allongé sur le sol, rigide. Puis la phase clonique débute, et ses muscles se convulsent par brèves saccades qui se répètent à courts intervalles. Je le tourne sur le côté, au cas où il vomirait, et je me mets à chercher quelque chose à lui coincer entre les mâchoires afin qu'il ne se morde pas la langue, quand il se produit un fait sidérant : le chien renverse le porte-documents d'Alexander, en sort un objet qui ressemble à un os en caoutchouc mais qui est en fait un mors, et le dépose dans ma main. De loin, j'ai conscience que le juge fait évacuer la salle. Je crie à Vern d'appeler une ambulance.

Julia est immédiatement à côté de moi.

— C'est grave ?

— Ça va aller. C'est une crise d'épilepsie.

Elle paraît au bord des larmes.

— Pouvez-vous faire quelque chose ?

— Attendre.

Elle tend la main pour toucher Campbell, mais je l'écarte.

— Je ne comprends pas pourquoi c'est arrivé.

J'ignore si Campbell le sait lui-même. Je sais, en revanche, que certaines choses se produisent sans qu'il y ait d'antécédents directs.

Il y a deux mille ans, le ciel nocturne paraissait complètement différent, alors, si vous y réfléchissez, les idées que les Grecs avaient des signes astrologiques par rapport aux dates de naissance sont fausses aujourd'hui. On appelle cela la ligne de procession : à cette époque-là, le soleil ne se couchait pas en Taureau, mais en Gémeaux. Si vous naissiez un 24 septembre, vous n'étiez pas Vierge mais Balance. Et il existait une treizième constellation du zodiaque, Ophiucus, le Serpentaire, qui se levait pendant quatre jours seulement entre le Scorpion et le Sagittaire.

Est-ce pour cela que tout est déréglé ? L'axe de la Terre est bancal. La vie est loin d'être aussi stable que nous le voudrions.

Campbell Alexander vomit sur le tapis du tribunal, puis tousse en reprenant conscience dans le bureau du juge DeSalvo.

— Doucement, lui dis-je en l'aidant à s'asseoir. C'était une méchante crise.

Il se tient la tête.

— Que s'est-il passé ?

L'amnésie, juste avant et après l'attaque, est assez courante.

— Vous avez perdu conscience. Pour moi, ça ressemble à une épilepsie.

Il jette les yeux sur la perfusion que Caesar et moi lui avons posée.

— Je n'ai pas besoin de ça.

— Bien sûr que si. Sans médication, vous vous retrouverez de nouveau par terre en un rien de temps.

Capitulant, il se laisse aller contre le canapé et fixe le plafond.

— C'était une forte crise ?

— Plutôt.

Il caresse la tête de Judge – l'animal ne l'a pas quitté une seconde.

— Bon chien. Pardon de ne pas t'avoir écouté.

Puis il regarde son pantalon, mouillé et dégageant une odeur fétide, un autre effet habituel du haut mal.

— Merde !

— Comme vous dites.

Je lui tends le pantalon de rechange d'un de mes uniformes, que j'ai demandé aux collègues de m'apporter.

— Besoin d'aide ?

Il me repousse et essaie d'une seule main de retirer son pantalon. Sans un mot, je défais sa braguette et je l'aide à se changer. Je le fais sans y penser, de la même manière que je soulèverais le chemisier d'une femme qui a besoin d'un massage cardiaque. Mais malgré tout, je sais que ça le tue.

— Merci, dit-il, prenant soin de remonter lui-même la fermeture éclair.

Nous restons tranquilles un instant.

— Est-ce que le juge est au courant ?

Comme je ne réponds pas, Campbell enfouit la tête dans ses mains.

— Seigneur ! Là, devant *tout le monde* ?

— Vous le cachez depuis combien de temps ?

— Depuis le début. J'avais dix-huit ans. J'ai eu un accident de voiture, et ça a commencé après.

— Traumatisme crânien ?

Il hoche la tête.

— C'est ce qu'on m'a dit.

Je coince les mains entre mes genoux.

— Anna a été assez choquée.

Campbell se masse le front.

— Elle était en train de... témoigner.

— Ouais, dis-je. Ouais.

Il me regarde.

— Il faut que j'aille la rejoindre.

— Pas encore.

En entendant la voix de Julia, nous nous retournons tous les deux. Elle se tient dans l'embrasure de la porte, dévisageant Campbell comme si elle ne l'avait jamais vu auparavant, et je suppose qu'en effet elle ne l'a jamais vu comme ça.

— Euh... Je vais aller voir si les gars ont déjà fait leur rapport, dis-je avant de les laisser.

Les choses ne sont pas toujours ce qu'elles paraissent. Certaines étoiles, par exemple, ressemblent à des têtes d'épingle lumineuses, mais quand on les observe au télescope, on voit qu'il s'agit d'un amas globulaire – un million d'étoiles qui se présentent comme une entité. Dans un genre moins spectaculaire, il existe aussi les triples, comme Alpha du Centaure, qui est en réalité une étoile double et une naine rouge à proximité.

Il existe une tribu indigène en Afrique qui raconte que la vie vient de la deuxième étoile d'Alpha du Centaure, Alpha Centauri B, celle qu'on ne peut distinguer sans un télescope d'observatoire de très forte puissance. Au fait, les Grecs, les Aborigènes et les Indiens des plaines vivaient tous dans des continents différents et tous, indépendamment les uns des autres, ont observé le septuple nœud des Pléiades et y ont vu sept jeunes filles essayant d'échapper à quelque chose qui menaçait de leur faire du mal.

Interprétez ça comme vous voudrez.

Campbell

La seule chose qui soit comparable aux suites d'une crise d'épilepsie est de se réveiller sur le trottoir avec une gueule de bois monumentale et de se faire aussitôt écraser par un camion. À la réflexion, peut-être que l'épilepsie est pire. Je baigne dans mes sécrétions, je suis relié à un flacon de médicament et je craque de partout quand Julia se dirige vers moi.

— C'est un chien d'épileptique, dis-je.

— Sans blague.

Julia tend la main pour que Judge la renifle. Elle indique le canapé à côté de moi.

— Je peux m'asseoir ?

— Ce n'est pas contagieux, si c'est ce que tu veux dire.

Julia se penche si près que je sens la chaleur de son épaule à quelques centimètres de la mienne.

— Pourquoi ne m'as-tu rien dit, Campbell ?

— Bon Dieu, Julia, je ne l'ai même pas appris à mes parents.

— Tu as ça depuis combien de temps ?

J'essaie de me lever et je parviens à me hisser d'un centimètre avant que mes forces m'abandonnent.

— Il faut que j'y retourne.

— Campbell.

Je soupire.

— Un certain temps.

— Qu'est-ce que ça veut dire ? Une semaine ?

En secouant la tête, je réponds :

— Ça veut dire : deux jours avant la fin de nos études à Wheeler.

Je lève les yeux vers elle.

— Le jour où je t'ai raccompagnée, tout ce que je voulais, c'était rester avec toi. Quand mes parents m'ont dit que je devais aller à ce fichu dîner au club, je les ai suivis avec ma voiture, de façon à pouvoir m'échapper rapidement : j'avais l'intention de retourner chez toi, ce soir-là. Mais en chemin, j'ai eu un accident de voiture. Je m'en suis tiré avec quelques bleus, et cette nuit-là j'ai fait ma première crise d'épilepsie. Au bout de trente scanners, les médecins étaient toujours incapables de m'expliquer pourquoi, mais ils m'ont dit clairement qu'il me faudrait vivre avec jusqu'à la fin de mes jours.

J'inspire profondément.

— Ce qui m'a fait prendre conscience que je ne devais imposer ça à personne d'autre.

— Quoi ?

— Que veux-tu que je te dise, Julia ? Je n'étais pas digne de toi. Tu méritais mieux qu'un type qui risquait à tout moment de s'effondrer avec la bouche écumant de bave.

Julia se fige.

— Tu aurais au moins pu me laisser le choix.

— Quelle différence ça aurait fait ? Je ne te voyais pas vraiment éprouver de grandes satisfactions à me surveiller comme Judge le fait quand une crise se produit, à nettoyer derrière moi.

Je secoue la tête.

— Tu étais incroyablement indépendante. Un esprit libre. Je ne voulais pas te priver de cette indépendance.

— Eh bien, si tu m'avais donné le choix, peut-être que je n'aurais pas passé les quinze dernières années à penser que quelque chose clochait chez moi.

— Toi ?

Je me mets à rire.

— Regarde-toi. Tu es superbe. Tu es plus intelligente que moi. Ta carrière est en pleine ascension, tu as le sens de la famille et tu es sans doute capable de tenir ton compte en banque à jour.

— Et je suis seule, Campbell, ajoute Julia. Pourquoi crois-tu que j'aie appris à me comporter de façon si indépendante ? Et puis j'ai mauvais caractère, et je prends toutes les couvertures, et mon deuxième doigt de pied est plus long que mon gros orteil. Mes cheveux n'en font qu'à leur tête. Et en plus, je deviens dingue avant mes règles. On n'aime pas une personne parce qu'elle est parfaite, dit-elle. On l'aime en dépit du fait qu'elle ne l'est pas.

Je ne sais pas quoi répondre à ça ; c'est comme si on m'apprenait au bout de trente-cinq ans que le ciel était vert, alors que je l'avais toujours cru d'un bleu éclatant.

— Et encore autre chose : cette fois, ce ne sera pas toi qui me quitteras. C'est moi qui vais te quitter.

Avec ça, je me sens encore plus mal, si tant est que ce soit possible. J'essaie de faire comme si cela ne m'atteignait pas, mais je n'en ai pas la force.

— Alors va-t'en.

Julia se blottit contre moi.

— J'y compte bien, dit-elle. Dans cinquante ou soixante ans.

Anna

Je frappe à la porte des toilettes pour hommes, et j'entre. Le long d'un mur, il y a un grand urinoir, dégoûtant. Face à l'autre, il y a Campbell, qui se lave les mains au lavabo. Il porte un des pantalons d'uniforme de mon père. Il a l'air changé, comme si toutes les lignes droites qui ont servi à dessiner son visage avaient bavé.

— Julia m'a dit que vous vouliez que je vous retrouve ici.

— Oui. Je voulais vous parler en privé, et toutes les salles de réunion sont à l'étage au-dessus. Votre père pense que je ne devrais pas reprendre tout de suite.

Il s'essuie les mains sur une serviette.

— Je suis désolé de ce qui est arrivé.

Je ne sais même pas s'il y a une réponse adéquate. Je me mordille la lèvre inférieure.

— C'est pour ça que je ne devais pas caresser le chien ?

— Oui.

— Comment Judge sait-il ce qu'il doit faire ?

Campbell hausse les épaules.

— C'est censé être lié à des odeurs ou des impulsions électriques que l'animal perçoit avant l'être humain. Mais moi je crois que c'est parce que nous nous connaissons bien.

524

Il caresse le cou de Judge.

— Il me dirige vers un endroit sûr avant que ça se produise. En général, j'ai une vingtaine de minutes de battement.

— Hum.

Soudain, je me sens timide. J'ai été auprès de Kate quand elle était vraiment, vraiment malade, mais là c'est différent. Je ne m'attendais pas à ça de Campbell.

— C'est pour cette raison que vous avez accepté de me défendre ?

— Pour avoir une crise en public ? Croyez-moi, vraiment pas.

— Non, pas ça.

Je détourne le regard.

— Parce que vous savez ce que c'est de n'avoir pas le contrôle de son corps.

— Peut-être, dit Campbell, l'air pensif. Mais mes poignées de porte avaient sérieusement besoin d'être astiquées.

S'il essaie de me mettre à l'aise, il échoue lamentablement.

— Je vous avais bien dit que ce n'était pas une très bonne idée de me faire témoigner.

Il pose les mains sur mes épaules.

— Allons, Anna. Si moi je peux y retourner après le spectacle que je viens de donner, vous pouvez sûrement supporter de répondre encore à quelques questions.

Comment puis-je m'opposer à cette logique ? Je suis Campbell dans le prétoire, où, en à peine une heure, rien n'est plus pareil. Mon avocat se dirige vers la tribune de la magistrature, puis se tourne vers l'ensemble de la cour.

— Je suis vraiment désolé, monsieur le juge, dit-il. Qu'est-ce qu'on ne ferait pas pour une pause-café !

Je me demande comment il peut plaisanter sur un tel sujet. Et puis soudain je me rends compte que c'est ce que fait Kate, elle aussi. Peut-être que si Dieu vous donne un handicap, il prend soin de vous attribuer quelques doses supplémentaires d'humour, pour vous aider à le supporter.

— Pourquoi ne prenez-vous pas congé pour le reste de la journée, maître ? propose le juge DeSalvo.

— Non, je vais bien maintenant. Et je pense qu'il est important que nous allions au fond des choses.

Il se tourne vers la sténotypiste.

— Pourriez-vous, euh... me rafraîchir la mémoire ?

Elle lui lit la transcription de la séance, et Campbell hoche la tête, mais il se comporte comme s'il entendait mes paroles, régurgitées, pour la première fois.

— Très bien, Anna, vous disiez que c'est Kate qui vous a demandé de déposer cette requête d'émancipation médicale ?

De nouveau, je me tortille, mal à l'aise.

— Pas exactement.

— Pouvez-vous vous expliquer ?

— Elle ne m'a pas demandé d'intenter ce procès.

— Alors que vous a-t-elle demandé ?

Je jette un coup d'œil à ma mère à la sauvette. Elle sait ; elle doit savoir. Ne m'obligez pas à le dire tout haut.

— Anna, insiste Campbell, que vous a-t-elle demandé ?

Je secoue la tête, les lèvres serrées, et le juge DeSalvo se penche vers moi.

— Anna, il va falloir nous donner une réponse à cette question.

— Bon.

La vérité éclate, s'échappant de moi comme un fleuve déchaîné maintenant que la digue est rompue.

— Elle m'a demandé de la tuer.

La première anomalie était que Kate avait verrouillé la porte de notre chambre, alors qu'il n'y a pas vraiment de serrure, ce qui voulait dire qu'elle l'avait soit bloquée avec un meuble, soit coincée avec une pièce.

— Kate !

J'ai hurlé en cognant sur la porte, parce que je revenais du hockey toute sale et couverte de transpiration et que je voulais me changer.

— Kate, c'est pas juste.

J'ai dû faire pas mal de bruit, alors elle a ouvert la porte. Et voilà la seconde anomalie : quelque chose avait l'air de clocher dans la chambre. J'ai regardé autour de moi, mais tout semblait en place – et, plus important que tout, aucune de mes affaires n'avait été touchée –, et pourtant Kate se comportait comme si elle avait avalé un mystère.

— C'est quoi, ton problème ? ai-je demandé.

Puis je suis entrée dans la salle de bains et je l'ai sentie : douceâtre et presque violente, la même odeur d'alcool que j'associais à l'appartement de Jesse. J'ai commencé à ouvrir les meubles et à fouiller entre les serviettes de bain pour essayer de trouver la preuve, et en effet j'ai découvert une bouteille de whisky à moitié vide, cachée derrière les boîtes de tampons.

Je suis revenue dans la chambre en brandissant la bouteille.

— Eh eh, regardez-moi ça...

J'ai pensé que j'avais là un joli petit instrument de chantage à utiliser pendant un bout de temps, et puis j'ai vu Kate, qui tenait les cachets.

— Qu'est-ce que tu fais ?

Kate s'est retournée.

— Laisse-moi tranquille, Anna.

— Tu es folle ?

— Non, dit Kate. J'en ai simplement marre d'attendre quelque chose qui va arriver de toute façon. Je crois que je fous en l'air la vie de tout le monde depuis assez longtemps, tu ne penses pas ?

— Mais tout le monde s'est donné tellement de mal pour te garder en vie ! Tu ne peux pas te tuer.

Tout à coup, Kate s'est mise à pleurer.

— Je sais. Je ne peux pas.

Il m'a fallu un bon moment avant de me rendre compte que ça voulait dire qu'elle avait déjà essayé.

Ma mère se lève lentement.

— Ce n'est pas vrai, dit-elle d'une voix grêle. Anna, je ne sais pas ce qui te fait dire ça.

Mes yeux se remplissent de larmes.

— Pourquoi je l'aurais inventé ?

Elle s'avance vers moi.

— Tu as peut-être mal compris. Peut-être qu'elle avait passé une mauvaise journée, ou qu'elle dramatisait.

Elle sourit, avec l'air affligé des gens qui ont envie de pleurer.

— Parce que si elle était démoralisée à ce point, elle me l'aurait dit.

— Elle ne pouvait pas te le dire. Elle avait trop peur, si elle se tuait, de te tuer aussi.

Je n'arrive pas à reprendre ma respiration. Je suis en train de m'enfoncer dans une fosse de goudron, de courir alors que le sol se dérobe sous mes pieds.

Campbell demande au juge de nous accorder quelques minutes pour que je puisse me ressaisir, mais si le juge DeSalvo répond, je pleure trop fort pour l'entendre.

— Je ne veux pas qu'elle meure, mais je sais qu'elle ne veut plus vivre comme ça, et je suis la seule qui puisse lui donner ce qu'elle veut.

Je garde les yeux fixés sur ma mère, tandis qu'elle s'éloigne de moi dans un brouillard.

— Je suis depuis toujours celle qui peut lui donner ce qu'elle veut.

Il en a de nouveau été question quand ma mère est venue dans notre chambre pour parler du don de rein.

— Ne le fais pas, a dit Kate une fois qu'ils étaient partis.

Je l'ai regardée.

— Qu'est-ce que tu racontes ? Bien sûr que je vais le faire.

On se déshabillait, et j'ai remarqué que nous avions choisi le même pyjama, celui en satin imprimé de cerises. Quand nous nous sommes mises au lit, j'ai pensé que c'était comme quand on était petites et que nos parents nous habillaient pareil parce qu'ils trouvaient ça mignon.

— Tu crois que ça marcherait ? ai-je demandé. Une greffe de rein ?

Kate m'a regardée.

— C'est bien possible.

Elle s'est penchée, la main sur l'interrupteur de la lampe. Elle a répété :

— Ne le fais pas.

Ce n'est qu'après l'avoir entendu une seconde fois que j'ai vraiment compris ce qu'elle disait.

Ma mère est à un souffle de moi, et dans ses yeux il y a toutes les erreurs qu'elle a commises. Mon père se lève et lui met un bras autour des épaules.

— Viens t'asseoir, chuchote-t-il dans ses cheveux.

— Votre Honneur, dit Campbell en se levant. Vous permettez ?

Il se dirige vers moi, serré de près par Judge. Je suis tout aussi nerveuse que lui. Je pense à ce que ce chien a fait, tout à l'heure. Comment pouvait-il être sûr de ce dont Campbell avait besoin, et à quel moment ?

— Anna, aimez-vous votre sœur ?

— Évidemment.

— Mais vous étiez disposée à commettre un acte qui pourrait la tuer.

J'ai un flash.

— C'était pour qu'elle n'ait plus à subir toutes ces épreuves. Je croyais que c'était ce qu'elle voulait.

Il ne dit rien, et, à cet instant, je m'en rends compte : il sait.

À l'intérieur de moi, quelque chose casse.

— C'était... c'était aussi ce que je voulais.

Nous étions dans la cuisine et faisions la vaisselle.

— Tu détestes aller à l'hôpital, dit Kate.

— Bof.

J'ai rangé les fourchettes et les cuillers propres dans leur tiroir.

— Je sais que tu ferais n'importe quoi pour ne plus avoir à y retourner.

Je lui ai lancé un regard.

— Forcément. Parce que tu serais guérie.

— Ou morte.

Kate a plongé les mains dans l'eau savonneuse en prenant soin de ne pas me regarder.

— Réfléchis, Anna. Tu pourrais aller à tes colos de hockey. Tu pourrais choisir une université à l'étranger. Tu pourrais faire ce que tu voudrais sans avoir jamais à te soucier de moi.

Elle a carrément lu ces exemples dans mes pensées, et je me suis sentie rougir, honteuse qu'elles aient même existé dans ma tête pour être ainsi étalées au grand jour. Si Kate se sentait coupable d'être un fardeau, alors je me sentais deux fois plus coupable de savoir ce qu'elle ressentait. De savoir ce que *je* ressentais.

Après ça, nous n'avons plus parlé. J'ai essuyé la vaisselle qu'elle me passait, et nous avons toutes les deux essayé de faire semblant d'ignorer la vérité : en plus de la part de moi qui a toujours voulu que Kate vive, il y en a une autre, horrible, qui souhaite parfois être libre.

Voilà, ils comprennent : je suis un monstre. J'ai entamé ce procès pour certaines raisons dont je suis fière et beaucoup d'autres dont je ne le suis pas. Et maintenant Campbell comprendra pourquoi je ne pouvais pas témoigner – pas parce que j'avais peur de parler devant tout le monde, mais à cause de tous ces sentiments terribles, dont beaucoup sont trop affreux pour être exprimés à haute voix. Que je veux que Kate vive, mais que je veux aussi être moi-même, pas une partie d'elle. Que je veux avoir la chance de grandir, même si Kate ne le peut pas. Que la mort de Kate serait la pire des choses qui puisse m'arriver... mais aussi la meilleure.

Que parfois, quand je pense à tout ça, je me déteste et je voudrais revenir en rampant vers la place que j'occupais, la personne qu'ils veulent que je sois.

Maintenant, le prétoire tout entier me regarde, et je suis sûre que la barre des témoins, ou ma peau, ou peut-être l'ensemble, est sur le point d'imploser. Sous cette loupe, on peut voir jusqu'au fin fond du cœur pourri de mon être. Peut-être que s'ils continuent à m'observer comme ça, je m'envolerai en fumée, bleue et âcre. Peut-être que je disparaîtrai sans laisser de traces.

— Anna, demande Campbell doucement, qu'est-ce qui vous a donné à penser que Kate voulait mourir ?

— Elle a dit qu'elle était prête.

Il s'approche et vient se planter juste devant moi.

— N'est-il pas possible que ce soit pour cette même raison qu'elle vous a demandé de l'aider ?

Je lève lentement les yeux, et je découvre ce cadeau que Campbell vient de m'offrir. Et si Kate voulait mourir pour que moi je puisse vivre ? Et si, après toutes ces années que j'ai passées à sauver Kate, elle essayait simplement de faire la même chose pour moi ?

— Avez-vous dit à Kate que vous alliez cesser d'être donneur ?

— Oui, dis-je dans un murmure.

— Quand ?

— La veille du jour où je vous ai engagé.

— Anna, qu'est-ce que Kate a dit ?

Jusqu'à maintenant, je n'y avais pas vraiment pensé, mais Campbell a déclenché le souvenir. Ma sœur était devenue tranquille, si tranquille que j'ai cru qu'elle s'était endormie. Et puis elle s'est tournée vers moi avec le monde entier dans ses yeux, et un sourire qui s'effritait comme une faille.

Je regarde Campbell.

— Elle a dit merci.

Sara

C'est l'idée du juge DeSalvo d'aller en quelque sorte sur le terrain afin de pouvoir parler à Kate. Quand nous arrivons tous à l'hôpital, elle est assise dans son lit, regardant d'un air absent la télé sur laquelle Jesse zappe avec la télécommande. Elle est maigre, sa peau est jaune, mais elle est consciente.

— Dans *Le Magicien d'Oz*, demande Jesse, l'homme de fer-blanc, ou l'épouvantail ?

— L'épouvantail perdrait tout son rembourrage, dit Kate. Chynna la catcheuse ou le Chasseur de crocodiles ?

Jesse ricane.

— Le mec des crocos. Tout le monde sait que le catch, c'est du bidon.

Il la regarde.

— Gandhi ou Martin Luther King ?

— Ils ne signeraient pas la décharge.

— On parle de *Celebrity Boxing*, cocotte, du show de Fox TV, dit Jesse. Tu crois vraiment qu'ils se compliquent la vie avec des décharges ?

Kate sourit.

— L'un des deux resterait assis sur le ring, et l'autre ne mettrait pas son protège-dents.

C'est à cet instant que nous entrons dans la pièce.

— Hé, maman, demande-t-elle, qui, dans la famille Brady, gagnerait le match de boxe hypothétique, Marcia ou Jan ?

Elle remarque alors que je ne suis pas seule. À mesure que le groupe tout entier défile dans la chambre, Kate ouvre de grands yeux, et elle remonte un peu plus ses couvertures. Elle dévisage Anna, mais sa sœur refuse de croiser son regard.

— Qu'est-ce qui se passe ?

Le juge s'approche, me prend le bras.

— Je sais que vous voulez lui parler, Sara, mais moi j'ai besoin de le faire.

Il s'avance, la main tendue.

— Bonjour, Kate. Je suis le juge DeSalvo. Je me demandais si je pouvais vous parler pendant quelques minutes ? En privé, ajoute-t-il.

L'un après l'autre, nous quittons tous la pièce. Je suis la dernière à sortir. Je regarde Kate reposer la tête sur les oreillers, soudain épuisée de nouveau.

— J'étais sûre que vous viendriez, dit-elle au juge.

— Pourquoi ?

— Parce que, répond Kate, on en revient toujours à moi.

Il y a environ cinq ans, une nouvelle famille a acheté la maison d'en face et l'a complètement démolie pour faire reconstruire autre chose. Il a suffi d'un seul bulldozer et d'une demi-douzaine de bennes ; en une matinée, cette structure, que nous voyions chaque fois que nous sortions, était réduite à un monceau de gravats. On s'imagine qu'une maison est faite pour durer une éternité, mais en vérité un vent fort ou un boulet de démolition peut la détruire. La famille à l'intérieur n'est pas tellement différente.

Aujourd'hui, je me souviens à peine de ce à quoi ressemblait cette vieille maison. Je sors sur le perron et je ne me rappelle jamais ces quelques mois où la parcelle béante attirait l'attention, se faisant remarquer par son vide, comme une dent qui manque. Il a fallu du temps, vous savez, mais les nouveaux propriétaires, eh bien, ils ont fini par reconstruire.

Quand le juge DeSalvo ressort, sombre et troublé, Campbell, Brian et moi nous nous levons aussitôt.

— Demain, dit-il. Verdict à neuf heures.

Avec un hochement de tête à Vern pour lui faire signe de le suivre, il s'éloigne le long du couloir.

— Allez, viens, dit Julia à Campbell. Tu es sous mon chaperonnage.

— C'est un mot qui n'existe pas.

Au lieu de la suivre, il vient vers moi.

— Sara, dit-il, je suis désolé.

Il me fait un autre cadeau.

— Vous ramènerez Anna à la maison ?

Dès qu'ils sont partis, Anna se tourne vers moi.

— J'ai vraiment besoin de voir Kate.

Je passe un bras autour d'elle.

— Bien sûr que tu peux.

Nous entrons, juste notre famille, et Anna s'assied au bord du lit.

— Salut, murmure Kate en ouvrant les yeux.

Anna secoue la tête. Il lui faut un moment pour trouver ses mots.

— J'ai essayé, dit-elle enfin d'une voix semblable à du coton accroché à des ronces quand Kate lui prend la main.

Jesse s'assied de l'autre côté. Les trois réunis, ils me font penser à la photo que nous faisions chaque année en octobre pour la carte de Noël, disposés

par taille, en équilibre dans les branches d'un
érable ou sur un muret de pierre, un instant figé
pour rester dans la mémoire de tous.

— Alf ou Mister Ed, dit Jesse.

Les coins de la bouche de Kate se relèvent.

— Le cheval. Huitième round.

— À toi.

Enfin, Brian se penche, embrasse Kate sur le
front.

— Passe une bonne nuit, ma puce.

Quand Anna et Jesse s'éclipsent dans le couloir, il
me souhaite aussi une bonne nuit en m'embrassant.

— Appelle-moi, chuchote-t-il.

Et puis, quand ils sont tous partis, je m'assieds à
côté de ma fille. Ses bras sont si maigres que je
peux suivre le mouvement de ses os quand elle bouge ; ses yeux paraissent plus vieux que les miens.

— Je suppose que tu as des questions, dit Kate.

Ma réponse m'étonne moi-même :

— Peut-être plus tard.

Je grimpe sur le lit et l'entoure de mes bras.

Je prends alors conscience que nous n'*avons*
jamais des enfants, nous les *recevons*. Et parfois
pour moins longtemps que nous ne l'aurions cru ou
espéré. Mais c'est malgré tout bien mieux que de ne
pas les avoir eus du tout.

— Kate, je suis désolée...

Elle me repousse, jusqu'à ce que son regard rencontre le mien.

— Il ne faut pas, dit-elle avec ardeur. Parce que
moi je ne le suis pas.

Elle essaie de sourire, elle essaie de toutes ses
forces.

— C'était bien, n'est-ce pas, maman ?

Je me mords la lèvre, je sens le poids des larmes.

— C'était formidable.

Jeudi

Un feu qui brûle en éteint un autre,
Une douleur est amoindrie par la douleur
d'un autre.

WILLIAM SHAKESPEARE, *Roméo et Juliette*

Campbell

Il pleut.

Quand j'entre dans le salon, Judge a la truffe appuyée contre la baie vitrée qui constitue tout un pan de l'appartement. Il geint en voyant les gouttes qui zigzaguent devant son nez.

— Tu ne peux pas les attraper, dis-je en lui caressant la tête. Tu ne peux pas passer de l'autre côté.

Je m'assieds sur le tapis à côté de lui, en sachant que je devrais me lever, m'habiller et aller au tribunal, qu'il faudrait que je peaufine la conclusion de ma plaidoirie au lieu de rester là, assis à ne rien faire. Mais ce temps a quelque chose d'envoûtant. Assis à l'avant de la Jaguar de mon père, je regardais toujours les gouttes kamikazes accomplir leur mission-suicide d'un bord du pare-brise jusqu'au balai d'essuie-glace. Il aimait régler celui-ci sur la position intermittente, de sorte que le monde restait liquéfié sur mon côté de la vitre pendant de longs moments. Ça me rendait fou. « Quand tu conduiras, disait mon père quand je me plaignais, tu feras ce que tu voudras. »

— Tu veux te doucher le premier ?

Julia est debout dans l'embrasure de la porte de la chambre à coucher, vêtue d'un de mes tee-shirts. Il lui arrive à mi-cuisse. Elle recroqueville les orteils dans l'épaisseur de la moquette.

— Vas-y d'abord. Je pourrai toujours sortir me doucher sur le balcon.

Elle remarque la pluie.

— Il fait un temps horrible, non ?

— C'est un bon jour pour être enfermé au tribunal, dis-je sans grande conviction. Je n'ai pas envie d'être confronté à la décision du juge DeSalvo aujourd'hui, et pour une fois ça n'a rien à voir avec la peur de perdre le procès. J'ai fait du mieux que je pouvais, compte tenu de ce qu'Anna a admis à la barre. Et j'espère vraiment que je l'ai aidée à accepter un peu mieux ce qu'elle a fait. Elle n'a plus l'air d'une gamine indécise, c'est déjà ça. Elle ne paraît pas égoïste. Elle donne la même impression que chacun d'entre nous – cherchant à comprendre qui elle est vraiment, et ce qu'il faut en déduire.

En vérité, comme Anna me l'a dit un jour, personne ne va gagner. Nous allons tous apporter nos conclusions et écouter l'avis du juge, et pour autant ce ne sera pas terminé.

Au lieu de se diriger vers la salle de bains, Julia me rejoint. Elle s'assied en tailleur à côté de moi et pose les doigts sur la baie vitrée.

— Campbell, commence-t-elle, je ne sais pas comment te dire ça.

À l'intérieur de moi, tout se fige. Je suggère :

— Vite.

— Je déteste ton appartement.

Je suis son regard de la moquette grise au canapé noir, au mur recouvert de miroir et aux étagères laquées. Il est rempli d'arêtes vives et d'art coûteux. Il est équipé des appareils et des gadgets électroniques les plus sophistiqués. C'est une résidence de rêve, mais ce n'est le foyer de personne.

— Tu sais, moi aussi je le déteste.

Jesse

Il pleut.

Je sors de chez moi et je commence à marcher. Je descends la rue, passe devant l'école primaire et traverse deux carrefours. En exactement cinq minutes, je suis trempé jusqu'aux os. C'est là que je me mets à courir. Je cours tellement vite que j'ai les poumons qui font mal et les jambes qui brûlent, et finalement, quand je suis incapable de faire un pas de plus, je m'écroule sur le dos au milieu du terrain de foot du lycée.

Un jour, j'ai pris de l'acide pendant un orage comme celui-ci. Je me suis couché et j'ai regardé le ciel tomber. J'ai imaginé les gouttes de pluie dissolvant ma peau. J'ai attendu l'éclair qui me percerait le cœur et me donnerait la sensation d'être vivant pour la première fois de toute ma malheureuse existence.

La foudre, elle a eu sa chance, et elle n'est pas venue ce jour-là. Elle ne vient pas non plus ce matin.

Alors je me lève, je repousse les cheveux que j'ai dans les yeux, et j'essaie de trouver un meilleur plan.

Anna

Il pleut.

Le genre de pluie qui tombe si lourdement qu'on croirait que la douche continue de couler, même après avoir fermé le robinet. Le genre de pluie qui vous fait penser à des barrages et des crues soudaines, à des arches. Le genre de pluie qui vous dit de retourner vous blottir dans votre lit, où les draps gardent encore la chaleur de votre corps, et de faire comme si le réveil avançait de cinq minutes.

Demandez à n'importe quel gamin en fin de primaire et il vous le dira : l'eau ne s'arrête jamais de bouger. La pluie tombe et dévale une montagne et vient grossir un fleuve. Le fleuve fait son chemin jusqu'à l'océan. Il s'évapore, comme une âme, dans les nuages. Et puis, comme tout le reste, il recommence depuis le début.

Brian

Il pleut.

Comme le jour où Anna est née – une veille de
Nouvel An bien trop chaude pour cette période de
l'année. Ce qui aurait dû être de la neige est devenu
un torrent diluvien. Les stations de ski ont dû fermer pour Noël, parce que les pistes avaient fondu.
En route vers l'hôpital, avec Sara en travail à côté
de moi, je ne voyais presque rien à travers le pare-
brise.

C'était une nuit sans étoiles à cause de tous les
nuages de pluie. Et c'est peut-être pour cette raison
que, quand Anna est arrivée, j'ai dit à Sara :

« Appelons-la Andromeda. Diminutif : Anna.

— Andromeda ? Comme le livre de science-fiction ?

— Comme la princesse », ai-je rectifié.

J'ai capté son regard par-dessus le minuscule
horizon de la tête de notre fille.

« Dans le ciel, ai-je expliqué, elle est entre sa mère
et son père. »

Sara

Il pleut.

Je me dis que ça ne commence pas sous de bons auspices. Je brasse mes fiches bristol sur la table en essayant d'avoir l'air plus compétente que je ne le suis. Qui en est dupe ? Je ne suis pas une vraie avocate, pas une professionnelle. Je n'ai rien été de plus qu'une mère, et encore je n'ai pas fait un très bon boulot.

— Madame Fitzgerald ? me presse le juge.

Je respire un grand coup, je regarde le charabia que j'ai sous les yeux et j'attrape toute ma pile de fiches. En me levant, je m'éclaircis la gorge, et je commence à lire à haute voix.

— Depuis fort longtemps, dans ce pays, notre système juridique autorise les parents à prendre des décisions au nom de leurs enfants. Cela fait partie de ce que les tribunaux ont toujours considéré comme appartenant au droit civique fondamental à la vie privée. Et compte tenu de tous les faits que cette cour a entendus...

Soudain, il y a un coup de tonnerre, et je fais tomber toutes mes notes par terre. Je me mets à genoux, je les ramasse en tâtonnant, mais maintenant, bien sûr, elles sont toutes mélangées. J'essaie de remettre en ordre celles qui sont devant moi, mais plus rien n'est compréhensible.

Oh, misère ! De toute façon, ce n'est pas ce que je dois dire.

— Votre Honneur, puis-je recommencer ?

Quand le juge acquiesce d'un signe de tête, je lui tourne le dos et je vais vers ma fille, qui est assise à côté de Campbell.

— Anna, lui dis-je, je t'aime. Je t'ai aimée avant de t'avoir jamais vue, et je t'aimerai longtemps après que je ne serai plus là pour te le dire. Et je sais que, sous prétexte que je suis une mère, je suis censée détenir toutes les réponses, mais ce n'est pas le cas. Chaque jour, je me demande si ce que je fais est bien, si je connais mes enfants comme je le crois. Je me demande si, trop occupée à être la mère de Kate, je n'ai pas perdu le recul nécessaire pour être la tienne.

J'avance de quelques pas.

— Je sais que je saute sur la plus petite possibilité de guérison pour Kate, mais je ne connais pas d'autre façon d'agir. Et même si tu n'es pas d'accord avec moi, et si Kate ne l'est pas non plus, je veux pouvoir dire *Je vous l'avais bien dit*. Dans dix ans, je veux voir tes enfants sur tes genoux et dans tes bras, parce que c'est là que tu comprendras. J'ai une sœur, alors je sais. Dans cette relation, tout est affaire d'équité : tu veux que ta sœur ait exactement ce que tu as – le même nombre de jouets, la même quantité de viande sur les spaghettis, la même dose d'amour. Mais être une mère est complètement différent. Tu veux pour ton enfant beaucoup plus que tu n'as jamais eu. Tu veux faire un feu sous elle et la voir prendre son envol. Il n'y a pas de mots assez grands pour exprimer ça.

Je pose la main sur mon cœur.

— Et pourtant, ça tient parfaitement là-dedans.

Je me tourne vers le juge DeSalvo.

— Je ne voulais pas venir au tribunal, mais il a bien fallu. Comme le veut le droit, quand un requérant – même si celui-ci est votre enfant – intente une action, il faut qu'il y ait une réaction. Donc je me suis vue contrainte d'expliquer, avec éloquence, pourquoi je crois savoir mieux qu'Anna ce qui est bon pour elle. Quand vous y réfléchissez, pourtant, expliquer ce que l'on croit n'est pas si facile. Lorsque vous dites que vous *croyez* que telle chose est vraie, cela peut avoir deux significations : soit que vous en êtes encore à mettre les alternatives en balance, soit que vous l'acceptez comme un fait acquis. Je ne vois pas comment, logiquement, un même mot peut avoir deux définitions contradictoires mais, émotionnellement, je le comprends tout à fait. Parce qu'à certains moments je suis convaincue de faire ce qui est bien, et à d'autres je me remets sans cesse en question.

Même si la cour statuait en ma faveur aujourd'hui, je ne pourrais pas obliger Anna à donner un rein. Personne ne le pourrait. Mais la supplierais-je ? Serais-je *tentée* de la supplier, même si je m'en abstenais ? Je n'en sais rien, même après avoir parlé à Kate et après avoir entendu Anna. Je ne suis pas sûre de ce que je dois croire ; je ne l'ai jamais été. Je sais seulement deux choses, incontestablement : que, dans ce procès, il n'a jamais été vraiment question de don de rein... mais de liberté de choix. Et qu'aucune personne ne peut prendre de décision en toute indépendance, pas même si un juge lui en accorde le droit.

Enfin, je m'adresse à Campbell.

— Il y a longtemps, j'étais avocate, mais je ne le suis plus. Je suis une mère, et ce que je fais depuis dix-huit ans en tant que telle est infiniment plus dur que tout ce qu'il m'a fallu faire dans un prétoire. Au début de ce procès, maître Alexander, vous avez dit qu'aucun de nous n'était obligé d'affronter un incendie pour sauver quelqu'un d'un immeuble en feu. Mais c'est différent si vous êtes parent et que la personne qui est prise dans l'incendie est votre enfant. Dans ce cas-là, non seulement tout le monde comprendrait que vous vous précipitiez pour sauver votre enfant, mais c'est tout juste si l'on n'attend pas de vous que vous le fassiez.

Je prends une profonde inspiration.

— Dans ma vie, l'immeuble était en feu, un de mes enfants était à l'intérieur, et la seule façon de la sauver était d'y envoyer mon autre enfant, parce qu'elle seule connaissait le chemin. Est-ce que je savais que je prenais un risque ? Bien entendu. Est-ce que j'avais conscience que cela signifiait peut-être de les perdre toutes les deux ? Oui. Est-ce que je comprenais qu'il était peut-être injuste de lui demander de le faire ? Absolument. Mais je savais aussi que c'était ma seule chance de les garder toutes les deux. Était-ce légal ? Était-ce moral ? Était-ce fou ou insensé ou cruel ? Je n'en sais rien. Mais je sais en tout cas que c'était *bien*.

Sur ce, je m'assieds à ma table. La pluie cingle les vitres à ma droite. Je me demande si elle faiblira jamais.

Campbell

Je me lève, je regarde mes notes et, comme Sara, je les jette à la poubelle.

— Ainsi que l'a dit Mme Fitzgerald il y a un instant, il ne s'agit pas ici de savoir si Anna doit donner un rein. Ou une cellule épithéliale, ou un globule, ou un segment d'ADN. Il s'agit d'une fille qui est sur le point de devenir *quelqu'un*. Une fille qui a treize ans – ce qui est dur, et douloureux, et beau, et difficile, et exaltant. Une fille qui ne sait peut-être pas ce qu'elle *veut* à cet instant, et qui ne sait peut-être pas *qui* elle est aujourd'hui, mais qui mérite la possibilité de le découvrir. Et dans dix ans, à mon avis, je pense qu'elle sera quelqu'un d'assez remarquable.

Je me tourne vers le juge.

— Nous savons que les Fitzgerald ont eu à accomplir l'impossible : faire des choix éclairés en matière de santé pour deux de leurs enfants, dont les intérêts étaient opposés sur le plan médical. Et si nous, comme les Fitzgerald, ne savons pas quelle est la bonne décision à prendre, alors la personne qui devrait avoir le dernier mot est celle dont le corps est en jeu... Même si elle n'a que treize ans. Et, au bout du compte, c'est de cette question aussi que traite ce procès : du moment où un enfant possède peut-être plus de discernement que ses parents.

Je sais que lorsque Anna a pris la décision de déposer cette requête, elle ne l'a pas fait pour tous les motifs égocentriques que l'on pourrait attendre d'une fille de treize ans. Elle ne l'a pas fait parce qu'elle voulait être comme les autres enfants de son âge. Ni parce qu'elle en avait assez d'être piquée et malmenée. Ni parce qu'elle appréhendait la douleur.

Je me retourne et je souris à Anna.

— Vous savez quoi ? Je ne serais pas surpris qu'Anna donne un rein à sa sœur, après tout. Mais ce que je pense ne compte pas. Et avec tout le respect que je vous dois, monsieur le juge, ce que *vous* pensez ne compte pas. Et ce que pensent Sara et Brian Fitzgerald non plus. Seul compte ce que pense Anna.

Je regagne ma place.

— Et sa voix est la seule que nous devrions écouter.

Le juge DeSalvo suspend la séance pour quinze minutes avant de faire connaître sa décision, et j'en profite pour promener le chien. Nous parcourons le périmètre du petit espace vert derrière l'édifice, tandis que Vern surveille les journalistes qui attendent un verdict.

— Allez, dépêche-toi, dis-je à Judge, qui tourne pour la quatrième fois à la recherche de l'endroit idéal. Personne ne regarde.

Mais il se trouve que ce n'est pas tout à fait vrai. Un gamin de trois ou quatre ans échappe à sa mère et vient se jeter sur nous.

— Petit chien ! crie-t-il.

Il tend les mains pour l'attraper, et Judge vient se mettre plus près de moi. La mère nous rejoint un instant après.

— Désolée. Mon fils est dans sa période canine. On peut le caresser ?

— Non, dis-je automatiquement. C'est un chien-guide.

— Oh.

La femme se redresse, écarte son enfant.

— Mais vous n'êtes pas aveugle.

« Je suis épileptique, et le chien me protège en cas de crise. »

Pour une fois, pour la première fois, j'envisage de dire la vérité. Mais après tout, il faut bien rire de soi-même, non ?

— Je suis avocat, fais-je avec un grand sourire. Il m'aide à poursuivre les ambulances.

Et c'est en sifflotant que je m'éloigne avec Judge.

Quand le juge DeSalvo regagne sa tribune, il apporte avec lui la photo encadrée de sa fille décédée, et c'est à cela que je sais que j'ai perdu ce procès.

— Une des choses qui m'ont frappé lors de la présentation des faits, commence-t-il, c'est que chacun de nous dans ce prétoire s'est engagé dans un débat sur la qualité de la vie plutôt que sur son caractère sacré. Il est certain que les Fitzgerald ont toujours eu la conviction qu'il était crucial de maintenir Kate en vie et au sein de la famille, mais, à ce stade, le caractère sacré de la vie de Kate se confond totalement avec la qualité de vie d'Anna, et mon travail consiste à voir s'il est possible de les dissocier.

Il secoue la tête.

— Je ne suis pas sûr qu'aucun de nous soit qualifié pour décider lequel des deux est le plus important, et moi le dernier. Je suis un père. Ma fille Dena a été tuée lorsqu'elle avait douze ans par un chauffard en état d'ivresse, et quand je l'ai emmenée d'urgence à l'hôpital cette nuit-là, j'aurais donné n'importe quoi pour passer un jour de plus avec elle. Les Fitzgerald sont dans cette situation depuis quatorze ans – celle où on leur demande de donner n'importe quoi pour garder leur fille en vie un petit peu plus longtemps. Je respecte leurs choix. J'admire leur courage. J'envie le fait qu'ils aient pu ne serait-ce qu'en avoir la possibilité. Mais, comme les deux avocats l'ont fait remarquer, il ne s'agit plus d'Anna et d'un rein, mais de savoir comment ces choix sont faits et de décider de la personne à qui il revient de les faire.

Il s'éclaircit la voix.

— La réponse est qu'il n'existe pas de bonne réponse. Alors nous, parents, médecins, juges et corps social, naviguons à vue et prenons les décisions qui nous permettent de dormir la nuit – parce que la morale importe plus que l'éthique, et que l'amour est plus important que la loi.

Le juge DeSalvo concentre son attention sur Anna, qui se tortille nerveusement.

— Kate ne veut pas mourir, dit-il doucement, mais elle ne veut pas non plus vivre de cette façon. Et, sachant cela, et connaissant la loi, une seule conclusion s'impose. L'unique personne qui devrait être habilitée à faire ce choix est celle-là même qui se situe au cœur du débat.

Je souffle bruyamment.

— Et par là, je ne veux pas dire Kate, mais Anna.

À côté de moi, elle prend sa respiration.

— Une des questions soulevées au cours des jours derniers est de savoir si une adolescente de treize ans est capable ou non de faire des choix aussi lourds que ceux-là. Je dirais que l'âge est la variable qui, en l'occurrence, entre le moins en ligne de compte. En fait, certains adultes semblent avoir oublié l'une des règles les plus élémentaires de l'enfance : on ne doit pas prendre quelque chose qui appartient à un autre sans demander la permission. Anna, dit-il. Lève-toi, s'il te plaît.

Elle me regarde, et je fais un signe de tête en me levant avec elle.

— À présent, dit le juge DeSalvo, je vais te déclarer émancipée de tes parents pour toute question d'ordre médical. Ce qui signifie que, même si tu continues à vivre avec eux, et même s'ils pourront encore te dire à quelle heure tu dois aller te coucher et quelles émissions de télévision tu n'as pas la permission de regarder et qu'ils exigent que tu termines tes brocolis, dès lors qu'il s'agira d'un traitement médical, c'est toi qui auras le dernier mot.

Il se tourne vers Sara.

— Madame Fitzgerald, monsieur Fitzgerald, je vais vous demander d'organiser un rendez-vous avec Anna et son pédiatre pour expliquer au médecin les termes de ce verdict, afin qu'il comprenne qu'il aura désormais affaire directement à Anna. Et enfin, simplement pour lui assurer un appui supplémentaire si nécessaire, je vais demander à Me Alexander d'agir en qualité de fondé de pouvoir jusqu'à ce qu'Anna ait dix-huit ans, afin qu'il puisse l'assister dans ses choix les plus difficiles. Je ne suggère en aucun cas que ces choix soient faits sans concertation avec ses parents, mais je veux que la décision finale appartienne à Anna et à elle seule.

Le juge m'épingle du regard.

— Maître Alexander, acceptez-vous cette responsabilité ?

Hormis Judge, je n'ai jamais eu qui ou quoi que ce soit à prendre en charge. Et maintenant, je vais avoir Julia, et je vais avoir Anna.

— J'en serais honoré, dis-je en souriant à l'intéressée.

— Je veux que ces documents soient signés avant que vous ne quittiez le tribunal aujourd'hui, déclare le juge. Bonne chance, Anna. Passe me voir de temps en temps pour me donner de tes nouvelles.

Il abat son marteau sur la table, et nous nous levons tandis qu'il quitte le prétoire.

— Anna, dis-je en la voyant, abasourdie, rester immobile à côté de moi. Vous y êtes arrivée.

Julia est la première à nous atteindre, et elle se penche par-dessus la rambarde de la galerie pour serrer Anna dans ses bras.

— Tu as fait preuve de beaucoup de courage.

Par-dessus l'épaule d'Anna, elle me fait un grand sourire.

— Et toi aussi.

Mais Anna s'éloigne, et se trouve face à ses parents. Une trentaine de centimètres les séparent et un univers de temps et de réconfort. C'est maintenant seulement que je prends conscience que j'ai commencé à considérer Anna comme plus âgée qu'elle ne l'est en réalité. Mais, à ce moment précis, elle est hésitante et incapable de rencontrer leur regard.

— Hé, dit Brian, franchissant le pas et étreignant sa fille. Il n'y a pas de problème.

Et puis Sara se faufile dans cette mêlée, ses bras les enlacent tous les deux, leurs épaules réunies formant le mur compact d'une équipe qui doit réinventer le jeu dans lequel elle est engagée.

Anna

La visibilité est nulle. Il pleut encore plus fort, si c'est possible. J'ai cette brève vision de la pluie qui martèle la voiture si violemment qu'elle plie comme une cannette vide. Il me faut une seconde pour réaliser que ça n'a rien à voir avec ce temps de merde ou la claustrophobie latente, mais avec le fait que ma gorge est deux fois plus étroite que d'habitude, les larmes la durcissant comme une artère, si bien que tout ce que je fais et dis me demande le double d'effort.

Voilà une bonne heure maintenant que je suis émancipée. Campbell dit que la pluie est une bénédiction, qu'elle a chassé les journalistes. Peut-être qu'ils me trouveront à l'hôpital et peut-être pas, mais à ce stade je serai avec ma famille et ça n'aura pas vraiment d'importance. Mes parents sont partis avant nous ; il nous a fallu remplir une montagne de paperasse. Campbell a proposé de me déposer quand nous avons terminé, ce qui est sympa si l'on considère que tout ce qu'il veut, c'est se retrouver avec Julia ; ils ont l'air de croire que c'est un énorme secret, mais ça ne l'est pas. Je me demande ce que fait Judge quand ils sont ensemble, Campbell et Julia. Je me demande s'il se sent exclu.

— Campbell, dis-je de façon totalement inopinée. Qu'est-ce que je devrais faire, à votre avis ?

Il ne fait pas semblant de ne pas savoir de quoi e parle.

— Je viens de livrer une bataille très rude à un rocès pour *votre* liberté de choix, alors il n'est pas uestion que je vous donne mon avis.

— Génial, fais-je en m'enfonçant dans mon siège. e ne sais même pas qui je suis vraiment.

— Moi je sais qui vous êtes. Vous êtes la meil-eure astiqueuse de poignées de porte de tout Provi-ence. Vous avez le sens de la repartie, et vous hoisissez toujours les crackers au fromage dans les ssortiments de biscuits salés, et vous détestez les aths et...

C'est assez marrant de voir Campbell essayer de emplir tous les blancs.

— ... vous aimez les garçons ? dit-il pour finir.

Mais là c'est une question.

— Certains, ça peut aller, je reconnais, mais uand ils seront plus grands, ils seront probable-ent comme vous.

Il sourit.

— J'espère bien que non !

— Qu'est-ce que vous allez faire, après ça ?

Campbell hausse les épaules.

— Il va peut-être falloir que je m'occupe d'une ffaire qui me rapportera de l'argent.

— Pour pouvoir assurer à Julia le train de vie uquel elle est habituée ?

— Ouais, dit-il en riant. Quelque chose comme a.

Pendant un moment, le seul bruit qu'on entende st celui des essuie-glaces. Je glisse les mains sous es cuisses, m'assieds dessus.

— Ce que vous avez dit au procès... Vous pensez raiment que je serai quelqu'un de remarquable ans dix ans ?

— Comment ça, Anna Fitzgerald, on recherche les compliments ?

— Oubliez ce que j'ai dit.

Il me jette un regard.

— Oui, je le pense. Je vous imagine brisant le cœur des hommes, ou peignant à Montmartre, ou pilotant des avions de combat, ou traversant à pied des régions inexplorées.

Il marque une pause.

— Ou peut-être tout ça à la fois.

Il fut un temps où, comme Kate, je voulais être danseuse de ballet. Mais depuis j'ai traversé toutes sortes de phases : je voulais devenir astronaute ; je voulais être paléontologue ; je voulais être la doublure d'Aretha Franklin, membre du gouvernement, garde au parc national de Yellowstone. Maintenant, selon le jour, je voudrais être microchirurgien, poétesse, chasseuse de fantômes.

Il n'y a qu'une constante.

— Dans dix ans, dis-je, je voudrais être la sœur de Kate.

Brian

Mon biper sonne au moment où Kate commence une nouvelle dialyse. Un accident de la circulation, deux véhicules, des blessés.

— Ils ont besoin de moi, dis-je à Sara. Ça va aller ?

L'ambulance se dirige vers l'angle d'Eddy et de Fountain, un croisement dangereux en toutes circonstances, et à plus forte raison par cette pluie. Le temps que j'arrive, les flics ont bouclé la zone. C'est une collision latérale, en T : les deux véhicules sont encastrés l'un dans l'autre en un conglomérat de métal tordu. Le pick-up s'en est mieux sorti ; la BMW, plus petite, est littéralement recourbée comme un sourire autour de l'avant de celui-ci. Je sors de la voiture sous la pluie battante, et je m'adresse au premier agent de police que je rencontre.

— Trois blessés, dit-il. Un est déjà en route.

Je trouve Red occupé à manœuvrer le matériel de désincarcération. Il tente de découper la tôle de l'autre voiture pour pouvoir dégager les victimes.

— Comment ça se présente ?

Le vacarme des sirènes nous oblige à hurler.

— La femme qui conduisait le premier véhicule a traversé le pare-brise. Caesar l'a emmenée dans l'ambulance. La seconde ambulance arrive. Apparemment, ils sont deux là-dedans, mais les portières sont complètement pliées.

— Laisse-moi voir si je peux passer sur le dessus de la camionnette.

Je commence à m'agripper au métal glissant en évitant le verre cassé. Mon pied se coince dans un trou que je ne pouvais pas voir dans le plateau du pick-up, et je jure en essayant de me dégager. Avec des mouvements précautionneux, je gagne l'habitacle défoncé du pick-up, me contorsionne vers l'avant. La conductrice a dû être projetée à travers le pare-brise, par-dessus la BMW ; tout l'avant du Ford-150 a broyé le côté passager de la voiture de sport comme du papier.

Il me faut ramper par ce qui était la fenêtre du camion, parce que le moteur me bloque le passage et m'empêche d'atteindre les gens dans la BMW. Mais si je me faufile en me tordant d'une certaine façon, il y a un minuscule espace dans lequel je parviens presque à tenir, pour arriver au niveau de la vitre en verre trempé, fracturée en étoile et maculée de sang. Et juste au moment où Red réussit à forcer la portière du conducteur et où un chien sort en gémissant de la voiture, je prends conscience que le visage appuyé contre la vitre brisée est celui d'Anna.

— Sors-les ! Sors-les tout de suite !

Je ne sais pas comment je réussis à m'extirper de cet amas de ferraille et à écarter Red du chemin, comment je libère Campbell Alexander de sa ceinture de sécurité et le traîne dans la rue pour l'allonger sous la pluie ; comment je me précipite à l'intérieur où se trouve ma fille, immobile et les yeux grands ouverts, attachée à son siège comme il se doit et, oh mon Dieu ! non.

Paulie arrive de je ne sais où et pose les mains sur elle et, avant de savoir ce que je fais, je lui balance un coup qui l'envoie valser.

— Bordel, Brian ! dit-il en se tenant la mâchoire.

— C'est Anna, Paulie, c'est Anna.

Quand ils comprennent, ils tentent de me retenir pour faire ce travail à ma place, mais c'est mon bébé, mon bébé, et il n'en est pas question. Je l'allonge et la sangle sur un brancard et je les laisse la mettre dans l'ambulance. Je lui relève le menton, prêt à l'intuber, mais je vois la petite cicatrice qu'elle a gardée d'une chute contre le patin à glace de Jesse, et je m'effondre. Red m'emmène à l'écart et s'en occupe, lui prend le pouls.

— Il est faible, capitaine, dit-il, mais il est là.

Il insère un cathéter tandis que je prends l'émetteur radio et que j'appelle pour prévenir l'hôpital.

— Treize ans, sexe féminin, accident de la route, grave traumatisme crânien fermé...

Quand le moniteur cardiaque ne répond plus, je lâche la radio et je commence à pratiquer la respiration artificielle.

— Passez-moi le défibrillateur.

Je défais le chemisier d'Anna, coupe la dentelle du soutien-gorge qu'elle tenait tellement à avoir mais dont elle n'a pas besoin.

Red envoie les chocs, et le pouls revient, bradycardie avec pauses ventriculaires.

Nous la couvrons et la mettons sous perfusion. Paulie s'arrête sur les chapeaux de roue devant l'entrée des urgences et, sans perdre une seconde, ouvre les portes arrière de l'ambulance. Sur le brancard, Anna est immobile. Red me saisit le bras, fort.

— N'y pensez pas, dit-il.

Il prend la tête de la civière roulante et fonce.

Ils ne veulent pas me laisser entrer dans la salle de traumatologie. Les pompiers défilent les uns après les autres pour me témoigner leur solidarité. L'un d'eux monte chercher Sara, qui arrive paniquée.

— Où est-elle ? Que s'est-il passé ?

— Un accident de voiture. Je ne savais pas qu[e]
c'était avant d'aller sur place.

Les larmes me montent aux yeux. Dois-je lui dire
qu'elle est sous assistance respiratoire ? Dois-je lu[i]
dire qu'à un moment son cœur a cessé de battre ?
Dois-je lui dire que je viens de passer les dernière[s]
minutes à remettre en question chacun de me[s]
gestes depuis l'instant où j'ai grimpé sur le pick-u[p]
jusqu'à celui où je l'ai arrachée à l'épave, certai[n]
que mes émotions avaient compromis ce qui aurai[t]
dû être fait, ce qui aurait pu être fait ?

J'entends alors Campbell Alexander, et le bruit d[e]
quelque chose que l'on projette contre un mur.

— Bon sang ! fait-il. Dites-moi simplement si o[n]
l'a amenée ici !

Il arrive en trombe d'une autre salle de traumatologie, le bras plâtré, les vêtements ensanglantés. L[e]
chien, traînant la patte, est à ses côtés. Immédiatement, Campbell me regarde.

— Où est Anna ? demande-t-il.

Je ne lui réponds pas, parce que je ne sais pa[s]
quoi dire. Et il ne lui en faut pas plus pou[r]
comprendre.

— Oh, Seigneur ! murmure-t-il. Oh, mon Dieu[,]
non.

Le médecin sort de la salle où est Anna. Il m[e]
connaît. Je suis là quatre soirs par semaine.

— Brian, dit-il d'un ton mesuré, elle ne répon[d]
pas aux stimulus nocifs.

Le son qui s'échappe de moi est primal, inhu-
main, universel.

— Qu'est-ce que ça veut dire ?

Les mots de Sara me harcèlent.

— Qu'est-ce qu'il raconte, Brian ?

— La tête d'Anna a heurté la vitre très violemment, madame Fitzgerald. Actuellement, c'est un respirateur qui la maintient en vie, mais elle ne montre aucun signe d'activité neurologique... Elle est en état de coma dépassé. Je suis désolé, dit le médecin. Sincèrement désolé.

Il hésite, son regard va de l'un à l'autre.

— Je sais que vous n'avez sûrement pas envie d'y réfléchir à cet instant, mais le créneau est extrêmement limité... Est-ce que le don d'organe est quelque chose que vous seriez disposé à considérer ?

Certaines étoiles paraissent plus lumineuses que d'autres dans le ciel nocturne, et quand vous les observez au télescope, vous vous rendez compte que vous regardez des étoiles jumelles. Les deux étoiles tournent l'une autour de l'autre, mettant parfois près de cent ans à accomplir leur révolution. Elles créent une force gravitationnelle si grande qu'il n'y a de place alentour pour rien d'autre. Vous voyez, par exemple, une étoile bleue, et vous vous rendez compte par la suite qu'une étoile naine blanche l'accompagne. La première est tellement lumineuse que, le temps que vous remarquiez la seconde, il est trop tard.

C'est Campbell qui répond au médecin.

— C'est moi qui suis le représentant légal d'Anna, explique-t-il, pas ses parents.

Il nous regarde tour à tour, Sara et moi.

— Et il y a une jeune fille là-haut qui a besoin de ce rein.

Sara

Dans la plupart des langues, il y a les veuves et les orphelins, mais il n'existe aucun mot pour désigner le parent qui a perdu un enfant.

Ils nous la redescendent après que les organes ont été prélevés. Je suis la dernière à entrer. Dans le couloir, il y a déjà Jesse et Zanne et Campbell et des membres du personnel infirmier qui sont devenus des amis, et même Julia Romano – les gens qui avaient besoin de lui faire leurs adieux.

Brian et moi pénétrons dans la chambre où Anna repose, minuscule et immobile sur le lit d'hôpital. Un tube est enfoncé dans sa gorge, une machine respire pour elle. C'est à nous qu'il incombe de l'arrêter. Je m'assieds sur le bord du lit et prends la main d'Anna, encore tiède, encore douce dans la mienne. Malgré toutes ces années passées à anticiper un moment comme celui-ci, je suis totalement désemparée. C'est comme colorier le ciel avec un crayon de couleur, il n'est pas de mots pour un chagrin aussi immense.

— Je ne peux pas, dis-je dans un murmure.

Brian vient se placer derrière moi.

— Chérie, elle n'est plus là. C'est la machine qui maintient son corps en vie. Anna est déjà partie.

Je me retourne, enfouis mon visage dans sa poitrine.

— Mais elle n'avait pas le droit, dis-je en sanglotant.

Nous nous serrons l'un contre l'autre, et quand je
m'en sens le courage, je regarde de nouveau l'enveloppe qui a contenu ma benjamine. Il a raison,
après tout. Ce n'est plus qu'une coquille. Les traits
de son visage ont perdu leur énergie ; il y a dans
ses muscles le relâchement de l'absence. Sous cette
peau, ils l'ont dépouillée d'organes qui iront à Kate
et à d'autres, anonymes, receveurs de la seconde
chance.

— Allons-y.

Je prends une profonde inspiration. Je pose ma
main sur la poitrine d'Anna, tandis que Brian, tremblant, arrête le respirateur. Je caresse la peau de ma
fille en décrivant de petits cercles, comme si cela
pouvait rendre les choses plus faciles. Lorsque les
moniteurs n'affichent plus qu'une ligne droite, j'attends de voir un changement s'opérer en elle. Et
puis je le perçois, quand son cœur cesse de battre
sous ma paume – cette infime absence de rythme,
ce calme plat, cette perte absolue.

Epilogue

Quand le long du trottoir,
Flammes palpitantes de vie,
Les gens vacillent autour de moi,
J'oublie mon désespoir
Le vide dans la vaste constellation
Là où était une étoile autrefois

D. H. LAWRENCE, *Submergence*

Kate

2010

Il devrait y avoir prescription pour le chagrin. Un code stipulant que se réveiller tous les matins en pleurant n'est admis que pendant un mois. Qu'au bout de quarante-deux jours vous ne sursauterez plus, le cœur battant la chamade, certaine que vous l'avez entendue vous appeler. Que vous ne vous verrez pas infliger d'amende si vous éprouvez le besoin de vider les tiroirs de son bureau, de retirer ses dessins affichés sur le réfrigérateur, de retourner au passage une photo de classe – simplement parce que la voir est chaque fois un nouveau déchirement. Qu'il n'est pas interdit de mesurer le temps depuis qu'elle est partie, comme vous marquiez avant ses anniversaires.

Pendant longtemps, après, mon père a prétendu voir Anna dans le ciel nocturne. Parfois c'était le clignement d'un œil, parfois son profil. Il affirmait que les étoiles étaient des personnes tellement aimées qu'on les avait organisées en constellations, afin qu'elles vivent éternellement. Ma mère est longtemps restée persuadée qu'Anna lui reviendrait. Elle s'est mise à chercher des signes – des plantes qui éclosent trop tôt, des œufs avec deux jaunes, du sel répandu traçant la forme de lettres.

Quant à moi, j'ai commencé à me détester. Tout, bien entendu, était ma faute. Si Anna n'avait pas intenté ce procès, si elle n'était pas restée au tribunal pour signer des papiers avec son avocat, jamais elle ne se serait trouvée à ce croisement-là, à cet instant précis. Elle serait ici, et moi je serais celle qui reviendrait la hanter.

Pendant longtemps, j'ai été malade. La greffe a failli échouer, et puis, de manière inexplicable, j'ai commencé à remonter la pente. Ma dernière rechute date maintenant de huit ans, ce que même le Dr Chance n'arrive pas à comprendre. Il pense que c'est une combinaison de l'ATRA et du traitement à l'arsenic – une sorte d'effet retard – mais je sais que ma théorie est la bonne : quelqu'un devait mourir, et Anna a pris ma place.

Le chagrin est une chose curieuse, quand il survient sans que l'on s'y attende. C'est un pansement que l'on arrache, en retirant avec lui la couche supérieure d'une famille. Et les dessous d'un foyer ne sont jamais beaux à voir ; le nôtre ne fait pas exception. Il y a eu des périodes où je restais dans ma chambre pendant des jours, mon casque stéréo sur la tête, pour éviter d'entendre ma mère pleurer. Il y a eu des semaines où mon père travaillait vingt-quatre heures d'affilée pour n'avoir pas à retrouver une maison devenue trop grande pour nous.

Puis, un matin, ma mère s'est aperçue que j'avais mangé toutes nos provisions, jusqu'au dernier raisin sec racorni et à la dernière miette de biscuits, et elle est allée faire le marché. Mon père a payé une ou deux factures. Je me suis assise devant la télé et j'ai regardé un vieil épisode de I Love Lucy, et je me suis mise à rire.

Aussitôt, j'ai eu l'impression d'avoir profané un sanctuaire. Gênée, je me suis plaqué la main sur la bouche. C'est Jesse, assis à côté de moi sur le canapé, qui a dit :

— *Elle aussi aurait trouvé ça drôle.*

Vous voyez bien, si forte que soit votre envie de vous accrocher au souvenir amer et douloureux que quelqu'un a quitté ce monde, vous continuez à y vivre. Et le fait même de vivre est une marée : au début, vous pensez que ça ne change rien, et puis un jour vous constatez à quel point la douleur s'est érodée.

Je me demande si elle nous observe. Si elle sait que pendant longtemps nous avons gardé le contact avec Campbell et Julia, que nous sommes même allés à leur mariage. Si elle comprend que nous ne les voyons plus pour la simple raison que ça faisait vraiment trop mal, que, même quand nous ne parlions pas d'elle, elle restait suspendue entre les mots comme une odeur de brûlé.

Je me demande si elle a assisté à la remise de diplôme de Jesse à l'Académie de police, si elle sait qu'il a reçu les félicitations du maire l'an dernier pour son rôle dans le démantèlement d'un trafic de drogue. Je me demande si elle a su qu'après sa mort papa a basculé dans l'alcoolisme, et qu'il a eu toutes les peines du monde à en sortir. Je me demande si elle sait que, maintenant, j'enseigne la danse à des enfants. Chaque fois que je vois deux petites filles à la barre, et qui font des pliés, je pense à nous.

Elle continue de me surprendre. Par exemple, presque un an après sa mort, le jour où ma mère est rentrée à la maison avec les photos de ma remise de diplôme de fin d'études secondaires qu'elle venait de faire développer. Nous nous sommes assises ensemble à la table de la cuisine, épaule contre épaule, nous efforçant, en regardant tous ces grands sourires, de ne pas mentionner le fait que quelqu'un manquait sur les clichés.

Et puis, comme si nous l'avions appelée de nos vœux, la dernière était une photo d'Anna. C'est bien simple, nous n'avions pas utilisé l'appareil photo pendant tout ce temps. Elle était allongée sur une serviette de plage, la main levée, essayant d'interdire à la personne qui photographiait de prendre le cliché.

Ma mère et moi sommes restées longtemps assises à la table de la cuisine, à regarder Anna jusqu'à ce que le soir tombe, jusqu'à ce que nous connaissions par cœur les moindres détails de la photo, de la couleur de l'élastique qui retenait sa queue-de-cheval aux motifs imprimés sur son bikini. Jusqu'à ce que nous ne soyons plus très sûres de la voir encore distinctement.

Ma mère m'a permis de garder cette photo d'Anna. Mais je ne l'ai pas encadrée : je l'ai rangée dans une enveloppe et je l'ai fourrée tout au fond du tiroir d'un secrétaire. Elle est là, juste au cas où un de ces jours je commencerais à la perdre.

Il arrivera peut-être qu'un matin je me réveille sans que son visage soit la première chose que je voie. Ou un après-midi paresseux de mois d'août où je ne me rappellerai plus très bien l'emplacement exact des taches de rousseur sur son épaule droite. Peut-être qu'un de ces jours je ne serai plus capable, en écoutant tomber la neige, d'entendre le bruit de ses pas.

Quand je commence à me sentir dans cet état d'esprit, je vais dans la salle de bains, je soulève mon pull et je touche les lignes blanches de ma cicatrice. Je me

souviens comment, au début, je pensais que les
points de suture épelaient son nom. Je pense à son
rein qui fonctionne dans mon corps et à son sang qui
circule dans mes veines. Où que j'aille, je l'emmène
avec moi.

Remerciements

En tant que mère d'un enfant qui a subi dix opérations chirurgicales en trois ans, je voudrais d'abord remercier les médecins et le personnel infirmier qui, chaque jour, savent adoucir un peu les moments les plus durs qu'une famille puisse vivre : un grand merci au Dr Roland Eavey et à toute l'équipe pédiatrique du *Mass. Eye and Ear Hospital*, grâce à qui, dans la réalité, notre histoire a connu une fin heureuse. Tout au long de l'écriture de ce livre, je me suis rappelé, comme toujours, la limite de mes connaissances et combien je me repose sur l'expérience et les facultés intellectuelles des autres. Pour m'avoir autorisée à puiser dans leur vie personnelle ou professionnelle, ou pour leurs suggestions relevant d'un pur génie de l'écriture : merci, Jennifer Sternick, Sherry Fritzsche, Giancarlo Cicchetti, Greg Kachejian, Dr Vincent Guarerra, Dr Richard Stone, Dr Farid Boulad, Dr Eric Terman, Dr James Umlas, Wyatt Fox, Andrea Greene et Dr Michael Goldman, Lori Thompson, Synthia Follensbee, Robin Kall, Mary Ann McKenney, Harriet St. Laurent, April Murdoch, Aidan Curran, Jane Picoult et Jo-Ann Mapson. Pour avoir fait de moi une des leurs le temps d'une nuit et m'avoir intégrée dans une équipe de soldats du feu en bonne et due forme, j'adresse mes remerciements à Michael Clark, Dave Hautanemi, Richard « Pokey » Low et Jim Belanger (qui reçoit aussi une médaille d'or pour avoir corrigé mes erreurs). Pour m'avoir apporté un appui considérable, merci à Carolyn Reidy, Judith Curr, Camille McDuffie, Laura Mullen, Sarah Branham, Karen Mender, Shannon McKenna, Paolo Pepe, Seale Ballenger, Anne Harris, et à l'imbattable force de vente d'Atria. Pour avoir été la première à croire en moi, toute ma gratitude à Laura Gross. Ma sincère reconnaissance à Emily Bestler, qui me guide avec un discernement remarquable et me donne la liberté de déployer mes ailes. A Scott et Amanda MacLellan et à Dave Cranmer – qui, forts de leur expérience, m'ont éclairée sur les victoires et les tragédies de la vie au quotidien sous la menace d'une maladie mortelle – merci de votre générosité, et tous mes vœux pour de très longues années de bonheur et de santé.

Et, comme toujours, merci à Kyle, Jake et Sammy, et tout spécialement à Tim, d'être ce qui compte le plus.

8588

Composition
NORD COMPO

Achevé d'imprimer en France (La Flèche)
par **CPI-BRODARD ET TAUPIN**
le 18 août 2009 - 54144.

Dépôt légal août 2009.
EAN 9782290007662

ÉDITIONS J'AI LU
87, quai Panhard-et-Levassor, 75013 Paris

Diffusion France et étranger : Flammarion